Marie-Claude DELAHAYE

LE LIVRE
DE BORD
DE LA FUTURE
MAMAN

Primé par l'Académie de Médecine

•MARABOUT•

Du même auteur :

— *Tétons et tétines, Histoire de l'Allaitement*, Editions Trame-Way, 1990.
— *Le livre de bord de la femme*, Editions Marabout, 1992.

Dessins de Carine Deletraz. Schémas p. 39, 42, 71, 214 : conception M.-C. Delahaye.

© 1991, **Marabout**, 2001, pour la présente édition mise à jour.

PRÉFACE

« Où en est-il, cette semaine, mon bébé ? »

« Que dit mon "livre de bord" ? Que dois-je faire ? »

Du premier jour jusqu'à l'accouchement, le « livre de bord » éclaire la future maman sur tout ce qui est utile, voire indispensable qu'elle sache, pour le bien de son petit, pour elle-même.

Cette chronologie de la grossesse, à la fois très humaine et scientifique, est unique en son genre parmi les livres qui traitent du même sujet. Chaque semaine, la future maman est informée de la plus claire façon des progrès de son bébé et de l'évolution corrélative de son propre corps : elle reçoit des conseils humains, biologiques, sociaux, exactement adaptés à cette période-là. Elle devient une mère qui participe totalement à sa grossesse.

Ce livre bien pensé et bien écrit est extrêmement pratique, avec index et lexique pour les termes spéciaux. Immédiatement abordable par le grand public, il est cependant d'un niveau scientifique élevé, rigoureusement exact, informé des plus récentes notions.

Les nombreux schémas sont remarquables de clarté.

Marie-Claude Delahaye, qui fut mon élève, est Docteur en biologie cellulaire et enseigne cette discipline aux étudiants en médecine. Par sa haute vulgarisation biologique et son approche de l'humain, son présent ouvrage est une réussite : il rendra les plus grands services pratiques aux futures mamans.

PROFESSEUR **André Thomas**
Membre de l'Académie des Sciences
Président de l'Académie Nationale de Médecine

Juin 1988

SOMMAIRE

Avertissement

Ce guide pratique de la grossesse va vous tenir compagnie pendant neuf mois. Il vous donnera de précieuses indications sur le développement de votre bébé et sur ce qui se passe en vous durant ces neuf mois. Ce n'est en aucun cas un guide médical fait pour remplacer votre médecin. Il est, au contraire, conçu pour vous tenir en éveil, vous alerter des anomalies qui pourraient survenir au cours de votre grossesse et vous inciter à consulter au plus vite votre médecin au moindre malaise. Tout au long de votre grossesse, votre seul vrai guide reste le médecin qui vous suit.

INTRODUCTION

Votre bébé est là, en vous.

D'abord petite graine imperceptible, il grandit jour après jour et votre ventre qui s'arrondit au fil des mois vous indique sa croissance. Vous êtes en train de vivre une aventure fabuleuse, celle de la vie.

Ne banalisez pas, par ignorance, cette chance unique qu'est la création d'un nouvel être humain mais, au contraire, vivez intensément cette période magique en sachant constamment ce qui se passe en vous. Comment cette cellule précieuse que vous portez depuis le jour de votre propre naissance va-t-elle aboutir, une fois fécondée et au terme de multiples remaniements, au bébé que vous découvrirez le jour de sa naissance ?

La grossesse vous semblera moins inconfortable si vous en vivez consciemment et avec passion chaque étape, si vous suivez, semaine après semaine, le développement de votre bébé. Vous serez étonnée de la rapidité de ses progrès.

Et le jour de son arrivée dans le monde, quand enfin vous le serrerez dans vos bras, vous aurez le sentiment de le connaître déjà très bien. Il est vrai que vous aurez eu 266 jours pour cela !

Pour vous, le futur père

Pour vous aussi, la grande aventure de la vie commence. Pendant 9 mois, vous allez vivre l'attente. Pas directement dans votre corps mais par personne interposée. Ce n'est pas vraiment plus facile car si vous n'avez pas les petites souffrances physiques, vous n'avez pas non plus les sensations et les joies profondes.

Tout comme la femme devient mère tout doucement en sentant au fil des mois son corps se modifier et son enfant devenir plus présent, devenez père vous aussi, petit à petit. Vous avez 9 mois pour vous y préparer.

Tout d'abord, ayez une oreille attentive aux questions, aux doutes, aux angoisses de la mère. Rassurez-la et communiquez-lui votre optimisme devant la vie qui s'annonce. Puis, quand votre bébé commencera à se manifester, touchez-le, caressez-le à travers le ventre de sa mère. Parlez-lui le plus souvent possible. Il vous entendra et, à peine né, reconnaîtra votre voix quand vous lui parlerez et peut-être vos mains quand vous le toucherez.

C'est ainsi qu'au fur et à mesure que les mois vont passer, le sentiment de votre future paternité va s'affirmer. Et, tout naturellement, vous aurez envie d'aller jusqu'au bout : voir naître votre enfant.

Suivez activement l'évolution de votre bébé

Vous allez suivre l'évolution de votre bébé en vous, semaine après semaine. Pour que le stade de votre grossesse corresponde bien à votre lecture, notez en haut de la page 25, à l'endroit indiqué, la date du 1er jour de vos dernières règles. Cette date, que toute femme connaît, est considérée comme point de repère du début de la grossesse bien que celle-ci ne commence réellement qu'une quinzaine de jours plus tard, au moment de la fécondation qui est l'instant précis de la conception du bébé.

Grâce à ce repère, vous allez pouvoir suivre, semaine après semaine, toutes les étapes de votre grossesse. Le développement de votre bébé, les modifications survenant dans votre corps, les conseils, les réponses aux questions que vous vous posez, apparaissent dans l'ordre chronologique, au fur et à mesure qu'ils se présentent réellement.

N'oubliez pas cependant que, même si vous connaissez avec précision la date de votre ovulation, donc de votre fécondation, les indications sur la taille, le poids, le développement de votre bébé seront néanmoins légèrement approximatives. Il s'agit d'une estimation moyenne de la croissance embryonnaire à ce moment-là, car il est impossible de connaître les données exactes concernant VOTRE bébé à un moment particulier de VOTRE grossesse.

Chaque nouvelle semaine, vous allez découvrir les progrès étonnants de votre bébé. Connaissant les phases principales de son élaboration, vous aurez à cœur de l'aider en suivant les conseils qui vous sont prodigués. A ce propos, ne vous laissez pas troubler par les pages mentionnant les maladies et autres complications liées à la grossesse. Ce sont des cas exceptionnels. Il faut néanmoins les signaler afin d'éviter des erreurs graves. Mais vous le savez bien, dans la majorité des cas, la grossesse et l'accouchement se déroulent tout à fait normalement et naturellement.

En compagnie de votre « livre de bord », chaque jour, vous allez penser à votre bébé, vivre avec lui en communion physique mais aussi mentale et faire de votre grossesse une succession de moments fabuleux.

La durée de la grossesse

La durée de la grossesse est calculée de deux façons :
• *en semaines d'aménorrhée*, c'est-à-dire sans règles, comptées à partir du 1er jour des dernières règles constatées ;

• *en semaines de grossesse réelle.* Celle-ci débute au commencement de la 3ᵉ semaine d'aménorrhée, à la fécondation. C'est donc le nombre de semaines d'aménorrhée moins 2 semaines.

Les semaines de grossesse correspondent à l'âge réel du bébé.

Les deux formules sont correctes et sont employées indifféremment dans la pratique courante. Néanmoins, c'est le premier calcul qui est retenu comme convention internationale pour tout ce qui concerne les données de la grossesse. Il est en effet plus fiable car toute femme connaît avec précision le jour de ses dernières règles, alors que l'ovulation peut ne pas avoir lieu au 14ᵉ jour du cycle.

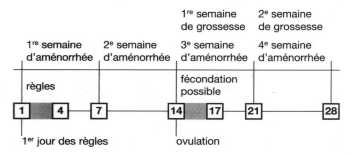

Les statistiques prouvent que la grossesse a une durée variable. Théoriquement, elle dure en moyenne :
• 280 jours comptés à partir du 1ᵉʳ jour des dernières règles ;
• 266 jours comptés à partir du moment de la fécondation.

280 jours représentent environ 10 mois lunaires soit 40 semaines d'aménorrhée. Un mois lunaire est basé sur le retour de la pleine lune tous les 28 jours. Comme il débute au 1ᵉʳ jour des dernières règles, 10 mois lunaires correspondent aux 10 mois d'aménorrhée. Les pays anglo-saxons ont coutume d'exprimer la durée de la grossesse ainsi, en mois lunaires.

266 jours représentent approximativement 9 mois du calendrier, soit 38 semaines. Cela correspond à l'âge réel du bébé.

Comment connaître la date de votre accouchement ?

Des tables de calcul utilisées par les médecins indiquent rapidement le terme de la grossesse calculé à partir de la date des dernières règles.

Vous pouvez également calculer cette date à l'aide d'une formule simple :

■ Ecrire numériquement la date du 1er jour de vos dernières règles. Exemple : 4/10 pour le 4 octobre.

■ Soustraire 3 pour le mois. Exemple : $10 - 3 = 7$

■ Ajouter 7 au jour. Exemple : $4 + 7 = 11$

Votre bébé naîtra le 11 juillet.

La date de votre accouchement dépend de nombreuses variantes.

Elle sera correcte si vous vous souvenez avec certitude du 1er jour de vos dernières règles, si vous avez ovulé et conçu exactement 14 jours après et si vous accouchez dans les normes de 266 jours après votre fécondation.

Dans le pire des cas, votre date d'accouchement pourra varier de deux semaines dans un sens ou dans l'autre. L'expérience montre que la grande majorité des femmes (90 %) accouche entre 276 et 296 jours, soit vers la fin de la 40e et le début de la 41e semaine d'aménorrhée. 25 % des femmes accouchent à 38 ou 39 semaines et 30 % n'accouchent qu'à la 42e ou 43e semaine.

De toute façon, votre bébé sera là un jour !

Dernières règles* — Date / Accouchement

* 1er jour des dernières règles

Dernières règles															
Janvier	1	2	3	4	5	6	7	8	9	10	11	12	13	14	15
Octobre	15	16	17	18	19	20	21	22	23	24	25	26	27	28	29
Février	1	2	3	4	5	6	7	8	9	10	11	12	13	14	15
Nov.	15	16	17	18	19	20	21	22	23	24	25	26	27	28	29
Mars	1	2	3	4	5	6	7	8	9	10	11	12	13	14	15
Déc.	13	14	15	16	17	18	19	20	21	22	23	24	25	26	27
Avril	1	2	3	4	5	6	7	8	9	10	11	12	13	14	15
Janvier	13	14	15	16	17	18	19	20	21	22	23	24	25	26	27
Mai	1	2	3	4	5	6	7	8	9	10	11	12	13	14	15
Février	12	13	14	15	16	17	18	19	20	21	22	23	24	25	26
Juin	1	2	3	4	5	6	7	8	9	10	11	12	13	14	15
Mars	15	16	17	18	19	20	21	22	23	24	25	26	27	28	29
Juillet	1	2	3	4	5	6	7	8	9	10	11	12	13	14	15
Avril	14	15	16	17	18	19	20	21	22	23	24	25	26	27	28
Août	1	2	3	4	5	6	7	8	9	10	11	12	13	14	15
Mai	15	16	17	18	19	20	21	22	23	24	25	26	27	28	29
Sept.	1	2	3	4	5	6	7	8	9	10	11	12	13	14	15
Juin	14	15	16	17	18	19	20	21	22	23	24	25	26	27	28
Octobre	1	2	3	4	5	6	7	8	9	10	11	12	13	14	15
Juillet	14	15	16	17	18	19	20	21	22	23	24	25	26	27	28
Nov.	1	2	3	4	5	6	7	8	9	10	11	12	13	14	15
Août	14	15	16	17	18	19	20	21	22	23	24	25	26	27	28
Déc.	1	2	3	4	5	6	7	8	9	10	11	12	13	14	15
Sept.	13	14	15	16	17	18	19	20	21	22	23	24	25	26	27

7	18	19	20	21	22	23	24	25	26	27	28	29	30	31	Janvier
1	1	2	3	4	5	6	7	8	9	10	11	12	13	14	Nov.

7	18	19	20	21	22	23	24	25	26	27	28				Février
1	2	3	4	5	6	7	8	9	10	11	12				Déc.

7	18	19	20	21	22	23	24	25	26	27	28	29	30	31	Mars
29	30	31	1	2	3	4	5	6	7	8	9	10	11	12	Janvier

7	18	19	20	21	22	23	24	25	26	27	28	29	30		Avril
29	30	31	1	2	3	4	5	6	7	8	9	10	11		Février

7	18	19	20	21	22	23	24	25	26	27	28	29	30	31	Mai
28	1	2	3	4	5	6	7	8	9	10	11	12	13	14	Mars

7	18	19	20	21	22	23	24	25	26	27	28	29	30		Juin
31	1	2	3	4	5	6	7	8	9	10	11	12	13		Avril

7	18	19	20	21	22	23	24	25	26	27	28	29	30	31	Juillet
30	1	2	3	4	5	6	7	8	9	10	11	12	13	14	Mai

7	18	19	20	21	22	23	24	25	26	27	28	29	30	31	Août
21	1	2	3	4	5	6	7	8	9	10	11	12	13		Juin

7	18	19	20	21	22	23	24	25	26	27	28	29	30		Sept.
30	1	2	3	4	5	6	7	8	9	10	11	12	13		Juillet

7	18	19	20	21	22	23	24	25	26	27	28	29	30	31	Octobre
30	31	1	2	3	4	5	6	7	8	9	10	11	12	13	Août

7	18	19	20	21	22	23	24	25	26	27	28	29	30		Nov.
30	31	1	2	3	4	5	6	7	8	9	10	11	12		Sept.

7	18	19	20	21	22	23	24	25	26	27	28	29	30	31	Déc.
29	30	1	2	3	4	5	6	7	8	9	10	11	12	13	Octobre

Semaines d'aménorrhée	Semaines de grossesse	Mois de grossesse
Les semaines d'aménorrhée, c'est-à-dire sans règles, se comptent à partir du 1er jour des dernières règles		
1		
2 ... Fécondation ...	0	
3	1	
4	2	1
5	3	
6	4	fin du 1er
7	5	
8	6	2
9	7	
10	8	fin du 2e
11	9	
12	10	
13	11	3
14	12	
15	13	fin du 3e
16	14	
17	15	4
18	16	
19	17	fin du 4e
20	18	
21	19	
22	20	5
23	21	
24	22	fin du 5e
25	23	
26	24	6
27	25	
28	26	fin du 6e
29	27	
30	28	7
31	29	
32	30	fin du 7e
33	31	
34	32	8
35	33	
36	34	fin du 8e
37	35	
38	36	9
39	37	
40	38	
41	39	Naissance du
42	40	bébé

GÉNÉRALITÉS

Avant votre bébé, il y a vous :
tout est prévu pour donner la vie

Votre corps est conçu de façon à pouvoir créer.

Avec le vagin qui recueille la semence masculine, les ovaires et leur énorme réserve d'ovocytes, les trompes de Fallope qui captent l'ovocyte émis et le font descendre jusqu'à l'utérus où il s'implantera s'il est fécondé, pour se développer pendant 9 mois : tout est en place pour l'élaboration d'un nouvel être humain.

Les ovaires

Ce sont les glandes sexuelles féminines. De la taille et de la forme de grosses amandes, de 4 cm de long et environ 2,5 cm de large, ils sont situés à droite et à gauche de l'utérus auquel ils sont attachés par un ligament souple. Un autre ligament les maintient aux trompes, à proximité du pavillon.

Rôle des ovaires

• Production des hormones sexuelles féminines, estrogènes et progestérone, qui sont indispensables au bon déroulement des cycles menstruels, de la grossesse, ainsi qu'au bon fonctionnement des organes génitaux et de la physiologie de la femme en général.
• Production des ovocytes, encore appelés ovules, qui sont les cellules reproductrices féminines.

A sa naissance la petite fille possède la réserve énorme de 700 000 à 2 millions d'ovocytes. Un grand nombre d'entre eux vont dégénérer au cours de la petite enfance et à l'âge de la puberté il n'en restera plus que 300 000 à 400 000. La nature voit grand !

Parmi ceux-ci, seuls 300 à 400 arriveront à maturité et deviendront des ovocytes fécondables. A raison de 13 par an, un tous les 28 jours, pendant les 30 ans que dure, en gros, la période de fécondité de la femme.

Bien que tous potentiellement fécondables, il y aura peu d'élus !

Les trompes de Fallope

Ce sont deux petits tubes creux, flexibles, de 10 à 12 cm de longueur et dont le diamètre interne est à peine plus gros qu'un cheveu. Elles partent de chaque côté du fond supérieur de l'utérus et se terminent au niveau d'un ovaire par un pavillon muni de franges mobiles destinées à capter l'ovocyte dès son émission par l'ovaire.

Une seule trompe en bon état suffit pour réussir une grossesse, à condition toutefois qu'elle soit placée du côté de l'ovaire quand il n'y en a qu'un seul.

Rôle des trompes

Il est d'une importance extrême car la fécondation se fait dans l'une d'elles, au tiers supérieur. Elles permettent :
• le transit des spermatozoïdes vers le lieu de la fécondation ;

• à l'ovocyte de gagner le lieu de fécondation puis, si elle n'a pas lieu, d'être évacué vers l'utérus ;
• la survie et le transport de l'œuf vers l'utérus où il s'implantera.

L'utérus

L'utérus est un muscle épais et virtuellement creux, ayant la forme et la taille d'une figue fraîche. Il mesure 6 à 8 cm de hauteur sur 3 à 4 cm de large, mais est considérablement remanié au cours de la grossesse. Sa hauteur au voisinage du terme est alors de 30 cm !

Il est à l'extrémité du vagin, incliné normalement au-dessus de la vessie. Il est retenu par des ligaments souples qui lui laissent une certaine flexibilité mais l'empêchent de descendre dans le vagin.

Du fond du corps utérin, partent de chaque côté les trompes de Fallope.

Le muscle utérin est recouvert intérieurement d'une muqueuse appelée *endomètre*. Cette muqueuse destinée à

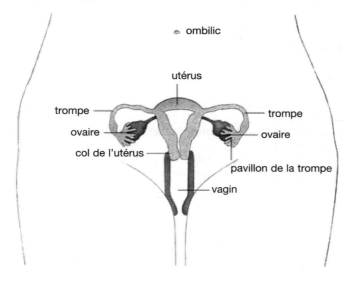

accueillir l'œuf fécondé, riche en vaisseaux sanguins et en glandes, subit d'importantes variations en fonction de la période du cycle menstruel et de l'âge de la femme. C'est elle qui est périodiquement éliminée par le phénomène de la menstruation, ou règles, quand il n'y a pas eu de fécondation.

L'utérus est fermé à sa base par le *col*, resserrement étroit et dur de 3 cm de longueur environ, que l'on peut sentir avec les doigts, au fond du vagin. Il présente au toucher une certaine mobilité.

Le col est traversé en son milieu par un fin canal qui met en communication le corps de l'utérus et le vagin. C'est par ce canal que s'écoule le flux menstruel. C'est par lui également que les spermatozoïdes déposés dans le vagin passent vers l'utérus pour gagner les trompes, lieu de la fécondation.

Les cellules qui tapissent intérieurement le col se modifient au cours du cycle menstruel. Au moment de l'ovulation, elles sécrètent une substance visqueuse appelée la *glaire cervicale*, indispensable aux spermatozoïdes pour monter dans le corps de l'utérus.

Le col de l'utérus est rond à ouverture étroite chez une femme qui n'a jamais eu d'enfant et plus large, allongée transversalement, chez celle qui a déjà accouché.

Rôle de l'utérus

Il est fondamental dans presque toutes les étapes de la fonction de reproduction :
• dans l'ascension des spermatozoïdes grâce à la glaire cervicale ;
• dans la nidation de l'œuf et la formation du placenta grâce à l'endomètre ;
• dans l'accouchement grâce à la paroi musculaire du corps utérin qui se contracte et pousse ainsi le bébé vers le monde extérieur.

La cellule : élément de base de l'individu

Tout être vivant est constitué de cellules. De milliards de cellules.

De tailles et de formes différentes suivant leur fonction, les cellules de même type vont s'associer entre elles pour former tissus et organes. Chaque cellule a donc une spécialisation et le travail de chacune aboutit à l'édification de l'organisme.

Excepté les cellules nerveuses, toutes les autres cellules se renouvellent régulièrement par division, leur durée de vie variant de 4 jours à 4 mois suivant les catégories cellulaires.

Toujours protégées par une membrane qui les entoure totalement, les cellules sont constituées d'une substance protéique très hydratée : le *cytoplasme*. Le cytoplasme est parcouru par tout un ensemble de structures membranaires spécialisées appelées *organites*, indispensables à la vie et au travail de la cellule. Comme autant de machines nécessaires au bon fonctionnement d'une usine.

Au centre de la cellule, isolé du cytoplasme par une double enveloppe, siège le *noyau*.

Le noyau de la cellule est le centre de commandement de l'usine. C'est de là que sont donnés tous les ordres. Ordres de fabrication et de division. Le commandant en chef est l'ADN. C'est lui qui dirige toutes les manœuvres.

L'ADN

L'ADN (acide désoxyribonucléique) est une longue molécule formée de deux brins complémentaires disposés en hélice. Il est associé à des protéines qui vont l'aider à s'enrouler sur lui-même, formant ce que l'on appelle la *fibre de chromatine*.

Présent dans chaque cellule, l'ADN a un rôle essentiel dans le maintien de la vie :

• décodé, il est à l'origine de la synthèse des protéines dont la présence est capitale pour le développement, la croissance et l'entretien de la cellule, donc de l'organisme tout entier ;

• il est le gardien de l'hérédité grâce à la présence des *gènes* ;

• il a pour particularité de se répliquer identique à lui-même, de se dédoubler en quelque sorte. Il assure ainsi, dans toute nouvelle cellule issue du processus de division, le maintien et la transmission des caractères héréditaires.

Les gènes

Les caractères héréditaires sont déterminés par les gènes. Or un gène est tout simplement une portion d'ADN, une certaine séquence, qui contient l'information nécessaire pour coder, sous forme de message chimique, la synthèse d'un produit.

L'ensemble des synthèses réalisées au sein des cellules spécialisées, sous les ordres conjoints de plusieurs gènes, détermine finalement les caractères visibles. Par exemple, il faut que plus d'une vingtaine de gènes travaillent ensemble, au même moment, pour déterminer la couleur des yeux de votre enfant.

Les chromosomes

Au cours de la division cellulaire, moment particulier du cycle de vie de la cellule, le long filament d'ADN et de protéines qu'est la fibre de chromatine va s'enrouler de nombreuses fois sur lui-même. Ainsi raccourcie et épaissie, cette structure porte le nouveau nom de *chromosome*.

Chaque noyau cellulaire de la dizaine de milliards de cellules constituant un organisme humain possède 46 filaments de chromatine, soit 46 chromosomes associés par paires. Des 23 paires de chromosomes présentes dans chaque cellule, aucune n'est semblable à l'autre. De plus, 22 paires sont communes aux 2 sexes alors qu'une paire est propre à l'homme ou à la femme. C'est la paire de chromosomes sexuels.

Chez la femme, la paire de chromosomes sexuels comprend deux grands chromosomes appelés *chromosomes X*. Chez l'homme, cette paire comprend un chromosome X et un autre, beaucoup plus petit, qui a pour nom *chromosome Y*.

> **Formules chromosomiques**
> *Femme* : 44 chromosomes + XX
> *Homme* : 44 chromosomes + XY

Chacun de ces chromosomes porte, dans chaque cellule, toujours au même endroit, la même séquence biochimique, c'est-à-dire le même gène capable de coder et donc de déterminer un caractère précis. Pour les 46 chromosomes, cela représente des milliards de gènes différents, parmi lesquels un très grand nombre d'entre eux ne seront jamais utilisés.

Deux cellules extraordinaires : l'ovocyte et le spermatozoïde

De tout l'organisme, seuls les *gamètes* ou cellules sexuelles, c'est-à-dire les ovocytes et les spermatozoïdes, sont à 23 chromosomes.

Parmi les 23 chromosomes de chacune de ces cellules, il y a 22 chromosomes plus un chromosome sexuel. Ce qui donne une seule sorte d'ovocyte et deux sortes de spermatozoïdes.

> Ovocyte : 22 chromosomes + X
> Spermatozoïdes : 22 chromosomes + X
> et 22 chromosomes + Y

L'œuf né de la rencontre de l'ovocyte de la mère et du spermatozoïde du père sera à nouveau à 46 chromosomes avec en héritage les gènes portés par les 23 chromosomes du père et ceux portés par les 23 chromosomes de la mère.

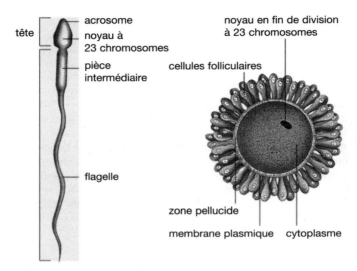

acrosome
tête
noyau à
23 chromosomes

pièce
intermédiaire

flagelle

noyau en fin de division
à 23 chromosomes

cellules folliculaires

zone pellucide

membrane plasmique   cytoplasme

Spermatozoïde.   *Ovocyte au moment de la ponte ovulaire.*

L'ovocyte

C'est la cellule la plus volumineuse de tout l'organisme humain. Avec ses 150 millièmes de millimètre de diamètre, elle est environ dix fois plus grosse que n'importe quelle autre cellule de l'individu.

Issu de l'ovaire, l'ovocyte y est stocké sous une forme immature. Il est à noter que, dans le langage courant, le terme d'ovule est communément employé pour désigner la cellule sexuelle féminine. Scientifiquement, le nom d'ovule ne devrait être donné qu'à l'ovocyte venant tout juste d'être fécondé. C'est au moment où un spermatozoïde commence à pénétrer dans l'ovocyte que celui-ci achève sa maturation et devient un ovule. Le stade ovule est très transitoire puisque rapidement il y a fusion de son noyau avec celui du spermatozoïde (voir figure page 36).

Le spermatozoïde

Indispensable à la fécondation de l'ovocyte, la cellule sexuelle masculine ou spermatozoïde est la plus petite cellule humaine.

Les spermatozoïdes sont produits par les testicules, glandes sexuelles masculines, en même temps que l'hormone mâle : la *testostérone*. Contrairement à la femme qui naît avec toute sa réserve d'ovocytes, l'homme commence à fabriquer des spermatozoïdes seulement à l'âge de la puberté. Une production qui sera continue tout au long de la vie.

Les spermatozoïdes prennent naissance à partir des cellules tapissant les *tubes séminifères* qui sont de très longs tubes filamenteux situés dans les testicules et embobinés les uns sur les autres. D'abord cellules immatures, elles vont subir une série de transformations successives pour aboutir à la cellule mobile qu'est le spermatozoïde.

Les spermatozoïdes vont s'échapper dans la lumière du tube séminifère et passer dans l'*épididyme*, tube contourné qui recouvre le testicule. Stockés là, ils vont terminer leur maturation avant de se masser dans les *vésicules séminales*, deux glandes situées de part et d'autre de la *prostate*. Lors d'un rapport sexuel, ils seront éjectés dilués dans un liquide sécrété par les vésicules séminales et la prostate, le tout formant le sperme.

Déposés dans le vagin, les spermatozoïdes peuvent vivre 2 à 4 jours dans les trompes où ils sont montés et donc attendre éventuellement l'émission de l'ovocyte pour le féconder. Restés chez l'homme, ils survivent une trentaine de jours avant de mourir et d'être remplacés par d'autres.

L'ovulation

Fin de la 2e semaine d'aménorrhée

Période d'ovulation comptée à partir du 1er jour des dernières règles :
- *pour un cycle normal de 28 jours : le 14e jour ;*
- *pour un cycle long de 35 jours : le 21e jour ;*
- *pour un cycle court de 22 jours : le 8e jour.*

Date du 1er jour des dernières règles : ....

Date probable d'ovulation : ....

Vous terminez la deuxième semaine d'aménorrhée, c'est-à-dire sans règles. C'est une semaine capitale pour vous qui désirez un bébé car un de vos ovaires va émettre un ovocyte qui ne demande qu'à être fécondé.

Le cycle de l'ovaire

Les ovaires sont le siège d'une activité périodique. Tous les 28 jours environ, un *ovocyte* va être émis alternativement par l'un ou l'autre ovaire, de la puberté à la ménopause.

Le *cycle ovarien* comporte 3 phases bien distinctes qui sont sous la dépendance directe des hormones émises par l'adénohypophyse, petite glande appendue à la base du cerveau :
- la FSH, ou Hormone de Stimulation Folliculaire, entraîne la maturation du follicule ovarien et régit le taux des estrogènes sécrétés par l'ovaire ;
- la LH, ou Hormone Lutéinique, provoque la rupture du

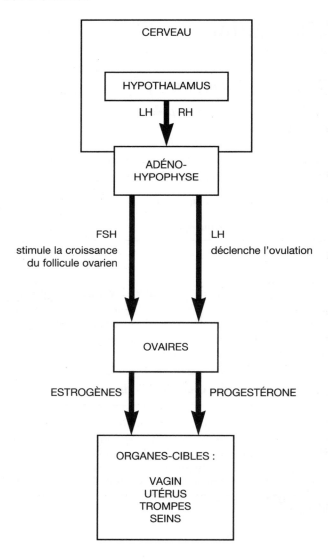

Le système hormonal féminin.

follicule, ce qui entraîne l'ovulation. Elle déclenche ensuite une forte sécrétion de progestérone par le corps jaune qui apparaît par transformation du follicule.

Ces deux hormones hypophysaires sont elles-mêmes sous la dépendance d'une neuro-hormone, la LH-RH, émise par une région très importante du cerveau : l'*hypothalamus*.

La phase folliculaire

Les 300 000 à 400 000 ovocytes présents dans les ovaires au moment de la puberté sont nourris et protégés du reste du tissu ovarien par une couche de cellules. Ce sont les follicules primordiaux.

Pendant la première partie du cycle, environ 14 à 15 jours comptés à partir du 1er jour des dernières règles, un certain nombre de follicules sont activés sous l'action de l'hormone hypophysaire FSH. Quelques-uns d'entre eux arriveront à maturité mais un seul libérera un ovocyte.

Les cellules folliculeuses tout d'abord disposées en une seule couche autour de l'ovocyte se multiplient pour former une assise cellulaire épaisse d'une dizaine de couches. Dans ce follicule encore dense, de petites cavités apparaissent et se remplissent de liquide folliculaire. Elles se rejoignent pour former une seule grande cavité qui repousse l'ovocyte en périphérie du follicule. Le follicule qui gonfle par accroissement de sa cavité fait un petit renflement de la taille d'une groseille à la surface de l'ovaire.

Sous l'influence de FSH, les cellules de l'ovaire situées autour du follicule ovarien en maturation sécrètent des estrogènes. La quantité d'estrogènes augmente au fur et à mesure que le follicule grossit. Elle atteint un taux maximum 24 heures avant l'ovulation.

Le follicule qui mesurait au début de la phase folliculaire 25 millièmes de mm de diamètre mesure à la fin de cette phase 15 mm. Il forte le nom de *follicule de De Graaf*.

L'ovulation

L'augmentation des estrogènes dans le sang agit sur le complexe hypothalamo-hypophysaire entraînant la libération massive de LH par l'adénohypophyse. Sous l'action de LH, la tension du liquide contenu à l'intérieur du follicule augmente, ce qui finit par provoquer sa rupture. Le liquide folliculaire s'écoule lentement de l'ovaire tandis que l'ovocyte se retrouve à sa surface par l'affaissement progressif de la paroi folliculaire. C'est la *ponte ovulaire* ou *ovulation*. L'ovocyte, encore entouré d'une couche épaisse de cellules, est aussitôt aspiré par les franges du pavillon de la trompe de Fallope qui balaient l'ovaire.

L'ovocyte, qui ne possède aucun moyen de locomotion propre, flotte dans le fluide de la trompe et avance lentement en direction de l'utérus grâce aux mouvements conjugués des parois musculeuses de la trompe et des battements de cils vibratiles qui la tapissent intérieurement. Il va attendre là, dans la trompe, 12 h à 24 h au maximum avant d'être fécondé. Passé ce délai, l'ovocyte non fécondé dégénère.

La phase luthéale ou post-ovulatoire

Cette période qui précède les règles dure environ 12 à 14 jours.

Aussitôt après la ponte ovulaire, l'ovaire présente une plaie minuscule qui se cicatrise rapidement. Très vite, le follicule ovarien se transforme sous l'influence de l'hormone LH dont le taux est très élevé. Les parois du follicule rompu s'affaissent alors que des capillaires sanguins se développent pour le vasculariser. Le follicule se transforme ainsi en une véritable glande appelée *corps jaune* du fait de sa pigmentation. Le corps jaune élabore des estrogènes et une quantité importante de progestérone. La progestérone a pour rôle de préparer la muqueuse utérine à la nidation de l'œuf.

La muqueuse utérine, très mince, au début du cycle, s'épaissit considérablement après l'ovulation, tout en se contournant en de nombreux replis. Ceci a pour effet d'augmenter sa surface très riche en glandes et en vaisseaux sanguins.

Au 20e jour du cycle, l'utérus est prêt à recevoir l'œuf.

Si l'ovocyte a été fécondé et qu'une grossesse s'installe, la couche cellulaire externe de l'œuf implanté dans la muqueuse utérine environ 8 jours après la fécondation sécrète une hormone, la *gonadotrophine chorionique* (HCG), qui maintient le corps jaune en activité pendant 3 mois. Sous la dépendance directe de cette hormone, le corps jaune augmente de volume et sécrète de plus en plus d'hormones, des estrogènes et surtout de la progestérone qui assure la poursuite de la grossesse. Au-delà de cette période, le relais sera pris par le placenta et le corps jaune régressera.

Si l'ovocyte n'a pas été fécondé, il ne s'implante pas dans la muqueuse utérine. Le corps jaune cesse alors sa sécrétion de progestérone, puis dégénère. La chute brutale des hormones dans le sang provoque de petites contractions au niveau des vaisseaux sanguins de la muqueuse. Il s'ensuit une sorte d'asphyxie de la muqueuse, qui finit par se détacher par lambeaux, entraînant une succession de brèves hémorragies localisées. L'ensemble de ces petites hémorragies de l'endomètre se traduit par un écoulement sanguin qui va durer 4 à 5 jours avec un maximum du flux aux 2e et 3e jours. Ce sont les *règles*.

Comme la nature est bien faite, dès l'instant où l'ovule non fécondé est évacué, un nouveau follicule commence sa maturation pour en libérer un autre 14 jours plus tard. Un nouveau cycle de 28 jours commence. Il débute précisément le premier jour des règles.

ovaire

ovocyte
liquide folliculaire

1

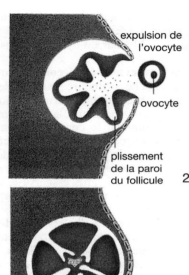

expulsion de
l'ovocyte

ovocyte

plissement
de la paroi
du follicule

2

cloisons
vascularisées

3

1. Follicule de De Graaf
2. Rupture d'un follicule de De Graaf : ovulation
3. Corps jaune constitué. Par sa sécrétion de progestérone, il assure le maintien de la grossesse

Maturation du follicule, ovulation et évolution en corps jaune.

Comment savoir si vous ovulez?

L'ovulation peut être repérée à plusieurs signes :
• une tension des seins due à la production d'estrogènes par le follicule ;
• une légère douleur au niveau de l'ovaire, à droite ou à gauche ;
• la présence, au niveau du vagin, d'un mucus incolore et inodore, produit par les cellules du col de l'utérus. Cette *glaire cervicale*, abondante du 10e au 14e jour, constitue un

milieu d'accueil optimal pour les spermatozoïdes. Grâce à elle, ils peuvent pénétrer à l'intérieur de l'utérus et monter vers l'ovocyte pour le féconder ;
• un éventuel petit saignement.

Mais pour connaître, presque à coup sûr, votre période d'ovulation, vous avez le choix entre deux méthodes fiables :
• la courbe de température. Dès le lendemain de l'ovulation, la température matinale devient supérieure à 37° C et reste à ce plateau pendant les deux premiers mois de la grossesse ;
• un test d'ovulation vendu librement en pharmacie. Il est basé sur l'élévation du taux d'une hormone, la LH, qui déclenche l'ovulation, présente dans l'urine. Le test se présente sous forme d'un bâtonnet possédant à son extrémité une tige absorbante qui reçoit l'urine, une fenêtre de lecture et une fenêtre de contrôle. Le test doit débuter le 11e jour des règles pour un cycle de 28 jours. Il sera répété quotidiennement jusqu'à ce qu'une ligne bleu foncé apparaisse dans la fenêtre de lecture. Cette ligne indique que le pic de LH est à son maximum. L'ovulation aura lieu dans les 24 ou 36 heures qui suivent.
     Le taux de fiabilité d'un tel test est d'environ 98 %.

A partir de tous ces signes et de ce que vous savez quant à la date de vos dernières règles, de la durée de vos cycles, de la fréquence de vos rapports, vous pouvez connaître précisément votre période d'ovulation et donc de fécondation.

1er MOIS

Ce premier mois de grossesse est une période clé dans votre vie. Comme chaque mois, une petite cellule va apparaître à la surface d'un de vos ovaires. Mais cette fois, c'est différent, car elle va être fécondée ! Dès cet instant, un processus inéluctable s'amorce : vous êtes en train de devenir mère.

Rapidement, dès le début, votre corps va se transformer. Imperceptiblement, en profondeur et à votre insu. L'absence de règles marque cette transformation. Le fonctionnement de votre organisme qui était cyclique devient continu, entièrement dirigé vers cette finalité : la création d'un nouvel être vivant.

Ces changements dans votre corps sont sous la dépendance étroite des hormones de la gestation. Libérées en grande quantité, elles vont être la cause directe des nausées et petits malaises divers bien connus des femmes enceintes.

Ne vous laissez pas aller à la mélancolie. Acceptez ces ennuis en toute connaissance de cause, en gardant présent à l'esprit votre objectif : votre bébé. Suivez ses étonnants progrès au cours de ce premier mois : comment, de simple cellule, il va devenir un petit être de quelques millimètres avec un cœur qui bat. L'histoire de votre bébé est si passionnante qu'elle vous fera oublier tous vos petits désagréments.

Jour 1 de votre bébé

*Début de la 3ᵉ semaine depuis le premier jour
de vos dernières règles*

*Jour 1 de votre bébé : la fécondation entre 1 h 30
et 3 jours après la ponte ovulaire*

La fécondation est la rencontre de l'ovocyte et du spermatozoïde. Elle a lieu dans le tiers externe de la trompe qui a
capté l'ovocyte.
   Cette rencontre peut se faire le jour même de l'ovulation :
• soit parce que les spermatozoïdes déposés dans le vagin
1 ou 2 jours auparavant attendent déjà l'ovocyte dans les
trompes ;
• soit parce qu'il y a un rapport sexuel le jour même de la
ponte ovulaire.
   Elle peut être différée de 24 heures si, l'ovocyte étant
émis, le rapport sexuel n'a lieu que 24 heures après.

Lors de l'éjaculation, 2 à 5 cm³ de sperme sont déposés dans
le vagin. Le sperme normal contenant 30 à 100 millions de
spermatozoïdes par cm³, cela fait environ 60 à 500 millions
de spermatozoïdes déposés dans le vagin.
   Les spermatozoïdes mobiles s'engagent dans la glaire
cervicale et traversent le col de l'utérus en 2 à 10 minutes.
Ils avancent dans l'utérus aidés par les contractions de
celui-ci et guidés par les mouvements de godille et de vrille
de leur flagelle, à la vitesse de 2 à 3 millimètres par minute.
Ils atteignent la partie supérieure des trompes, lieu de la
fécondation, en 1 h 30 à 2 heures. Au cours de ce voyage à
l'intérieur des voies génitales féminines, les spermatozoïdes
subissent, au contact des sécrétions muqueuses, quelques
modifications qui leur assurent tout leur pouvoir fécondant.
   Beaucoup de spermatozoïdes ne parviennent pas à desti-

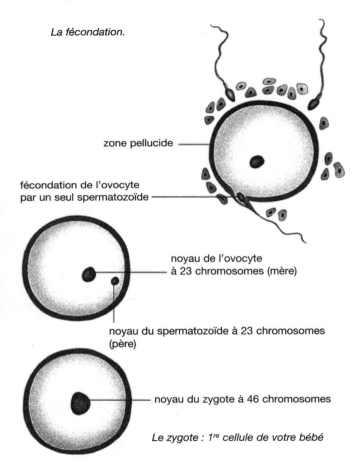

La fécondation.

zone pellucide

fécondation de l'ovocyte
par un seul spermatozoïde

noyau de l'ovocyte
à 23 chromosomes (mère)

noyau du spermatozoïde à 23 chromosomes
(père)

noyau du zygote à 46 chromosomes

Le zygote : 1re cellule de votre bébé

nation. Seuls 100 à 200 au maximum arrivent dans la trompe au voisinage de l'ovocyte. Très mobiles, ils se pressent autour de lui.

Sous l'effet d'une *enzyme*, molécule chimique, les cellules folliculaires toujours accrochées à l'ovocyte sont progressivement détachées de la zone pellucide (voir figure page 22). Plusieurs spermatozoïdes y pénètrent grâce aux enzymes contenus dans leur acrosome (voir figure page 22). Parmi eux, par une réaction de surface de l'ovocyte, un seul peut franchir cette barrière. Il colle alors sa tête contre la membrane de l'ovocyte et, par fusion des membranes, les 2 cellules entrent en contact (voir figure page 36).

Aucun autre spermatozoïde ne pouvant plus pénétrer dans l'ovocyte, ils meurent progressivement sur place.

Dès sa pénétration dans l'ovocyte, le spermatozoïde perd son flagelle qui dégénère alors que le noyau contenu dans sa tête augmente de volume. L'ovocyte, quant à lui, se trouve activé. Il sort de son état d'inertie et devient apte à se lancer dans la grande aventure de la création. Son noyau augmente également de volume. Les deux noyaux, celui du père et celui de la mère, se rapprochent l'un de l'autre dans la région centrale de l'ovule, se touchent et fusionnent.

Un œuf appelé *zygote* est ainsi formé. A ce moment précis commence une nouvelle vie.

Le zygote : première cellule de votre bébé

Cette vie qui débute est celle de votre bébé.

Le zygote, c'est-à-dire cette cellule nouvellement constituée, porte dans son noyau, issu de la fusion des noyaux de l'ovocyte et du spermatozoïde, toutes les potentialités pour se développer et devenir un nouvel être humain.

Dans cette première cellule, à partir de laquelle vont dériver toutes les autres, les chromosomes paternels et maternels se trouvent réunis. Ils sont porteurs de tous les gènes, chefs d'orchestre, nécessaires à la fabrication et à la coordination de tous les éléments du futur être. Toutes les caractéristiques de votre futur enfant sont inscrites là, dans les chromosomes animés de mouvements lents au centre du zygote. Ces particularités sont en partie héritées des vôtres et de vos ascendants ainsi que de celles du père et de ses ascendants. Dès cet instant, tout est déjà défini et on ne peut plus rien changer. Son sexe, ses traits physiques tels que la couleur de ses yeux, de ses cheveux, la longueur de son nez, la forme de son visage, ainsi que ses traits mentaux fondamentaux sont d'ores et déjà programmés dans cette cellule unique.

Est-ce une fille ou un garçon ?

Dès ce stade de première cellule, le sexe de votre bébé est décidé. Le choix a été fait par le hasard, au moment de la fécondation.

L'ovocyte toujours porteur d'un chromosome X est fécondé, au hasard, par un spermatozoïde possédant soit un chromosome X, soit un chromosome Y. La formule chromosomique qui en résulte aboutira à la formation d'une fille ou d'un garçon (voir schéma, page suivante).

Est-il possible d'influencer le hasard
et de choisir le sexe de son enfant ?

Comme il naît autant de filles que de garçons, vous avez une chance sur deux d'avoir l'un ou l'autre. Quant à pouvoir influencer le hasard, il s'agit davantage de méthodes basées sur l'empirisme et dont les résultats sont très aléatoires.

• Les spermatozoïdes Y seraient plus rapides mais plus fragiles que les spermatozoïdes X. Cela veut dire que si l'on a un rapport la veille de l'ovulation, les spermatozoïdes Y seront les premiers arrivés mais seront déjà dégénérés quand l'ovule sera émis. On en déduit que si l'on veut un garçon, il faut avoir un rapport le plus près possible de l'ovulation.

• Le sperme contenant les spermatozoïdes est un milieu alcalin. En milieu acide, ils meurent. Suivant le degré d'al-

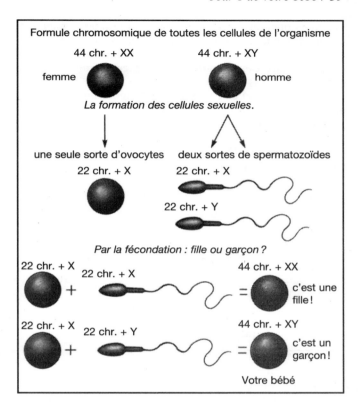

Formule chromosomique de toutes les cellules de l'organisme

44 chr. + XX   44 chr. + XY

femme   homme

La formation des cellules sexuelles.

une seule sorte d'ovocytes   deux sortes de spermatozoïdes

22 chr. + X   22 chr. + X

22 chr. + Y

Par la fécondation : fille ou garçon ?

22 chr. + X   22 chr. + X   44 chr. + XX

+   =   c'est une fille !

22 chr. + X   22 chr. + Y   44 chr. + XY

+   =   c'est un garçon !

Votre bébé

calinité ou d'acidité du vagin, les spermatozoïdes vont vivre ou mourir. Les premiers à dégénérer sont les Y moins résistants. Cela revient à dire que si le vagin est plutôt alcalin, les spermatozoïdes Y auront leur chance de gagner et vous aurez un garçon, alors que si le vagin est acide, seuls les X résisteront et vous aurez une fille.

Dans la pratique, on conseille donc aux femmes, mais sans garantie, de faire avant le rapport sexuel une injection vaginale d'eau diluée de bicarbonate de soude pour avoir un garçon et d'eau diluée de vinaigre pour avoir une fille.

• Depuis quelques années, il existe un régime alimentaire qui a pour but, lui aussi, d'influer sur la composition du milieu d'accueil de la future mère.

Salé et pauvre en calcium et en magnésium pour avoir un garçon.

Sans sel et riche en calcium et en magnésium pour avoir une fille.

Ce régime doit être suivi de manière très stricte, au moins 4 mois avant la conception, aucun écart n'étant autorisé. Devant la complexité d'un tel régime, qui peut par ailleurs entraîner des carences, rares sont les femmes qui le pratiquent.

• La seule méthode qui pourrait être sûre pour avoir un enfant de sexe voulu serait la réimplantation dans l'utérus d'un embryon choisi après fécondation in vitro. Mais cette technique, encore au stade expérimental, n'a pas d'application clinique. Pourrait-elle en avoir pour des problèmes moraux ?

Après tout, quel que soit son sexe, n'est-ce pas votre bébé ?

A qui ressemblera votre bébé ?

C'est évidemment la question que vous vous posez.

Dans le zygote, première cellule de votre bébé, le noyau reconstitué porte à nouveau les 46 chromosomes de l'espèce : 23 chromosomes paternels face à 23 chromosomes maternels. Chaque chromosome porte à un endroit donné un gène qui va définir une caractéristique précise. Votre futur enfant possède donc, dès à présent, un capital génétique constitué pour moitié de celui de son père et pour moitié de celui de sa mère, donc pour un quart de celui de chacun de ses grands-parents, etc.

Dans le zygote, les chromosomes maternels et paternels vont s'associer par paires et les gènes qui concernent la même particularité vont se retrouver face à face. Or, un même gène se présente sous deux formes : dominante ou récessive. C'est le *gène dominant qui s'exprime*.

Exemple : la couleur des yeux

D'une façon générale, un gène déterminant une couleur foncée est toujours dominant sur un gène déterminant une couleur claire. Dans ce cas, comment expliquer que des parents ayant tous les deux les yeux marron puissent avoir des enfants aux yeux bleus ? Du fait de la présence d'un même gène en deux exemplaires, les parents peuvent être porteurs de deux gènes dominants ou bien d'un gène dominant et d'un gène récessif. Ce qui explique leurs yeux marron. Au cours de la fécondation, s'il y a rencontre des gènes maternels et paternels dominants, l'enfant aura les yeux sombres. S'il y a rencontre d'un gène dominant et d'un gène récessif, l'enfant aura les yeux sombres. S'il y a rencontre des deux gènes récessifs, l'enfant aura les yeux clairs. (voir schéma p. 42). Ceci est la règle générale mais des **modifications de gènes** peuvent intervenir d'une génération à l'autre, ce qui joue sur les caractères de coloration et n'exclut pas l'apparition d'un enfant aux yeux sombres dans une famille où tout le monde a les yeux bleus. De plus, la couleur de l'œil est régie par plus d'une vingtaine de gènes, ce qui explique les différentes variantes possibles.

Au cours des générations, il y a un gigantesque brassage des gènes. C'est ce qui explique que chaque individu soit unique. Il est le résultat de la combinaison de milliards de gènes.

Dans une famille, un enfant peut, dans ces conditions, ne pas ressembler à ses parents mais à ses grands-parents ou à ses oncles ou tantes. Au milieu de ses frères et ses sœurs, il est également unique car chaque gamète de ses parents, ovocyte et spermatozoïde, est génétiquement différent de tous les autres.

Pour un organisme possédant n chromosomes, il y a production de 2^n gamètes différents. Dans l'espèce humaine où $n = 23$, cela fait $2^{23} = 8,4 \times 10^6$ gamètes génétiquement différents, pour l'homme comme pour la femme. Ce qui est énorme.

À qui va ressembler votre bébé ? C'est impossible de le prévoir. C'est la petite surprise qu'il vous réserve le jour de sa naissance !

La couleur de ses yeux : bleu ou marron ?

Le gène déterminant la couleur marron (m) est dominant. Le gène déterminant la couleur bleu (b) est récessif. C'est donc le gène marron qui s'exprime.

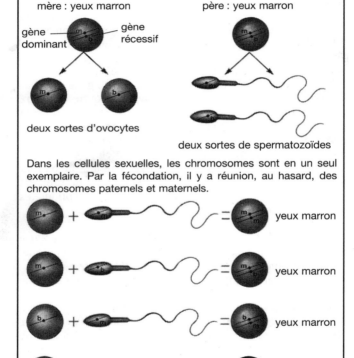

mère : yeux marron

gène dominant

gène récessif

deux sortes d'ovocytes

père : yeux marron

deux sortes de spermatozoïdes

Dans les cellules sexuelles, les chromosomes sont en un seul exemplaire. Par la fécondation, il y a réunion, au hasard, des chromosomes paternels et maternels.

yeux marron

yeux marron

yeux marron

yeux bleus

Votre bébé

Et si c'étaient des jumeaux ?

Vous ne pouvez pas encore savoir si vous attendez des jumeaux, pourtant cela aussi est déjà décidé.

Comme vous le savez, il existe deux variétés de jumeaux : les « faux » et les « vrais ».

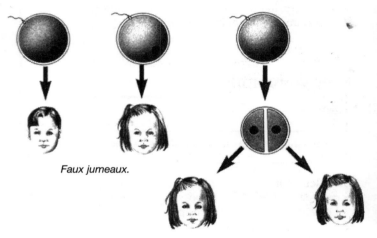

Faux jumeaux.

Vrais jumeaux.

Les faux jumeaux

Ils proviennent de la fécondation simultanée de deux ovocytes différents par deux spermatozoïdes, au cours du même rapport sexuel. Il en résulte deux zygotes différents qui iront s'implanter l'un à côté de l'autre dans l'utérus.

Les deux enfants peuvent se ressembler mais pas davantage que des frères et sœurs. Ils peuvent être de même sexe ou de sexe différent, suivant la répartition au hasard des spermatozoïdes.

Ces grossesses à deux zygotes représentent les 2/3 des cas de grossesses gémellaires.

Les vrais jumeaux

Dans un tiers des cas, un seul spermatozoïde féconde un seul ovocyte, ce qui aboutit à un œuf unique. Sous diverses influences mal expliquées, cet œuf unique va se séparer en deux parties égales qui vont chacune se développer. Les deux œufs issus du partage, rigoureusement identiques, vont donner naissance à deux enfants semblables car ayant reçu le même patrimoine génétique. Ils sont toujours du même sexe et d'une ressemblance troublante.

Pour votre information

La procréation médicalement assistée (PMA)

On entend par là les techniques de la biologie moderne qui permettent une grossesse impossible à réaliser naturellement.

Les enfants nés grâce à ces progrès techniques représentent aujourd'hui près de 1 % des naissances.

La fécondation in vitro et transfert d'embryons (FIVETE)

La fécondation in vitro est celle réalisée hors de l'organisme maternel, par opposition à la fécondation in vivo, qui est la fécondation naturelle.

Lorsque les trompes sont bouchées par des infections répétées ou détruites par une grossesse extra-utérine antérieure, ovocyte et spermatozoïdes ne peuvent plus se rencontrer. Ils seront alors mis en présence l'un de l'autre de manière artificielle et l'embryon de quelques cellules qui en résultera sera placé dans l'utérus maternel, où il pourra poursuivre son développement.

Par injection d'hormones, on provoque l'ovulation en stimulant la croissance de plusieurs follicules. Les ovocytes sont recueillis par ponction des follicules prêts à s'ouvrir, soit sous cœlioscopie, technique qui consiste à introduire dans la cavité abdominale un tube muni d'une optique spéciale, soit sous échographie.

Les spermatozoïdes du futur père sont recueillis par masturbation. Ils subissent un traitement spécial qui leur donne le pouvoir fécondant qu'ils acquièrent normalement pendant leur traversée des voies génitales féminines.

Plusieurs ovocytes et quelque 50 000 à 100 000 spermatozoïdes sont mis en présence dans une éprouvette contenant un milieu adéquat et placée dans une étuve à 37° C pendant 48 heures. Tous les ovocytes n'étant pas au point de maturation optimale, le taux de fécondation sera d'environ 70 %.

Après 48 heures de culture, un embryon de 4 à 8 cellules maximum est transféré chez la future mère. Pour cela, il est placé dans un tube très fin en plastique transparent appelé cathéter, qui le libérera dans la cavité utérine, après être passé naturellement par les voies génitales. Si tout va bien, l'embryon s'implante dans la muqueuse utérine.

L'évolution de l'œuf est suivie par des dosages hormonaux fréquents, puis par des échographies lorsque l'embryon commence à grossir.

On peut penser que la grossesse évoluera jusqu'à son terme, à partir du 3e mois. Néanmoins, le taux de réussite est peu élevé puisque seulement 10 à 15 % des embryons implantés donnent naissance à des bébés.

Pour augmenter les chances d'une grossesse, plusieurs embryons peuvent être transférés. Généralement pas plus de 3 ou 4, car les risques de grossesse multiple ne sont pas à négliger.

Pour éviter d'avoir à recommencer la stimulation des ovaires et le prélèvement des ovocytes, intervention délicate, plusieurs embryons sont conçus in vitro. Ils sont congelés et gardés ainsi en vue d'une implantation ultérieure, dans le cas d'un échec. Ce qui n'est pas sans poser quelques problèmes moraux.

Le GIFT ou Gamète Intra Fallopian Transfert

Cette technique, faite sous cœlioscopie, est utilisée lorsque la trompe est bonne mais que le pavillon est incapable de capter l'ovocyte émis par l'ovaire. Dans ce cas, on va mettre en présence, dans la trompe, des ovocytes venant d'être prélevés et des spermatozoïdes préparés.

Le ZIFT ou Zygote Intra Fallopian Transfert

Le petit embryon de 4 à 8 cellules obtenu par fécondation in vitro est directement placé dans la trompe, sous cœlioscopie. Il descend naturellement dans l'utérus où, quelques jours plus tard, il s'implantera dans la muqueuse.

L'ICSI ou Intracytoplasmique Spermatozoïde Injection

Il s'agit d'une technique récente qui permet d'injecter directement un seul spermatozoïde dans l'ovocyte. L'ovocyte fécondé évolue normalement.

L'insémination artificielle

Il s'agit d'une technique simple qui permet de pallier une difficulté due au futur père,
• soit qu'il souffre d'impuissance, ce qui ne veut pas dire qu'il soit stérile,
• soit que son sperme est trop pauvre en spermatozoïdes et qu'il nécessite d'être concentré.

La technique consiste en l'introduction, dans les voies génitales de la femme, de spermatozoïdes recueillis par masturbation. Le sperme peut être recueilli en une seule fois si les spermatozoïdes y sont suffisamment nombreux, ou en plusieurs fois, dans le cas contraire. Ils sont concentrés et traités de façon à acquérir leurs propriétés fécondantes.

Les spermatozoïdes sont déposés directement à l'intérieur de la cavité utérine, par les voies naturelles.

Deux ou trois inséminations sont pratiquées pendant la période d'ovulation. En cas d'échec, une nouvelle insémination aura lieu au cycle suivant.

L'IAD ou Insémination Avec Donneur

Dans le cas de stérilité du conjoint, l'insémination est pratiquée avec le sperme d'un donneur anonyme. Le couple désirant un enfant doit, dans ce cas, s'adresser au CECOS, centre spécialisé qui stocke et gère les dons de sperme.

Le donneur, toujours anonyme, doit être lui-même marié et avoir des enfants. Des examens biologiques, sérologiques et génétiques contrôlent la normalité de son sperme qui sera congelé en attendant d'être utilisé.

Avec du sperme frais, le taux de réussite est de 60 à 70 % dans les six mois.

Avec du sperme congelé, il est de 50 à 55 %.

1re SEMAINE de grossesse

*3e semaine depuis le premier jour
de vos dernières règles*

*Jours 2 à 7 : segmentation, migration et nidation
de l'œuf fécondé*

**La segmentation :
entre 30 à 50 heures après la fécondation**

Peu de temps après la fécondation, la première cellule de votre bébé va se diviser. C'est la segmentation. Cette division aboutit à la formation de deux cellules de taille égale appelées *blastomères*. Chacune de ces cellules va à nouveau se diviser en 4 vers la 50e heure, puis en 8 vers la 60e heure. À la division suivante votre futur bébé est constitué d'une petite boule de 16 cellules, appelée *morula* car ressemblant à une mûre.

La migration : entre la 72e heure et le 4e jour

Tout en se divisant, l'œuf se déplace du tiers externe de la trompe où a eu lieu la fécondation, vers la cavité utérine. Le voyage va durer 3 jours. Trois jours pendant lesquels les divisions se succèdent, augmentant le nombre de cellules dans la morula. Il est à remarquer que le volume de la morula à ce stade est le même que celui de l'ovocyte initial au moment de la fécondation. Ce n'est qu'après la 6e division cellulaire, au stade 64 cellules, que l'œuf commence à augmenter de volume.

A ce stade de division, il y a déjà une différence visible entre les cellules de la morula. Les cellules périphériques, de petite taille, entourent des cellules centrales, plus volumineuses, qui seront à l'origine du *bouton embryonnaire*. Cette petite sphère va d'ailleurs se creuser en son centre et former une cavité remplie de liquide qui abrite l'amas de cellules qu'est le bouton embryonnaire. La morula est devenue un *blastocyste*.

Du bouton embryonnaire naîtra l'embryon, alors que les cellules externes seront à l'origine de l'enveloppe qui le protégera. Une partie de cette enveloppe, appelée *trophoblaste*, contribuera à former le *placenta*.

A ce stade, le blastocyste mesure 250 millièmes de millimètres.

L'arrivée dans l'utérus : entre le 4e et le 5e jour

Au terme de sa migration, le blastocyste arrive dans la cavité utérine et y flotte librement le 4e et le 5e jour suivant la fécondation. A ce moment, la zone pellucide qui entourait l'œuf disparaît et il s'accole par son pôle embryonnaire à la muqueuse utérine. Celle-ci s'est épaissie et les vaisseaux sanguins qui la parcourent se sont considérablement développés. Les glandes chargées de glycogène se sont également multipliées. Elles vont servir à nourrir l'œuf à son arrivée dans la muqueuse utérine, avant que n'apparaissent les premières ébauches du placenta.

Au niveau de l'ovaire, le corps jaune, édifié à partir du follicule qui a émis l'ovocyte, produit une énorme quantité de progestérone. Celle-ci empêche l'utérus de se contracter, comme il le fait au moment des règles, et assure donc la survie de l'œuf. Et comme tout est vraiment prévu, le trophoblaste sécrète pendant les premières semaines de la grossesse une hormone dite gonadotrophine, qui va maintenir le corps jaune en activité.

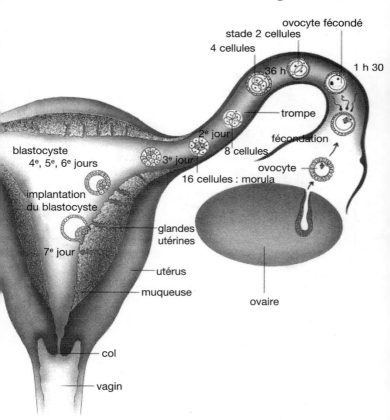

Fécondation et première semaine de vie.

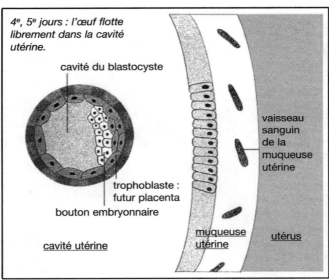

4e, 5e jours : l'œuf flotte librement dans la cavité utérine.

cavité du blastocyste

vaisseau sanguin de la muqueuse utérine

trophoblaste : futur placenta

bouton embryonnaire

cavité utérine

muqueuse utérine

utérus

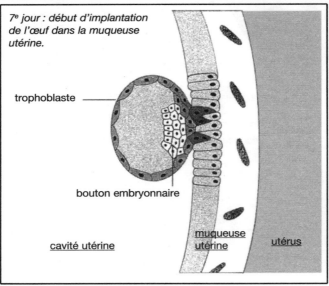

7e jour : début d'implantation de l'œuf dans la muqueuse utérine.

trophoblaste

bouton embryonnaire

cavité utérine

muqueuse utérine

utérus

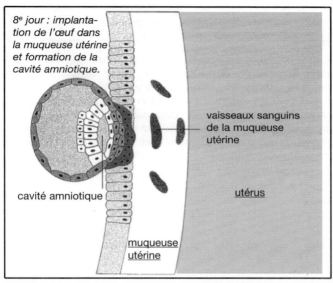

8e jour : implantation de l'œuf dans la muqueuse utérine et formation de la cavité amniotique.

vaisseaux sanguins de la muqueuse utérine

utérus

cavité amniotique

muqueuse utérine

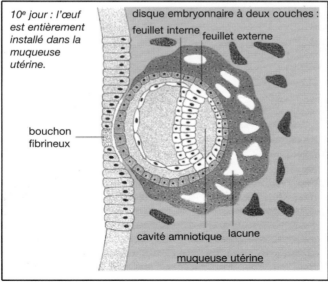

10e jour : l'œuf est entièrement installé dans la muqueuse utérine.

disque embryonnaire à deux couches :
feuillet interne
feuillet externe

bouchon fibrineux

cavité amniotique

lacune

muqueuse utérine

La nidation : le 7e jour

Sept jours après la fécondation, c'est-à-dire 21 ou 22 jours après le début des dernières règles, l'œuf fécondé va pénétrer entièrement dans la muqueuse utérine.

Les cellules externes de l'œuf commencent à s'insinuer entre les cellules de l'épithélium utérin. Ces travées de cellules qui pénètrent en profondeur marquent le début de l'implantation qui se déroulera effectivement pendant la deuxième semaine de grossesse.

2ᵉ SEMAINE de grossesse

*A votre insu, votre bébé s'installe. Il est vrai qu'il va rester
là, en vous, pendant 9 mois.*

Votre bébé à naître

Le 8ᵉ jour qui suit la fécondation, le blastocyste, cette petite
sphère creuse contenant en son centre le futur embryon,
continue de pénétrer dans la muqueuse utérine.

Le 9ᵉ jour, le blastocyste a entièrement pénétré dans la
muqueuse. La brèche formée par son introduction est refer-
mée, au 10ᵉ jour, par un bouchon fibrineux provisoire en
attendant que de nouvelles cellules viennent reconstituer la
paroi (voir p. 53).

Au tout début de cette 2ᵉ semaine, certaines cellules du
bouton embryonnaire vont former une couche aplatie et le
blastocyste, petite balle creuse, prend peu à peu la forme
d'un disque. Le *disque embryonnaire* est constitué tout
d'abord de deux couches de cellules : un *feuillet interne* qui
apparaît le premier et un *feuillet externe*, duquel dérivera au
début de la 3ᵉ semaine de grossesse le *feuillet médian*.

Le disque embryonnaire à 2 couches a une longueur
totale de 0,1 à 0,2 mm.

Tout le miracle de la vie est là. Il y a d'abord eu le zygote,
cellule unique, issu de la fusion des gamètes parentaux, tel
un micro-ordinateur dont le cerveau est l'ADN. Le pro-

gramme y était déjà tout prêt. Les innombrables séquences de l'ADN, que sont les gènes, vont être décodées les unes après les autres, tandis que les éléments ouvriers de la cellule fabriqueront selon les ordres donnés.

A la division des cellules, succéderont les différenciations qui vont déterminer tous les types cellulaires avec leurs fonctions précises. Organisés en tissus et organes, ils édifieront ce nouvel être humain qu'est votre bébé.

Les annexes embryonnaires

Votre bébé a besoin de vous, de votre corps pour se développer. C'est de vous qu'il va recevoir la nourriture et l'oxygène et c'est vers vous qu'il va rejeter les déchets dus au métabolisme de ses cellules. Ces échanges mère-enfant sont possibles grâce à un système complexe : les annexes embryonnaires. Ces annexes, que sont le placenta, le cordon ombilical et la cavité amniotique remplie de liquide et à l'intérieur de laquelle flotte le bébé, ne font partie ni de la mère, ni de l'enfant. Elles sont là de façon transitoire, durant tout le temps de la grossesse et seront éliminées après la naissance de l'enfant.

Le placenta

Le placenta est une structure dont le rôle essentiel est de permettre les échanges entre le sang maternel et celui du bébé. Avant d'être un organe bien différencié, il passe par des stades progressifs d'évolution.

C'est le 9e jour que le *trophoblaste*, c'est-à-dire *la couche de cellules la plus externe de l'œuf*, se différencie en deux couches de cellules différentes. Dans une de ces couches, des vacuoles apparaissent, grossissent et finalement confluent pour former des lacunes.

12 jours après la fécondation, les capillaires, c'est-à-dire les très petits vaisseaux sanguins qui irriguent la muqueuse utérine, érodés par les cellules de la couche profonde du

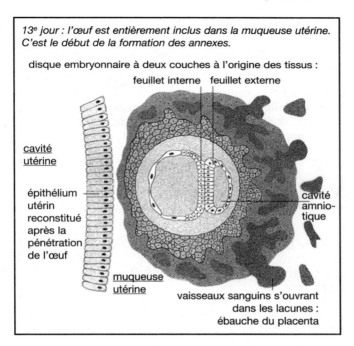

13e jour : l'œuf est entièrement inclus dans la muqueuse utérine. C'est le début de la formation des annexes.

disque embryonnaire à deux couches à l'origine des tissus :

feuillet interne   feuillet externe

cavité utérine

épithélium utérin reconstitué après la pénétration de l'œuf

cavité amnio-tique

muqueuse utérine

vaisseaux sanguins s'ouvrant dans les lacunes : ébauche du placenta

trophoblaste, se rompent et du sang maternel remplit les lacunes qui fusionnent le 13e jour.

Un contact entre le blastocyste et la circulation maternelle est ainsi établi. C'est *l'ébauche du placenta.*

L'autre couche de cellules issues du trophoblaste finit par entourer entièrement l'œuf et prend le nom de *chorion*, alors que la muqueuse utérine dans laquelle le blastocyste a pénétré complètement devient la *caduque* car elle sera totalement éliminée après la naissance.

L'œuf, qui, en se développant, fera de plus en plus saillie dans la cavité utérine, se trouve recouvert de deux couches de tissus : la caduque et le chorion.

La cavité amniotique

Parallèlement aux premiers remaniements, la cavité amniotique, plus couramment appelée «poche des eaux», dans laquelle vivra votre bébé pendant 9 mois, se forme, au 8e jour, par éloignement du bouton embryonnaire et du trophoblaste. Elle s'agrandira progressivement les jours suivants.

La cavité amniotique est limitée par une membrane appelée *amnios*.

Vous, la future maman

Vous ne savez toujours pas si vous êtes enceinte. Vous l'espérez, mais c'est tout. A la fin de cette semaine, vous devriez avoir vos règles. Viendront-elles ou pas? L'attente commence...

Si vous ne pouvez vous résoudre à cette attente, vous avez la possibilité de faire chez vous un test de grossesse vendu en pharmacie, 3 jours avant la date présumée des règles ou encore le jour même, suivant les tests. La fiabilité de ces tests est de 99 %. Il s'agit donc d'une première indication qu'il faudra confirmer un peu plus tard. Sachez cependant que si votre test est positif, cela ne signifie pas à coup sûr une future grossesse. Il peut en effet y avoir fécondation, début d'implantation et retour des règles. Donc, attention aux faux espoirs!

Si vous avez été fécondée, vous ne présentez encore aucun signe, même présomptif, de grossesse. Pourtant, votre corps s'organise.

Au niveau de l'ovaire, le corps jaune, sous la dépendance directe de l'hormone *gonadotrophine chorionique* (HCG) sécrétée par le trophoblaste, augmente de volume et sécrète de plus en plus d'estrogènes et de progestérone assurant ainsi une nidification parfaite et la poursuite de la grossesse.

En réponse à l'implantation du blastocyste, et avant que n'apparaissent les ébauches du placenta, les cellules de la muqueuse utérine deviennent plus volumineuses. Chargées de réserves, elles nourrissent la petite boule de cellules qu'est pour le moment votre bébé.

Conseils

Vous ignorez si vous êtes enceinte mais ne commettez pas d'imprudence pour autant. Au stade précoce de développement de votre bébé qu'est le disque embryonnaire, toutes les cellules germinales qui le composent sont très sensibles aux agents pouvant provoquer des anomalies.

En particulier, **attention** :

• **aux rayons X**
Refusez tout examen radiologique, quel qu'il soit, durant cette période, car une exposition aux rayons X peut avoir des conséquences imprévues sur le futur embryon.

Toute femme, de la puberté à la ménopause, devrait être considérée comme étant enceinte et ne devrait jamais subir d'examen radiologique pendant la 2e phase du cycle menstruel.

• **aux médicaments**
Evitez autant que possible toute médication. Certains médicaments sont bénins, d'autres peuvent être dangereux pris au début de la grossesse. Aussi, ne faites pas d'automédication. Pour le moindre problème, **consultez votre médecin** qui connaît la liste des médicaments à éviter.

• **à la fréquentation de malades contagieux**
De nombreux virus peuvent en effet avoir des conséquences graves, comme de provoquer des avortements ou d'induire des malformations. C'est le cas en particulier de la *rubéole*.

- **à la respiration et à la manipulation de produits toxiques**
Faites attention aux produits d'usage courant tels que les solvants, les détachants, les peintures, les teintures. N'utilisez pas de pesticides et, d'une façon générale, évitez tout produit chimique présenté en bombe pulvérisatrice et pouvant donc être facilement inhalé.

- **aux promenades en forêt**
Si vous allez vous promener en forêt, vérifiez au retour que vous n'avez pas été piquée par une tique. Si c'est le cas, elle est fichée dans votre peau par son rostre, et forme une petite boule noire.

Anesthésiez-la avec de l'éther avant de la retirer avec une pince à épiler en vérifiant que le rostre vienne avec le reste du corps. **Signalez tout de suite cet incident à votre médecin.** Les tiques peuvent en effet être infectées par une bactérie qui communique la *maladie de Lyme*.

La maladie se manifeste par de la fièvre, nécessitant la prise d'antibiotiques. Chez le fœtus, les conséquences sont encore mal connues mais on pense qu'il pourrait y avoir une incidence cardiaque.

La prise rapide d'antibiotiques permet d'éliminer tout risque.

Pour votre information

La rubéole

La rubéole est en fait une maladie assez bénigne qui se traduit par de petites taches roses sur le visage et aux plis de flexion du corps. Par contre, les effets de la rubéole sont très graves pour le futur enfant lors d'une contamination de la mère pendant les trois premiers mois de la grossesse. Si l'infection a lieu à la 6e semaine de grossesse, elle provoque une anomalie oculaire : la cataracte ; à la 9e semaine : de la surdité ; entre la 5e et la 10e semaine : des malformations cardiaques ; entre la 6e et la 9e semaine : des malformations dentaires.

La prévention impose de vacciner, avant toute grossesse, les femmes qui ne sont pas immunisées. Une contraception rigoureuse doit être appliquée pendant les 3 mois qui suivent la vaccination.

Si vous venez d'être en contact avec un rubéoleux, vous ne craignez rien si vous avez été vaccinée pendant votre adolescence. Si vous avez déjà eu la maladie antérieurement, vous ne risquez pas plus. Dans un cas comme dans l'autre, vous êtes immunisée. Si vous n'êtes pas sûre de l'être, vous pouvez faire faire, pour vous rassurer, un séro-diagnostic qui est remboursé par la Sécurité sociale.

Si vous êtes immunisée, vous présentez dans votre sang des anticorps qui sont la réponse de votre organisme à l'agent infectant qu'est le virus de la rubéole. Les anticorps vous protègent contre une nouvelle infection.

Si vous n'êtes pas immunisée et que vous soyez en contact avec un rubéoleux, ce qui est fréquent si vous travaillez dans l'enseignement, **signalez-le immédiatement à votre médecin.** En effet, la période d'incubation, c'est-à-dire le temps entre le contact avec le malade contagieux et l'éruption, est de 15 jours. Cela veut dire que si vous ne faites rien, vous risquez d'avoir la maladie deux semaines plus tard, période essentielle pour votre bébé puisqu'il sera en train de former ses organes. Pour vous éviter d'avoir la maladie, votre médecin vous prescrira des gammaglobulines qui agiront pendant la période d'incubation et bloqueront le développement de la maladie.

Sachez que dans le cas où une rubéole est reconnue de façon incontestable au cours des quatre premiers mois, l'interruption de grossesse est autorisée.

La grossesse extra-utérine

Il s'agit d'un cas d'urgence.

La Grossesse Extra-Utérine ou GEU est l'implantation et le développement de l'œuf en dehors de la cavité utérine.

La forme la plus courante de GEU est la grossesse tubaire, c'est-à-dire dans la trompe. L'ovocyte, fécondé dans le tiers externe de la trompe, est entraîné normalement vers la cavité utérine. S'il rencontre un obstacle, il va s'arrêter là et s'implanter dans la muqueuse de la trompe. Il va poursuivre son développement sur place pendant 2, 3, voire 4 semaines, jusqu'à ce que la trompe hyperdistendue finisse par se rompre, entraînant une grave hémorragie interne.

L'obstacle dans la trompe peut être dû à une anomalie congénitale. Le plus souvent, c'est le résultat d'une infection des trompes ayant laissé des adhérences cicatricielles. Etant donné la recrudescence des maladies sexuellement transmissibles, les salpingites, c'est-à-dire l'inflammation des trompes aiguës et chroniques, qui en résultent sont en nette progression. On compte actuellement 1 GEU pour 150 accouchements.

Si l'absence de règles et le dosage de l'hormone gonadotrophine chorionique dans le sang indiquent qu'il y a grossesse, une **douleur pelvienne anormale brutale et persistante** doit faire penser à une GEU. **Voyez immédiatement votre médecin.**

Dans ce cas, il y a intervention d'urgence. Une échographie de l'utérus est pratiquée afin de vérifier s'il contient un œuf ou non. Mais comme il peut y avoir à la fois grossesse intra- et extra-utérine, on complète l'examen par une cœlioscopie qui a pour but d'examiner les trompes.

Suivant l'âge de la grossesse et l'état de la trompe, on pourra extraire l'œuf ou administrer localement une substance qui va le résorber.

Dans le cas où la trompe très abîmée doit être retirée, une future maternité ne sera pas compromise puisqu'une seule trompe suffit pour assurer une grossesse.

L'usage ultérieur du stérilet comme moyen de contraception sera proscrit afin d'éviter tout risque d'infection pouvant endommager la trompe restante.

Une femme ayant déjà eu une grossesse extra-utérine sera surveillée de très près car le risque de récidive est important.

3e SEMAINE de grossesse

5e semaine depuis le premier jour
de vos dernières règles

1er mois de grossesse

Votre bébé n'est plus un œuf. C'est un embryon qui a déjà des battements cardiaques !

Votre bébé à naître

Cette semaine est capitale pour lui. Tout d'abord, sa taille augmente de façon vertigineuse puisqu'elle passe de 0,2 mm à 1,5 mm grâce aux divisions cellulaires qui s'accélèrent. De plus, les différenciations cellulaires se précisent. Elles aboutissent à la formation des lignées cellulaires qui seront à l'origine de tous les organes.

A ce stade du développement, le disque embryonnaire n'est encore constitué que de deux couches : le feuillet interne et le feuillet externe. Du 15e au 17e jour qui suivent la fécondation, le feuillet externe s'épaissit selon un axe qui va délimiter la tête et la queue. Cette étroite rainure présentant des renflements est la *ligne primitive*, à partir de laquelle se différencie le feuillet médian. Le disque embryonnaire est donc constitué à présent de trois couches de cellules. Il mesure 1,5 mm de longueur totale.

Ces trois couches de cellules sont extrêmement importantes car c'est à partir d'elles que vont dériver toutes les autres cellules et donc tous les organes de votre bébé à naître.

Du feuillet interne, dériveront les organes de l'appareil digestif : estomac, intestin, vessie, avec les glandes qui s'y rattachent comme le foie et le pancréas ainsi que les organes de l'appareil respiratoire.

A partir du *feuillet externe*, seront formés le système nerveux, les organes des sens ainsi que les tissus de revêtement : peau, ongles, poils, cheveux.

Le *feuillet médian* sera à l'origine du squelette, excepté le crâne, des muscles, du système circulatoire, cœur et vaisseaux, et des glandes sexuelles : testicules ou ovaires.

Au milieu de la 3e semaine, c'est-à-dire du 17e au 19e jour du développement, l'extrémité crâniale de la ligne primitive se renfle pour former un épaississement de cellules à partir duquel sera édifié le système nerveux central. D'abord cordon cellulaire plein, il se creuse secondairement en gouttière. La partie frontale de ce tube se ferme ensuite pour créer un cerveau primitif.

Autre performance de la part de votre bébé : à la fin de la 3e semaine, il a un cœur, très imparfait, certes, mais qui bat ! A partir de la ligne primitive, dans la région située près de la tête, se différencie en effet, du 19e au 21e jour, une ébauche cardiaque sous forme de deux tubes. Très rapidement, ces tubes sont animés de battements rythmiques. Ces contractions se produisent avant même l'apparition des cellules contractiles spécialisées et avant toute innervation des tubes cardiaques.

Les premiers vaisseaux sanguins font leur apparition. Les battements rythmiques de cette ébauche de cœur mettent en mouvement le liquide des vaisseaux. Ils ne contiennent pas encore de globules rouges mais des cellules primitives, mères de toute la lignée des cellules sanguines. Néanmoins, **le groupe sanguin de votre bébé est génétiquement défini depuis le zygote**, c'est-à-dire sa première cellule.

A partir du feuillet médian, des blocs de tissus appelés *somites* apparaissent par paires. Muscles, ligaments, cartilage, peau, quelques os, dériveront de ces somites. Les premières cellules germinales, qui après une longue maturation aboutiront aux cellules sexuelles, sont également déjà là.

Comme vous le voyez, très vite votre bébé s'organise. Alors même que vous avez encore quelques doutes sur sa présence !

Le placenta

Depuis que votre bébé mesure 1,5 mm de long, il est maintenant trop grand pour être alimenté par l'intermédiaire de votre sang qui circule uniquement dans les lacunes du trophoblaste. Il lui faut, dès à présent, un système sanguin plus élaboré qui lui apporte ses nutriments et le débarrasse de ses déchets. Il faut donc que s'élabore une structure permettant des échanges entre votre sang et le sien.

Pour cela, dès la fin de la 2e semaine du développement, les cellules du trophoblaste poussent en formant des excroissances très fines et ramifiées, appelées *villosités*. Pendant ce temps, les lacunes contenant le sang maternel fusionnent, formant des petites chambres entre les villosités.

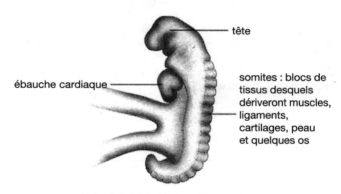

têtе

ébauche cardiaque

somites : blocs de tissus desquels dériveront muscles, ligaments, cartilages, peau et quelques os

Votre bébé à la fin de sa 3e semaine (une semaine de retard des règles).

Vous, la future maman

Le début de cette nouvelle semaine est marqué par un événement d'une importance essentielle : **l'absence de vos règles.**

L'absence de règles n'est pas en soi une preuve de gros-sesse, mais malgré tout, si vous avez habituellement des cycles réguliers et si vous avez fait ce qu'il faut pour avoir un bébé, il y a de fortes présomptions pour que vos espoirs se réalisent.

Par contre, si vous avez des saignements, n'éliminez pas l'éventualité d'être enceinte. Ils peuvent être provoqués par l'érosion des vaisseaux sanguins de la muqueuse utérine pendant l'implantation de l'œuf.

Les petits **signes cliniques** qui commencent à apparaître confirment vos doutes :
- vos seins sont gonflés et tendus ;
- au lever, vous commencez à avoir quelques nausées ;
- en cours de journée, vous vous sentez fatiguée ;
- vous êtes nerveuse, irritable.

Il s'agit là de signes caractéristiques d'une grossesse débutante mais déjà bien installée. La production d'hor-mones par le corps jaune de l'ovaire et par le trophoblaste de l'embryon, pour son maintien dans votre muqueuse uté-rine, en sont directement la cause.

Conseils

Si vous prenez régulièrement votre température matinale, vous avez pu constater qu'elle était passée au-dessus de 37° C au milieu de votre dernier cycle et qu'elle s'y mainte-nait depuis. C'est le signe que l'ovocyte que vous avez émis a été fécondé.

Il faut dire que peu de femmes se contraignent à prendre leur température tous les matins et que cette méthode est tombée en désuétude depuis que les home-tests (tests à faire chez soi) existent.

Faites, chez vous, un test de diagnostic de grossesse

Faire un test de grossesse en cette fin de 5ᵉ semaine depuis le 1ᵉʳ jour de vos dernières règles est tout à fait judicieux. Les tests sont basés sur une réaction immunologique entre l'hormone gonadotrophique chorionique, HCG, élaborée par le trophoblaste (voir p. 50) et un réactif.

Ces tests, vendus librement en pharmacie, ne sont pas remboursés. Votre pharmacien vous conseillera et vous en expliquera le mode d'emploi toujours simple, qu'il s'agisse du bâtonnet-test avec capuchon lecteur ou de la simple carte sur laquelle on fait tomber des gouttes d'urine avec un compte-gouttes.

Prenez rendez-vous chez votre gynécologue

Bien que votre première visite médicale obligatoire soit fixée par la Sécurité sociale au 2ᵉ mois, n'attendez pas pour vous faire examiner par votre médecin. Il vous prescrira des examens de laboratoire dont le résultat gagne à être connu dès le début de la grossesse pour une meilleure surveillance de celle-ci.

Dès aujourd'hui, demandez un rendez-vous pour la semaine prochaine.

Arrêtez de fumer

Autant que possible, essayez dès maintenant d'arrêter de fumer ou du moins de diminuer de beaucoup votre ration de cigarettes quotidiennes. Ne dépassez pas cinq cigarettes réparties sur toute la journée. Si vous fumez plus de dix cigarettes par jour, votre enfant risque de souffrir d'*hypotrophie*, c'est-à-dire de retard dans le développement par malnutrition. De plus, les enfants de fumeuses naissent souvent prématurément ou se présentent par le siège au moment de l'accouchement.

Diminuez le café

A partir de cinq tasses par jour, la consommation de café a les mêmes conséquences que celle du tabac.

Supprimez toute boisson alcoolisée

L'alcool traverse le placenta et perturbe gravement le métabolisme cellulaire de l'embryon, d'autant plus que son foie n'est pas en mesure de le dégrader.

L'alcoolisme est responsable de malnutrition, de retards dans le développement, de malformations graves, en particulier cardiaques. Un enfant né de mère alcoolique se reconnaît à la naissance. Il présente un faciès particulier avec le front bombé, le menton fuyant, le nez écrasé. Particulièrement agité les jours qui suivent la naissance, ce nouveau-né est en fait en manque d'alcool. Ce handicap de départ le suivra toute sa vie. Au retard physique s'ajoutera un retard intellectuel. Ce tableau dramatique est celui d'un enfant dont la mère a bu deux litres de vin par jour ou six whiskys pendant le temps de sa grossesse, ce qui n'est pas si rare puisque, suivant les régions, 1 à 3 nouveau-nés sur 1 000 en sont les victimes.

Pour en revenir à vous, si vous buvez seulement un verre de vin ou un apéritif, ce qui représente peu de grammes d'alcool pour une femme d'une cinquantaine de kilos, c'est par contre énorme pour un embryon de quelques grammes qui ne peut pas le détruire.

Abstenez-vous donc totalement d'alcool. Votre bébé vaut bien la peine de ce petit sacrifice.

Plusieurs organismes viennent en aide aux malades alcooliques : les associations d'anciens buveurs et les centres d'hygiène alimentaire et d'alcoologie.

Le problème de la drogue

Aucune drogue n'est anodine, tout le monde le sait. Qu'il s'agisse d'une drogue dure ou dite douce, elle passe systématiquement de la mère à l'enfant pendant la grossesse et plus tard pendant l'allaitement.

Si le haschich et la marijuana ne provoquent pas d'anomalies connues chez le bébé à naître, il n'en reste pas moins que le moindre « petit joint » pris par la mère entraîne chez lui un état de réponse immédiate à la drogue compliquée d'une accoutumance.

Les drogues telles que l'héroïne, la cocaïne, la morphine et les amphétamines ont des conséquences dramatiques sur la grossesse. Non seulement les infections maternelles et les complications au cours de la grossesse sont augmentées de beaucoup mais, de plus, l'enfant à naître est évidemment très touché. De poids et de taille inférieurs à la normale, il naît le plus souvent prématurément, en état de détresse respiratoire importante. Avec l'héroïne, en particulier, 48 heures après la naissance, il ne dort toujours pas, est secoué de tremblements incoercibles et pousse des cris aigus. Ce syndrome de manque disparaît par l'administration d'une solution à base d'opium. Le sevrage devra être mené très progressivement et s'étaler sur 6 semaines.

Le LSD provoque 2 fois plus d'avortements et 2 fois plus de malformations congénitales, en particulier des malformations des membres. Avec le LSD, la cocaïne et les amphétamines, apparaissent des retards psychiques et moteurs graves irréversibles.

Future maman qui vous droguez, vous avez là une chance inespérée pour essayer de vous débarrasser de l'emprise de la drogue et redevenir vous-même. Vous attendez un bébé. Faites pour lui ce que vous n'avez pas pu faire pour vous. Et même si c'est très difficile, ne vous inquiétez pas, il va sérieusement vous aider.

Sachez que votre bébé ne sera pas seul à vous aider. Votre médecin vous orientera vers des organismes spécialisés qui vous soutiendront médicalement et psychologiquement.

Pour votre information

Les groupes sanguins

Tout comme la couleur de sa peau ou de ses yeux, le groupe sanguin de votre bébé est défini dans la première cellule qu'est le zygote. Il est inscrit dans les gènes transmis par ses parents. Le groupe sanguin de votre bébé dépendra donc du vôtre et de celui de son père.

Les groupes sanguins sont déterminés par un gène qui se présente sous trois formes : *LA, LB* et *l*. Comme à partir du zygote les chromosomes paternels et maternels sont appariés, il y aura à chaque fois seulement deux formes du gène en présence.

LA et LB sont tous les deux dominants sur l, qui est donc récessif. Il est à rappeler que c'est le gène dominant qui s'exprime.

• Si vous ou le père êtes du *groupe A*, dans vos cellules, les chromosomes sont porteurs des gènes :

 ou

• Si vous ou le père êtes du *groupe B*, vous portez :

 ou

• Si vous ou le père êtes du *groupe AB*, vous portez :

• Si vous ou le père êtes du *groupe O*, vous êtes double récessif et portez :

Le groupe sanguin de votre bébé dépend des gènes présents dans vos gamètes, c'est-à-dire vos cellules sexuelles.

Exemple

Si vous êtes du groupe A, vous pouvez avoir :
• une seule sorte d'**ovocytes** :

    si vous êtes $\dfrac{LA}{LA}$

• ou deux sortes d'ovocytes :

    si vous êtes $\dfrac{LA}{l}$

Si le père est du groupe O, il a :
• une seule sorte de **spermatozoïdes** :

Par la fécondation, il y a 2 possibilités :

Votre enfant sera du groupe A

ou

Votre enfant sera du groupe O

Biologiquement, chaque groupe sanguin est caractérisé par la présence de deux substances. L'une est située sur la membrane de surface qui entoure les globules rouges, c'est l'*agglutinogène*. L'autre est présente dans le sérum, milieu qui contient les globules rouges. C'est l'*agglutinine*, qui a la propriété d'agglutiner, c'est-à-dire de détruire les globules rouges qui possèdent l'agglutinogène correspondant.
- L'agglutinogène A est détruit par l'agglutinine anti-A.
- L'agglutinogène B est détruit par l'agglutinine anti-B.

Il va de soi qu'on ne possède pas dans son sang l'agglutinine et l'agglutinogène correspondant, sous peine de détruire ses propres globules rouges.

Groupe	Agglutinogène à la surface des globules rouges	Agglutinine dans le sérum
A	A	anti-B
B	B	anti-A
AB	A et B	aucune
O	aucun	anti-A et anti-B

Lors d'une transfusion sanguine, il faut toujours considérer le sang du receveur pour que ses agglutinines ne détruisent pas les globules rouges du donneur. Ainsi, une personne du groupe A ne peut recevoir de sang du groupe B et inversement.

La personne du groupe AB, n'ayant pas d'agglutinines, peut recevoir tous les sangs. C'est le *receveur universel*.

La personne du groupe O, n'ayant pas d'agglutinogènes, peut donner son sang à tous les autres. C'est le *donneur universel*.

Le facteur Rhésus

Les groupes sanguins sont plus complexes que le système ABO décrit précédemment. A la surface des globules rouges, il y a, dans la plupart des cas, un *agglutinogène D*. La personne qui le possède est dite *Rhésus positif* ou Rh (+). Celle qui ne l'a pas est dite *Rhésus négatif* ou Rh (–).

Chacun de nous est donc caractérisé par son groupe sanguin et par son Rhésus. Il est clair que lors d'une transfusion sanguine, il faut respecter les règles de compatibilité sanguine dans le système ABO et dans le système Rhésus.

• Lorsque du sang Rh (–) est transfusé à un sujet Rh (+), il ne se passe rien.

• Lorsque du sang Rh (+) est transfusé à un sujet Rh (–) pour la première fois, il ne se produit pas d'accident mais ce sujet Rh (–) réagit en fabriquant des *agglutinines anti-D*. Si l'on transfuse à nouveau du sang Rh (+) à ce même sujet Rh (–), les globules rouges Rh (+) du donneur seront agglutinés par les agglutinines anti-D du receveur. Ce qui provoque de graves accidents pour celui-ci.

L'incompatibilité fœto-maternelle

L'importance du facteur Rhésus intervient au cours de la grossesse.

• Si la mère et le père sont tous les deux Rh (+), l'enfant est Rh (+). Tout va bien.

• Si la mère et le père sont tous les deux Rh (–), l'enfant est lui-même Rh (–) et il ne se passe rien.

• Si la mère est Rh (+) et le père Rh (–), l'enfant a 1 chance sur 3 d'être Rh (–) comme son père mais, comme son sang n'est pas en contact direct avec celui de sa mère, cela n'a pas d'importance.

• **Si la mère est Rh (–) et le père Rh (+), il y a risque d'incompatibilité fœto-maternelle**. Ce risque existe quand l'enfant est Rh (+) comme son père, ce qui est possible 2 fois sur 3.

Dans ce cas précis de mère Rh (−) et de bébé Rh (+), ce qui est le cas pour 15 % de la population, il ne se produit aucun accident au cours de la première grossesse. Cependant des globules rouges fœtaux Rh (+) vont passer dans la circulation maternelle au cours des remaniements placentaires qui ont lieu vers 4 mois et demi et surtout au moment de la délivrance, quand le placenta se décolle. A ce moment, l'agglutinogène D porté par les globules rouges de l'enfant Rh (+) va provoquer dans le sang de la mère la formation d'agglutinines anti-D. Ceci n'a aucune conséquence sur la santé de la mère.

Le problème apparaît lors d'une *deuxième grossesse*, avec un nouvel enfant Rh (+). Au cours de cette deuxième grossesse, des globules rouges fœtaux Rh (+) vont à nouveau passer dans la circulation maternelle, faisant augmenter le taux des agglutinines anti-D. Ces agglutinines anti-D vont traverser le placenta et se fixer sur les globules rouges du bébé, provoquant leur altération. C'est l'origine de la *maladie hémolytique du nouveau-né*. Elle se traduit par une anémie sévère, une atteinte grave du foie et de la rate, qui aboutissent souvent à la mort du fœtus ou du nouveau-né.

Dans les cas graves, un traitement consiste à changer le sang du nouveau-né, dès sa naissance, quelquefois même alors qu'il est encore dans l'utérus. C'est ce que l'on appelle une *exsanguino-transfusion*.

L'exsanguino-transfusion est maintenant assez peu souvent réalisée car il existe un **traitement préventif** de l'incompatibilité fœto-maternelle. Il consiste à injecter à la mère, 72 heures après le premier accouchement, des gammaglobulines portant des agglutinines anti-D. Ces agglutinines vont agglutiner les globules rouges Rh (+) de l'enfant ayant passé dans le sang maternel qui se trouve ainsi exempt de toute substance pouvant nuire à un futur bébé. Cette immunisation doit évidemment être répétée à chaque nouvelle grossesse et également après un avortement spontané ou une interruption volontaire de grossesse (I.V.G.).

La conduite à tenir est celle-ci :

• Connaître votre facteur Rhésus et celui du père de votre enfant. Si vous êtes Rh (–) et le père Rh (+), vous devez le signaler au médecin qui va suivre votre grossesse, afin que cela soit inscrit dans votre dossier. Vous serez efficacement surveillée pendant votre grossesse.

A la naissance de votre bébé, on vérifiera son Rhésus. S'il est Rh (+), on vous fera l'immunisation par les gamma-globulines et vous n'aurez aucun problème pour votre deuxième bébé.

• Si vous avez eu, avant votre grossesse, une transfusion sanguine pour une raison quelconque, vous devez également le signaler à votre médecin. En cas d'erreur, toujours possible, si vous avez reçu un sang Rh (+), vous possédez déjà des agglutinines anti-D, dangereuses pour votre bébé. Vous faites, dans ce cas, partie des grossesses à risque et devez être particulièrement surveillée.

4e SEMAINE de grossesse

Votre bébé a maintenant la forme d'un petit haricot ! Sa croissance est telle qu'en l'espace d'une semaine il va plus que doubler. Au 21e jour, sa longueur est de 1,5 mm ; au 22e jour, elle est déjà d'environ 2 mm et au 28e jour, elle est de 5 mm !

Votre bébé à naître

L'évolution de votre bébé amorce un tournant décisif. C'est le début de son organogenèse, c'est-à-dire de la mise en place de ses principaux organes. Organes primitifs, certes, mais qui néanmoins commencent à assurer une fonction.

La forme générale de votre petit embryon va changer rapidement. Le disque embryonnaire composé des trois couches de tissus évolue, s'enroule sur lui-même pour devenir un cylindre avec un pli marqué pour la tête et un autre pli pour la queue.

Ce développement rapide, accompagné du phénomène de courbure, entraîne l'accroissement de la cavité amniotique. Celle-ci est remplie du *liquide amniotique*, constitué à ce stade d'eau provenant des cellules de l'amnios, membrane qui la délimite. La cavité suit l'embryon dans sa courbure et finit par l'entourer complètement (figure page 78).

A la fin de cette 4e semaine depuis sa conception, votre bébé est bien délimité. Il se retrouve au milieu de la cavité amniotique et y flotte, relié à la partie externe de l'œuf par le cordon ombilical en cours de formation.

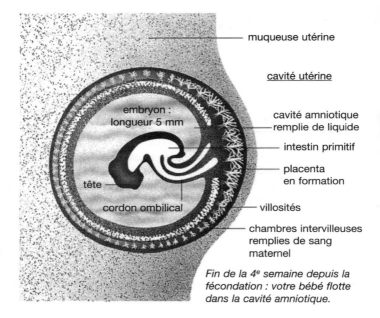

muqueuse utérine

<u>cavité utérine</u>

embryon :
longueur 5 mm

cavité amniotique
remplie de liquide

intestin primitif

placenta
en formation

tête

cordon ombilical

villosités

chambres intervilleuses
remplies de sang
maternel

Fin de la 4ᵉ semaine depuis la fécondation : votre bébé flotte dans la cavité amniotique.

Ce qui caractérise surtout cette semaine, c'est l'apparition des bourgeons des membres ainsi que l'ébauche de nombreux organes internes. Ce sont les bourgeons des membres supérieurs, c'est-à-dire les bras, qui se manifestent les premiers. Ceux des membres inférieurs, c'est-à-dire les jambes, seront présents un peu plus tard.

Le 22ᵉ jour, les deux tubes cardiaques primitifs fusionnent en un seul qui possède par endroits des dilatations séparées par des rétrécissements. Ces dilatations représentent les oreillettes et les ventricules primitifs. De plus, le tube cardiaque, se développant dans un espace qui, lui, ne s'agrandit pas, va se tordre sur lui-même en forme de S, donnant ainsi l'aspect caractéristique du système cardiaque.

Pendant la mise en place du tube cardiaque, les vaisseaux sanguins de votre bébé se développent et rejoignent le réseau vasculaire des annexes externes. En particulier, ils entrent en rapport avec les vaisseaux parcourant les villosités destinées à assurer les échanges entre le sang du bébé et le sang maternel, par l'intermédiaire du cordon ombilical.

Dès ce moment, tous les éléments sont en place pour la mise en contact, par l'intermédiaire des villosités, des circulations maternelle et embryonnaire. Les artères et les veines maternelles s'ouvrent dans les chambres intervilleuses, permettant un flux sanguin dans lequel baignent les extrémités des villosités placentaires qui sont maintenant fonctionnelles. La circulation fœto-placentaire est ainsi établie. Tous les échanges entre vous et votre bébé se font par un processus simple de diffusion à travers la paroi des villosités.

Un mouvement circulaire du sang se met en route : du cœur, il va aux artères, puis dans les annexes, dans les veines et à nouveau au cœur. Les globules sanguins présents dans les villosités sont ainsi entraînés dans toute la circulation et dès lors les vaisseaux sanguins de votre bébé renferment du sang.

Seulement quatre petites semaines après votre fécondation, votre bébé a un cœur qui bat et du sang qui circule. L'auriez-vous cru ?

Parallèlement à l'organisation de la circulation fœto-maternelle, il y a une mise en place progressive de tous les principaux organes de votre futur bébé.

Le système nerveux central continue de s'élaborer avec la formation de trois bulbes au niveau du tube nerveux apparu à la fin de la troisième semaine de développement. Le cerveau définitif dérivera de ces bulbes. La moelle épinière est là ! Très longue, elle se prolonge jusqu'à l'extrémité de la queue.

Tout ce matériel nerveux, qui se trouve sur la partie dorsale du petit embryon, se développe beaucoup plus vite que le matériel situé sur la partie ventrale. Cette croissance en spirale explique la forme particulière de virgule de votre futur bébé à ce stade de son développement.

Toujours dans la région frontale, les organes des sens commencent à s'élaborer avec les ébauches de l'oreille interne et de l'œil alors que des bourgeons primitifs annoncent les futures mâchoires. Le bourgeon de la langue est là, lui aussi !

Dans la région moyenne, à partir d'un tube qui parcourt l'embryon sur toute sa longueur et qui est une sorte d'intestin

*Aspect extérieur de votre bébé
à la fin de sa 4e semaine.*

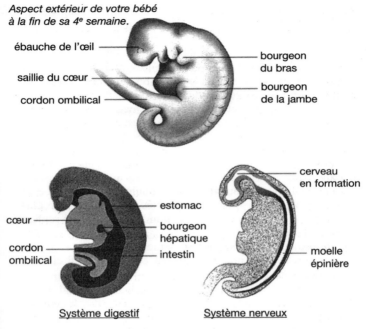

Les organes de votre bébé à la 4e semaine de son développement.

primitif, vont se former par bourgeonnement tous les organes de la digestion. Une légère dilatation annonce le futur estomac au-delà duquel bourgeonnent les ébauches du foie, du pancréas et de la vésicule biliaire déjà visible vers le 25e jour.

L'ébauche laryngo-trachéale destinée à développer tout l'arbre respiratoire est également présente ainsi que les bourgeons des glandes si importantes que sont la thyroïde et l'hypophyse.

Vers l'extrémité caudale de l'embryon, la dilatation d'un petit diverticule correspond à la future vessie. Dans le même temps, les cellules primordiales, qui après maintes transformations aboutiront aux cellules sexuelles, commencent à migrer vers le site de développement des testicules ou des ovaires.

Vous, la future maman

Vos règles ont déjà 2 semaines de retard !

Comme le test que vous avez fait la semaine dernière était positif, vous êtes sûre d'être enceinte.

Les **signes cliniques** apparus la semaine dernière s'accentuent et se précisent. Ils vous confirment votre état.

Vos **seins** ont augmenté de volume. Ils sont gonflés et douloureux. La peau tendue laisse voir le réseau veineux. Vous avez parfois des sensations de picotement au niveau du mamelon. Celui-ci est d'ailleurs beaucoup plus saillant au centre de l'aréole qui l'entoure. L'aréole elle-même se modifie : elle est plus bombée, plus large et plus sombre. Les petites glandes qui la parsèment, appelées *tubercules de Montgomery*, prennent du relief.

L'**utérus** se modifie également. Il augmente légèrement de volume et le col devient moins dur au toucher. Avant la fécondation, il a la forme et la taille d'une figue fraîche ; 4 semaines après la fécondation, il ressemble à une grosse mandarine.

La glaire cervicale s'est coagulée au niveau du col sous l'effet des hormones de la gestation libérées et forme ce que l'on appelle le *bouchon muqueux* qui obture complètement l'entrée de la cavité utérine.

Les sécrétions vaginales augmentent en volume tout en s'acidifiant, protégeant ainsi toute la zone vaginale d'une éventuelle invasion microbienne. Malheureusement, cette acidité vaginale favorise le développement de champignons microscopiques à l'origine des indésirables mycoses.

Votre utérus, changeant de taille, va tirer sur les ligaments qui le maintiennent. C'est la raison pour laquelle vous souffrez éventuellement de tiraillements un peu douloureux dans le bas-ventre.

Les **modifications générales** dues à une surproduction d'hormones se retrouvent de façon constante chez la plupart des femmes.

• Votre température matinale est toujours supérieure à 37° C. Elle le restera jusqu'au 4e mois.
• Les nausées sont plus nombreuses. Tout vous écœure, surtout le matin au réveil. Elles peuvent aller jusqu'au vomissement. D'une façon générale, vous manquez d'appétit et vos digestions sont pénibles. Ces désagréments seront nettement améliorés par la prise d'un remède léger prescrit par votre médecin.
• Vous souffrez de troubles du sommeil. Vous avez des insomnies ou des envies irrépressibles de dormir au cours de la journée.
• Vous êtes fatiguée et sans entrain.
• Vous avez des envies fréquentes d'uriner dues à la pression de l'utérus sur la vessie. Ces envies disparaîtront dans quelques temps quand l'utérus se développera vers le haut.
• Et puis, chose inexplicable, alors que vous désiriez si fort ce bébé, vous avez soudain des idées moroses. C'est le Mummy blues qui touche plus de 13 % des femmes enceintes. Parlez-en sans honte à votre médecin et laissez tout doucement votre organisme s'habituer à ce nouvel état, à ces changements dans son organisation. Voyez plus loin que ce moment, pensez à la future présence de votre bébé.

Conseils

Faites un nouveau test de diagnostic de grossesse à domicile.
Car c'est en principe à partir de 10 jours de retard des règles qu'un tel test est tout à fait fiable s'il est positif.

Voyez votre gynécologue.
En cas de test de grossesse positif, il confirmera votre grossesse par un examen clinique. Au toucher, il sentira les modifications de l'utérus et s'assurera ainsi que l'œuf est placé normalement dans l'utérus et non dans une trompe

comme cela se produit quelquefois, ce qui entraîne de graves complications. Pour confirmer son diagnostic, il peut demander un dosage hormonal sanguin, beaucoup plus précis que la simple détection dans l'urine.

Cette consultation précoce est importante dans la mesure où en plus de vous examiner, votre médecin pourra vous rassurer en répondant à toutes les questions qui vous assaillent. De plus, si tous les tests sont positifs, *vous pouvez d'ores et déjà envisager avec lui la conduite à tenir pour le suivi de votre grossesse et votre futur accouchement.* Mais oui ! Certains services réputés, en particulier à Paris, sont si surchargés qu'*il faut s'y inscrire pratiquement avant même de connaître le diagnostic de grossesse.* **Ne perdez donc pas de temps et décidez avec votre médecin du lieu où vous accoucherez.**

Pour votre information

Où accoucher ?

On peut bien sûr accouchez **chez soi**. Rien ne s'y oppose mais il faut cependant en connaître tous les risques. Même dans le cas d'une grossesse très bien surveillée, des problèmes peuvent surgir au dernier moment et de minimes devenir très graves. Il faut dans tous les cas pouvoir pratiquer en urgence une anesthésie, une intervention chirurgicale, une réanimation. Et ce n'est généralement pas chez soi que l'on peut le faire.

Dans une grande ville, vous avez le choix entre les services des **centres hospitaliers** régionaux ou universitaires, les **hôpitaux généraux** et les **cliniques privées**, agréées ou conventionnées. Dans une ville moyenne, vous avez le choix plus restreint de l'hôpital général et de la clinique privée.

Ce qui doit guider votre décision est avant tout la compétence du personnel soignant et l'équipement médical.

Y a-t-il un bloc opératoire avec un anesthésiste, un chirurgien ? Y a-t-il une couveuse ? Dans le cas contraire, où est transféré le bébé ? Et comment ? Avec l'aide du Samu pédiatrique ou en ambulance équipée d'une couveuse et avec une infirmière spécialisée ?

Qu'y a-t-il de prévu dans le cadre de la préparation à l'accouchement ? Pratique-t-on l'anesthésie par péridurale ? Le père a-t-il le droit d'assister à l'accouchement ? Le bébé est-il ensuite dans votre chambre jour et nuit ou y a-t-il une pouponnière ?

Autant de questions que vous devez poser avant de vous inscrire quelque part. Ainsi, le jour venu, vous entrerez à la maternité en confiance, en sachant que tout sera fait pour vous et votre bébé.

Sur le plan financier

Si vous choisissez l'hôpital ou une clinique conventionnée, vous n'aurez rien à payer. Cependant, dans une clinique conventionnée, un dépassement d'honoraires est autorisé à l'accoucheur. Il n'est pas remboursé par la Sécurité sociale mais l'est quelquefois par une mutuelle. Les suppléments, tels qu'une chambre particulière, le téléphone ou la télévision sont naturellement à votre charge.

Si vous préférez une clinique qui soit seulement agréée par la Sécurité sociale, vous devrez avancer tous les frais qui vous seront remboursés ensuite en partie, c'est-à-dire 80 % du tarif fixé par la convention.

Dans une clinique non agréée, vous ne serez remboursée de rien : ni des honoraires et frais médicaux, ni des frais de séjour.

Si vous accouchez chez vous, la caisse peut, après accord du contrôle médical, vous rembourser d'une part les honoraires et d'autre part les frais pharmaceutiques, selon les tarifs fixés. (Voir Annexe page 418.)

A vous maintenant de choisir en toute connaissance de cause, pour une venue au monde de votre bébé en toute sécurité.

RÉCAPITULATIF DU PREMIER MOIS DE VOTRE BÉBÉ

Age de votre bébé	Jour 1	Jours 2 à 7	2e semaine	3e semaine	4e semaine
Sa taille.	Taille de l'ovocyte : 150 millièmes de mm.	0,1 mm.	0,2 mm.	1,5 à 2 mm.	2 à 5 mm.
Son poids.					Multiplié par 10 000.
Son développement.	Conception de votre bébé par la fécondation, c'est-à-dire la fusion d'un ovocyte et d'un spermatozoïde.	Migration de l'œuf dans l'utérus et implantation dans la muqueuse utérine.	Formation du disque embryonnaire à plusieurs couches cellulaires qui seront à l'origine de tous les tissus.	Renflement pour la future tête. Cœur primitif qui bat.	Début de l'organogenèse. Tête et queue distinctes. Apparition des bourgeons des membres. Ebauche de nombreux organes internes. Début de circulation sanguine. Ebauche de l'oreille interne, de l'œil, de la langue. Présence de la moelle épinière.
Observations générales.			Votre bébé n'est plus un œuf mais un embryon.	Courbure de l'embryon.	La circulation fœto-maternelle est établie. Votre bébé flotte dans la cavité amniotique.

RÉCAPITULATIF DU PREMIER MOIS DE VOTRE GROSSESSE

Age de la grossesse	Fin 2e semaine d'aménorrhée	3e semaine d'aménorrhée 1re semaine de grossesse Jours 2 à 7	4e semaine d'aménorrhée 2e semaine de grossesse	3e semaine de grossesse	4e semaine de grossesse
Observations générales.	Ovulation. Fécondation : un de vos ovocytes fusionne avec un spermatozoïde.	Votre muqueuse utérine modifiée par la progestérone émise par le corps jaune (follicule transformé) est prête à accueillir l'œuf. L'utérus a la taille d'une figue.	Le trophoblaste, couche externe de l'œuf, sécrète l'HCG qui maintient en activité le corps jaune.	Absence de règles.	L'aréole des seins est plus large et plus sombre. Elle est parsemée de petites glandes en relief.
Symptômes.				En cas de douleur de côté persistante dans le bas-ventre, voir le médecin en urgence : une grossesse extra-utérine est possible.	Température supérieure à 37° C. Seins tendus. Nausées. Envies de dormir. Besoin fréquent d'uriner.
Précautions à prendre.			Attention aux : • rayons X, • médicaments, • malades contagieux, • manipulations de produits toxiques.	Supprimer : • tabac, • alcool.	
Examens.	Faire chez soi un test de grossesse.			Faire chez soi un nouveau test de grossesse.	
Démarches.					Prendre RV chez le médecin. S'inscrire dans une maternité.

2e MOIS

Le deuxième mois de vie qui débute pour votre bébé à naître va voir s'accélérer sa croissance puisqu'en l'espace de 4 semaines, sa taille va passer de 5 mm à plus de 3 cm !

Le processus d'organogenèse déjà amorcé va poursuivre son programme : tous les organes de votre bébé seront définitivement mis en place durant ces 4 semaines. Chaque semaine, vous allez découvrir les merveilles que réalise votre bébé. Ses bras et ses jambes poussent ; son visage se forme avec bouche, yeux et oreilles. Votre bébé n'a pas de répit. A chaque instant du jour et de la nuit, de nouvelles cellules apparaissent, s'assemblant en nouvelles structures. La vie avance vite. A la fin de ce 2e mois, votre bébé à naître ressemblera vraiment à un bébé humain.

Pensez sans cesse à ce privilège qui est le vôtre : vous êtes en train de fabriquer une nouvelle vie.

5e SEMAINE de grossesse

*Les yeux et les oreilles de votre bébé sont là, à l'état
d'ébauches. Les bras et les jambes aussi, sous forme de
petites palettes.*

Votre bébé à naître

A la fin de ce 1er mois de développement, votre bébé mesure
5 à 7 mm de long et sa courbure est très prononcée.

Pour le mesurer, il existe deux méthodes standard. Au
début de la grossesse, il est d'usage de mesurer la longueur
prise entre un repère supérieur qui correspond au sommet de
la tête, appelé *vertex*, et un repère inférieur qui est le sommet de la courbure de la queue, appelé *repère lombaire*.
Après le deuxième mois, le repère inférieur sera soit le coccyx, soit les talons, suivant le stade de développement.

VL = du vertex au repère lombaire.
VC = du vertex au coccyx.
VT = du vertex aux talons.

Il est à noter que les mensurations données sont sujettes à
des variations individuelles qui dépendent de facteurs génétiques ou nutritionnels.

La tête de votre bébé est encore très courbée sur la poitrine
mais, cette semaine, son aspect extérieur va se modifier
considérablement. Tout d'abord, son volume va augmenter
énormément car le cerveau se développe rapidement. Le ren-

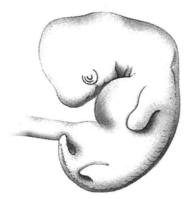

Votre bébé à 5 semaines : il mesure 7 mm

flement du tube neural a poursuivi son développement, ce qui aboutit à présent à la formation des hémisphères cérébraux.

Du tissu cartilagineux primitif, appelé précartilage, apparaît dans les bourgeons des membres ainsi que dans les premiers éléments de ce qui formera les vertèbres.

A la fin de ce premier mois, 5 bourgeons faciaux primordiaux vont être définitivement mis en place. Une fossette appelée *bouche primitive* se forme, comprenant les bourgeons de la mandibule, c'est-à-dire de la mâchoire inférieure et du maxillaire supérieur. Pendant ce temps, les bourgeons qui seront à l'origine de l'odorat apparaissent, se creusent ensuite sous forme de fossettes entourées par les bourgeons nasaux. Les ébauches des yeux et des oreilles sont devenues très visibles. Tout cet ensemble coopère au modelage du visage qui se poursuivra pendant les deux semaines à venir.

En ce qui concerne les organes, le cœur de votre bébé s'est tellement développé qu'il ne tient pas dans l'espace interne. Il forme une proéminence ventrale, sorte de petite bosse qui bat à son rythme et que l'on perçoit très bien à l'échographie. Le cœur doit encore doubler de volume cette semaine.

Le système digestif continue son élaboration. La dilatation annonçant le futur estomac s'accentue alors que le foie et le pancréas poursuivent leur croissance. A l'extrémité postérieure, l'intestin qui s'est affiné et l'appareil urinaire primitif se rejoignent en une zone commune située vers l'extrémité de la queue, appelée *cloaque*.

Un premier diverticule respiratoire bourgeonne dans la région antérieure de l'embryon, à partir de ce même intestin primitif qui peu à peu évolue..

Comme vous le voyez, votre futur bébé travaille vite et bien !

Vous, la future maman

Vos seins s'épanouissent tandis que votre utérus, tout en se développant, s'oriente vers l'avant.

Vos petits malaises persistent. Ils vont continuer ainsi jusqu'à la fin de ce 2e mois pour régresser progressivement avant de disparaître complètement au cours du 3e mois. Vous n'avez pas faim ; vous avez des ballonnements, des brûlures d'estomac ; vous dormez mal, bien que vous soyez très fatiguée et vos nausées vous gâchent la vie. Tout ceci ajoute à votre anxiété et à votre manque d'entrain.

Acceptez ces quelques inconvénients. Ils sont là pour vous rappeler que vous êtes la principale actrice d'un phénomène quasi miraculeux. Vous suivez la formation et l'évolution de votre bébé en vous. N'est-ce pas merveilleux ? Cela devrait vous donner tous les courages.

Aux petits maux déjà cités peuvent s'en ajouter quelques autres. Vous pouvez souffrir :
• d'une **salivation excessive** qui cessera spontanément vers le 5e mois ;
• de **constipation** due à une paresse générale de tous les muscles lisses de l'appareil digestif ;
• d'une **mauvaise circulation** avec la sensation d'avoir les *jambes lourdes*. Ceci peut apparaître dès le début de la grossesse par le fait que votre débit sanguin est accéléré par la nécessité d'alimenter votre bébé. La masse sanguine aug-

mentée freine la circulation de retour des membres inférieurs. Ce phénomène va s'intensifier au cours des mois à venir.

Conseils

Comment alléger les problèmes digestifs ?

Les nausées

Hormis celles qui sont déclenchées par les odeurs ou la simple vue d'aliments qui soudain vous dégoûtent, elles surviennent surtout le matin à jeun et, d'une façon générale, quand votre estomac est vide.

Aussi est-il préférable de :
• prendre son petit déjeuner au lit, tranquillement, puis rester allongée un petit moment avant de se lever ;
• faire des repas plus légers mais fréquents.

Ne prenez pas de remède contre les nausées sans l'avis de votre médecin.

L'aérophagie, les brûlures d'estomac

Evitez de trop manger et supprimez plus particulièrement :
• les aliments trop riches en graisse, comme les fritures ;
• les aliments qui fermentent comme les choux, les légumes secs ;
• les aliments difficiles à digérer comme les plats en sauce.

Préférez des grillades, du poisson, des légumes verts bien cuits, des fruits et tous les laitages.

Ils vous apporteront les éléments de base dont vous avez besoin, vous et votre bébé à naître.

La constipation

• Veillez à ce que votre alimentation soit riche en légumes verts crus et cuits, en fruits, également crus et cuits, et en laitages du genre yaourts. Préférez le pain complet ou au son au pain blanc.

• Au cours de votre petit déjeuner, si vous ne souffrez pas de brûlures d'estomac, buvez un verre de jus de fruit frais : orange, raisin ou mieux, pruneaux.

• Faites chaque jour une marche d'environ trente minutes. C'est excellent pour régulariser la fonction intestinale et la circulation sanguine.

**Précautions
beauté-santé**

La grossesse n'est pas une maladie. Seulement un changement d'état temporaire qui s'accompagne de désagréments plus ou moins nombreux suivant l'état physiologique de chacune. Après neuf mois, vous allez retrouver votre état antérieur. Vous ne serez plus cependant tout à fait la même. Vous aurez vécu une aventure qui restera gravée à jamais dans votre mémoire. Faites en sorte qu'elle ne soit pas gravée éga-

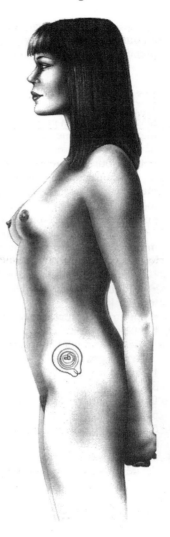

*Vous, 5 semaines
après votre fécondation.*

lement dans votre corps. Il doit en sortir épanoui mais pas amoindri. Pour cela, un minimum de précautions sont à prendre tout au long de votre grossesse.

Les seins

Dès le début de la grossesse, vos seins ont commencé à augmenter de volume. Ce sont les glandes mammaires qui se développent en vue de leur finalité : l'allaitement.

Cet alourdissement temporaire des seins ne doit pas avoir de conséquence sur leur beauté ultérieure. Comme ils sont maintenus au buste uniquement par la peau et quelques ligaments, il faut éviter le relâchement de celle-ci sous l'effet du poids. Pour cette raison, vous devez :
• porter, impérativement, un soutien-gorge bien adapté qui maintienne sans comprimer. Si vos seins sont vraiment lourds, gardez votre soutien-gorge également la nuit ;
• éviter les bains très chauds dans lesquels la peau se ramollit ;
• pratiquer des douches légères et fraîches sur les seins pour tonifier la peau ;
• appliquer une crème spécifique destinée à entretenir l'élasticité de la peau.

La peau

Pour le moment, période d'adaptation, vous avez un teint un peu brouillé. Dans quelque temps, quand tout va rentrer dans l'ordre, votre teint sera éclatant grâce, en partie, aux hormones qui vous imprègnent. Vous devez néanmoins prendre quelques précautions car votre peau va être sollicitée de plusieurs façons.

Le visage

La peau de votre visage devient plus sèche sous l'action des hormones. Si habituellement vous avez la peau grasse, c'est plutôt un bien mais si vous avez déjà tendance à avoir une peau fragile et sèche, elle risque de se marquer par de fines ridules. Aussi, nourrissez votre visage avec une crème de bonne qualité de jour comme de nuit.

Le *masque de grossesse* est fréquent chez les femmes enceintes mais pas constant. Il se manifeste par des plaques pigmentées disposées irrégulièrement sur le front, le nez, la lèvre supérieure, le menton ou les joues. Comme il est également lié à l'état hormonal, il disparaîtra lentement au fil des mois qui suivent l'accouchement.

Un seul conseil : protégez-vous avec une crème écran total et évitez de vous exposer au soleil qui l'accentue énormément.

Les vergetures

C'est évidemment le souci majeur des femmes enceintes. Les vergetures apparaissent là où la peau est distendue, c'est-à-dire surtout sur les seins et le ventre. Elles sont d'abord des lignes rouge sombre, un peu violacées qui deviendront ensuite blanches et nacrées. Elles sont indélébiles car elle correspondent à une cassure du tissu élastique de l'épiderme.

Les vergetures dépendent directement de la qualité de la peau, de la prise de poids et aussi de l'âge de la future mère. Après 24 ans, à moins d'attendre des jumeaux, le risque de vergetures diminue.

Pour **prévenir** les vergetures, il vous faut, dès maintenant :
• veiller à avoir une prise de poids régulière. Méfiez-vous surtout du 3e mois où soudain vous allez retrouver gaiement un appétit perdu au début de votre grossesse.
• améliorer la résistance de la peau par des crèmes hydratantes et nourrissantes.

Les dents

Contrairement à la croyance populaire, un enfant ne coûte pas une dent. Si vous vous alimentez correctement, l'édification de votre bébé ne se fera pas à votre détriment. Vous ne serez ni déminéralisée, ni décalcifiée.

Au tout début de votre grossesse, faites vérifier l'état de vos dents car une carie insoupçonnée peut s'aggraver et provoquer un abcès. Il n'y a aucune contre-indication à l'arrachage d'une dent, si ce n'est la **proscription absolue d'un anesthésique local contenant de l'adrénaline**. Aussi, avant toute intervention, prévenez votre dentiste de votre état.

Les yeux

Les hormones de la grossesse changent l'acuité visuelle en modifiant le rayon de courbure du cristallin. La myopie a, dans ce cas, tendance à s'aggraver.

Si vous êtes myope, vous devez vous faire surveiller par votre ophtalmologiste au cours de votre grossesse et surtout, vous devez **le signaler au médecin** qui vous accouchera. En effet, les efforts de l'expulsion peuvent provoquer un décollement de rétine. Le médecin, prévenu, pourra ainsi limiter le temps d'expulsion.

L'hydratation de la cornée est également moins bonne. Vous produisez moins de larmes et de ce fait, vos yeux sont moins humides. Si vous portez des lentilles de contact, vous risquez de les supporter plus difficilement. Pendant le temps de votre grossesse, portez de préférence des lunettes. Cela vous évitera bien des petits ennuis d'irritation.

Pour votre information

La garde de votre bébé

Une femme qui travaille doit penser le plus tôt possible au mode de garde de son bébé pour quand viendra la fin de son congé de maternité.

Si vous choisissez de faire garder votre bébé par une **nour-**

rice, maintenant officiellement appelée **assistante maternelle**, vous avez le temps d'y penser. Vous pourrez vous en occuper, en toute tranquillité, après la naissance de votre enfant.

Par contre, si vous préférez la formule de la crèche car beaucoup moins coûteuse, vous devez vous en préoccuper dès à présent. Les crèches sont si peu nombreuses, tant dans les grandes que dans les petites villes, qu'il faut en effet inscrire l'enfant sur une liste d'attente dès le début de la grossesse, quitte à se désister si celle-ci n'est pas menée à son terme ou si entre-temps on préfère un autre mode de garde.

La crèche d'entreprise est évidemment l'idéal puisqu'elle est située sur le lieu de travail, à condition toutefois de ne pas travailler trop loin de chez soi. Malheureusement, ce genre de crèche est beaucoup trop rare.

Les crèches collectives sont, soit des *crèches publiques*, créées et gérées par les services départementaux de PMI (Protection Maternelle et Infantile), soit des *crèches municipales*, soit des crèches appartenant à des établissements publics tels qu'hôpitaux ou bureaux d'aide sociale.

La liste des crèches proches de votre domicile vous sera fournie par le service social de votre mairie.

L'inscription provisoire se fait dès le début de la grossesse. Elle doit être complétée par une inscription définitive prise après la naissance et sur avis favorable du médecin de la crèche. A ce moment, vous devrez présenter le carnet de santé de l'enfant, une justification de domicile et votre bulletin de salaire ainsi que celui de votre mari, car le tarif dépend du revenu familial.

Avant d'inscrire votre enfant dans une crèche, vous devez la visiter afin d'observer de près la propreté, la sécurité, la compétence du personnel et, d'une façon plus générale, l'ambiance qui y règne. Il est important pour le développement intellectuel et social de votre bébé que l'on s'intéresse à lui personnellement, que l'on respecte sa personnalité et que l'on contribue à son éveil par des jeux appropriés.

La crèche présente quelques inconvénients qu'il faut connaître :

• la rigidité des horaires. Les crèches sont en général ouvertes de 7 h-7 h 30 à 18 h ou 19 h ;
• le refus d'un enfant malade. Ce qui vous crée évidemment un gros problème le jour où votre enfant se réveille avec de la fièvre.

La crèche familiale, c'est la garde d'enfants de moins de 3 ans par une assistante maternelle dépendant d'un centre de PMI. Les enfants sont gardés au domicile de l'assistante maternelle et sont suivis par le médecin de la PMI.

Comme pour la crèche publique, il faut inscrire l'enfant en début de grossesse. Vous obtiendrez les adresses des crèches familiales auprès du service social de votre mairie.

Depuis quelques années, se créent de plus en plus des **crèches parentales**, surtout dans les campagnes où rien d'autre n'existe. L'organisation et la gestion de la crèche sont sous la responsabilité des parents.

Dans la crèche parentale, le personnel est plus réduit que dans une crèche publique. Il est composé en général de deux puéricultrices et d'un parent pour 15 enfants environ et il n'y a pas de médecin attaché à la crèche. Le règlement y est beaucoup plus souple que dans les autres crèches collectives et l'ambiance plus familiale.

6ᵉ SEMAINE de grossesse

Votre bébé pourrait vous tirer la langue : il en a une !

Votre bébé à naître

Votre bébé mesure maintenant 10 à 14 mm et pèse 1,5 g. C'est toujours un embryon dont la croissance est très rapide. Ses cellules sont en constante différenciation pour donner de nouvelles structures.

Le volume de sa tête augmente encore et devient très important en comparaison avec le reste du corps. Elle est toujours très penchée sur la poitrine.

Le visage de votre bébé continue de s'élaborer rapidement par la confluence des bourgeons des mâchoires et des bourgeons nasaux. La bouche ouverte laisse voir une petite langue tandis que les yeux situés sur les côtés de la tête commencent à se rapprocher. Le nerf optique s'ébauche. Dans les mâchoires, se met en place une lame dentaire qui donnera naissance aux bourgeons des futures dents.

Les bras et les jambes s'allongent également. Leur extrémité en forme de palette est maintenant séparée du reste du membre par un rétrécissement qui représente le poignet ou la cheville. Quatre sillons séparent cinq régions plus épaisses qui esquissent les futurs doigts. Votre bébé aura bientôt des mains et des pieds !

Jusqu'à présent, toute la surface de son corps était recouverte d'une seule couche de cellules. Celles-ci commencent

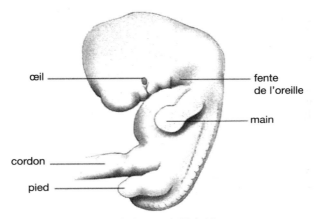

Votre futur bébé mesure 10 à 14 mm.

à se diviser pour se superposer en plusieurs couches, édifiant ainsi l'épiderme.

Votre bébé a un aspect général encore très courbé. Cependant, ses vertèbres en cours de formation se mettent en place autour de la moelle épinière pour constituer la colonne vertébrale. L'ensemble est maintenu par des muscles dorsaux nouvellement formés.

Le ventre de votre bébé est soulevé par le cœur et le foie qui occupent une place énorme dans ce petit corps. Le cordon ombilical, lui aussi très gros, prend pratiquement toute la place restante. Il se réduira au fur et à mesure que votre bébé grandira.

Tous les autres organes, encore minuscules, continuent leur croissance et leur mise en place. A la fin de la 6e semaine depuis la fécondation, l'estomac a sa forme définitive tandis que l'ébauche pulmonaire se précise. L'appareil urinaire est déjà présent, avec la formation des reins et des systèmes de tubes qui s'y rattachent.

Les cellules sexuelles primitives sont maintenant en place aux endroits où se développeront les glandes génitales, ovaires ou testicules. Le sexe de votre futur bébé est encore indifférencié. Rien n'indique s'il est une fille ou un garçon, bien que cela soit défini génétiquement depuis le début de sa première cellule.

L'œuf à l'intérieur duquel flotte votre bébé grossit et fait une saillie de plus en plus importante dans la cavité utérine.

Les villosités qui l'entourent disparaissent peu à peu, sauf au niveau de l'implantation dans la paroi utérine où, au contraire, elles se développent beaucoup, élaborant ainsi le futur placenta (figure page 116).

Vous, la future maman

Vous avez encore des nausées, vous êtes fatiguée ? C'est parfait ! C'est le signe que votre corps réagit normalement et donc que votre grossesse va bien.

Conseils

Prévention fausse couche

Attention au surmenage

N'en faites pas trop. Cette fatigue qui est soudain la vôtre est liée directement à votre état de grossesse. C'est une fatigue physiologique que vous ne devez pas négliger. Si votre travail est trop fatigant, parlez-en à votre employeur et essayez de voir avec lui un aménagement temporaire d'horaire. Reposez-vous dès que possible en pensant à votre bébé.

Attention aux gros efforts

Les efforts physiques favorisent la contraction de l'utérus et l'embryon encore mal arrimé dans la paroi de l'utérus par ses villosités-crampons risque d'être expulsé.

Dans cette optique, ce n'est pas le moment de *déménager* car cela signifie visites fatigantes avec escaliers à monter, colis à porter et surmenage dû à la nouvelle installation. Pour faire cela, attendez d'avoir franchi le cap du 3ᵉ mois.

De la même façon, ne programmez pas de *voyage lointain* pour le moment car cela suppose des transports fatigants, des conditions d'hygiène peut-être précaires et une nourriture sans doute mal adaptée aux besoins d'un enfant en formation.

Vous découvrez du sang dans votre slip

Ne vous affolez pas. Cela peut provenir d'une petite fissure anale ou d'une varice vulvaire. Pour en être sûre, tamponnez ces zones avec des cotons différents. S'ils ne sont pas tachés, c'est que le sang vient de l'intérieur.

Consultez rapidement votre gynécologue qui verra facilement si le sang vient du vagin ou du cul de l'utérus.

• Il peut être dû à une petite *infection* qui sera guérie par un traitement approprié.

• Il peut également apparaître, pendant les 3 premiers mois de la grossesse, à la date qui aurait été celle des règles.

Si vous avez du sang et des douleurs dans le bas-ventre

Téléphonez immédiatement à votre médecin et allongez-vous en l'attendant. Vous commencez peut-être une fausse couche mais ce n'est pas certain.

Tant que vos seins restent tendus et douloureux, que vos nausées persistent, c'est que la grossesse continue. Le médecin qui vous examine vous fera prendre des antispasmodiques pour supprimer les contractions et demandera le *dosage quantitatif* des hormones chorioniques (HCG) circulant dans votre sang.

Ce premier renseignement pourra être complété par une *échographie*.

L'embryon est décelable à l'échographie à la fin de la 3e semaine de développement. L'enregistrement des mouvements cardiaques indique que la grossesse se poursuit.

Si le col de l'utérus est ouvert, le médecin vous prescrira un repos allongé absolu en plus des antispasmodiques. Si le développement de l'embryon est normal, tout rentrera dans l'ordre à condition de prendre des précautions.

L'échographie peut donner des renseignements sur les **causes de vos saignements**.

L'élimination d'un deuxième œuf

A côté de l'œuf en développement peut en exister un autre tout petit, sans battements cardiaques enregistrables. Il s'agit d'un jumeau qui ne s'est pas développé et qui est en cours d'élimination. Ceci étant fait, il n'y aura pas de conséquences sur l'œuf sain qui poursuit sa croissance normalement.

La présence d'un œuf clair

A l'échographie, on peut voir à l'intérieur de l'utérus un sac ovulaire vide, contenant seulement quelques débris. De toute évidence la grossesse est arrêtée et l'œuf va s'éliminer spontanément.

L'emplacement du placenta

S'il est situé assez bas, non loin de l'orifice interne du col, il peut se faire que des contractions utérines tirent sur le col et fassent saigner un petit endroit du placenta. Cette partie finit par s'éliminer d'elle-même et tout rentre dans l'ordre à condition de prendre des précautions. Le repos est indispensable.

La première consultation obligatoire

Vous avez sept consultations obligatoires au cours des neuf mois de la grossesse. La première doit avoir lieu avant la fin du troisième mois, très exactement avant la fin de la 14e semaine de grossesse. Les examens prescrits lors de cette première consultation sont obligatoires, eux aussi, pour bénéficier des avantages sociaux en matière de maternité. Une 8e visite médicale obligatoire a lieu après l'accouchement.

N'attendez pas le 3e mois pour effectuer cette première visite. C'est maintenant qu'il faut y penser et prendre rendez-vous. La fin du deuxième mois est la bonne période pour se faire examiner soigneusement et pour subir les examens de laboratoire dont le résultat gagne à être connu le plus tôt possible pour le bon déroulement de la grossesse.

Cette première consultation obligatoire, vous allez la passer à la maternité que vous avez choisie pour accoucher. Votre dossier va être constitué, il vous suivra jusqu'au jour de votre accouchement.

Si le premier examen médical doit être fait par un médecin, les suivants peuvent être effectués par une sage-femme diplômée qui est tout à fait habilitée à surveiller la grossesse. Si celle-ci se déroule normalement, vous n'avez pas besoin de voir le médecin systématiquement. Il interviendra en cas de problème. L'essentiel est que votre dossier soit établi et reste à l'endroit où vous accoucherez. Il est important également que se crée une relation de confiance entre vous et toute l'équipe soignante car ce ne sera pas forcément le médecin ou la sage-femme qui aura suivi votre grossesse qui vous accouchera.

Lors de ce premier examen médical, vous allez subir :

Un interrogatoire

Votre âge

Si vous n'avez pas 18 ans ou si vous avez plus de 40 ans, vous vous trouvez dans une catégorie à risques plus grands pour vous et votre bébé. Aussi, bénéficierez-vous d'une surveillance spéciale.

Vos antécédents personnels et familiaux

On vous demandera quelles ont été vos maladies, petites et grandes. Avez-vous eu la rubéole étant enfant ? Avez-vous été vaccinée contre cette maladie ? C'est important de le savoir car vous n'ignorez pas les dangers de cette maladie dans les trois premiers mois de la grossesse (voir page 60).

Signalez l'existence des points faibles de votre famille. Vos parents sont-ils diabétiques, cardiaques, tuberculeux ? Existe-t-il, dans votre famille ou celle de votre mari, des maladies héréditaires d'origine génétique telles que l'hémophilie ou la myopathie ?

Le médecin demandera la recherche de votre groupe sanguin mais si vous savez que vous êtes Rhésus négatif, dites-le-lui dès à présent. Précisez si vous avez déjà eu une transfusion sanguine. Le sang transfusé était-il bien Rh (−) comme le vôtre ? En cas de grossesse antérieure et si votre mari est Rh (+), vous a-t-on injecté des gammaglobulines après l'accouchement ? En cas de fausse couche précédant cette grossesse, avez-vous reçu des gamma-globulines ? (voir page 74).

Tout ceci est très important car, suivant votre réponse, vous faites partie des grossesses à risque et devez faire l'objet d'une surveillance spéciale.

Vos habitudes de vie

Quelles sont vos conditions de travail ? de transport ? Avez-vous l'habitude de boire ? de fumer ?

Autant de questions qui aideront l'équipe médicale à suivre attentivement votre grossesse et à prévenir d'éventuels problèmes.

Un examen général complet

Avec pesée, mesure de la dimension du bassin, prise de tension artérielle, auscultation complète cardiaque et pulmonaire.

Un examen gynécologique

Avec examen des seins, du col et du corps utérin et un prélèvement des sécrétions vaginales en vue d'analyse.

Prescription d'examens de laboratoire

• Recherche dans les urines de sucre et d'albumine.
• Recherche dans le sang d'agglutinines anti-D, si vous êtes Rh (–) ; d'anticorps de la rubéole, de la toxoplasmose, de la syphilis et éventuellement du sida. Ce dernier examen vous sera proposé. Vous serez libre de l'accepter ou non.
• Recherche dans les sécrétions vaginales de streptocoques du groupe B. Cette bactérie étant dangereuse pour le fœtus, des prélèvements vaginaux seront effectués à chaque visite pour examen.

A la fin de cette première consultation, le médecin vous remettra :
— Une déclaration de grossesse pour la Sécurité sociale et les Allocations familiales. Elle vous permettra de recevoir l'ensemble des étiquettes auto-collantes à coller sur vos feuilles de maladies. (Voir p. 136)
— Un certificat médical pour votre employeur si vous faites un travail pénible. Sachez toutefois, que vous n'êtes pas tenue de l'informer, à ce stade, de votre état de grossesse.

Pour votre information

La fausse couche : les causes

La malformation de l'embryon

Les fausses couches sont finalement assez fréquentes au cours du premier trimestre. La majorité d'entre elles, c'est-à-dire 70 % des avortements spontanés qui se produisent avant la fin du 2e mois, sont dues à une malformation de l'embryon, d'origine génétique. Le défaut accidentel dans le programme de l'embryogenèse empêche le développement normal de l'embryon qui s'élimine de lui-même. Cette fausse couche est alors un accident heureux car elle évite la venue au monde d'un enfant malformé.

Un utérus mal adapté

La cavité utérine est quelquefois trop étroite et l'embryon qui se développe vite se trouve étriqué. Des saignements apparaissent avant le rejet de l'œuf. Cela peut être le cas lors d'une première grossesse mais ne compromet pas les grossesses suivantes.

Une insuffisance hormonale

Cette insuffisance hormonale est due à une déficience du corps jaune situé sur l'ovaire. Les hormones qu'il sécrète assurent le maintien de la grossesse jusque vers le 4e mois, moment où le placenta suffisamment développé prendra son relais.

Une infection

La grossesse peut avoir été interrompue par une infection de la future mère telle que la toxoplasmose.

Les examens de laboratoire

Ils sont obligatoires.

Recherche dans les urines

Sucre

En général, on trouve dans l'urine de la femme enceinte un sucre particulier, le lactose, dont la présence n'est pas significative.

S'il y a une réaction positive avec le glucose, on fera une recherche plus approfondie de son taux dans le sang. Parmi les femmes enceintes, 2 à 3 % ont un peu de diabète à partir du 5e ou du 6e mois de la grossesse. Cela traduit dans la grande majorité des cas une légère anomalie de filtration au niveau des reins liée directement à la grossesse. Tout rentre dans l'ordre dans les jours qui suivent l'accouchement.

Albumine

On ne doit pas trouver d'albumine dans les urines. Si la réaction est positive, le médecin cherchera s'il n'y a pas une infection urinaire ou rénale.

Recherche dans le sang

Ceci ne doit pas vous inquiéter car les maladies recherchées sont plutôt rares. Elles concernent seulement une petite fraction de la population, mais comme elles sont très dangereuses pour l'enfant à naître, elles sont systématiquement dépistées.

• L'hépatite B (Antigène HBS)

Maladie très dangereuse pour le nouveau-né, l'hépatite B, dont l'agent est un virus, est transmise le plus souvent par le sang en contamination directe ou par l'intermédiaire de rapports sexuels, quelquefois par des aliments souillés. 10 % de la population est concernée par cette maladie avec risques de cirrhose ou de cancer du foie. La vaccination contre l'hépatite B, actuellement controversée, reste l'affaire de chacun en accord avec son médecin.

Lorsque la mère est atteinte par le virus de l'hépatite B, celui-ci peut traverser le placenta et atteindre le foie du bébé. C'est la raison pour laquelle un dépistage sérologique est systématiquement fait en début de grossesse. Suivant son résultat, différentes précautions seront alors envisagées pour la mère et l'enfant.

Prévention hépatite B

- Eviter de consommer huîtres, moules et crustacés
- Boire de préférence de l'eau minérale
- Laver très soigneusement légumes et fruits.

• La toxoplasmose

Cet examen sérologique fait partie de l'examen prénuptial. Avant votre grossesse, vous saurez donc si vous avez déjà eu la maladie et si par conséquent vous êtes immunisée.

La toxoplasmose est une maladie fréquente en France car liée à des habitudes alimentaires. Le parasite responsable se trouve en effet dans la viande de mouton et de porc insuffisamment cuite. 84 % des futures mères ont déjà été atteintes par la maladie, sans le savoir, et sont donc immunisées.

Cette maladie, bénigne pour la mère, passe souvent inaperçue. Elle se manifeste par un peu de fièvre, des ganglions dans le cou, un peu de fatigue avec des douleurs musculaires ou articulaires.

L'examen sérologique consiste à rechercher dans le sérum de la future mère la présence d'anticorps. S'il n'y en a pas, c'est qu'elle n'a jamais été contaminée et qu'elle n'est donc pas immunisée.

Sur les 16 % de femmes non immunisées, seulement 4 à 5 % seront contaminées par le toxoplasme pendant leur grossesse. Et dans ce cas, il n'y a que 40 % de risques pour que l'enfant soit atteint. Ce qui est relativement peu. Heureusement, étant donné la gravité de la maladie pour l'enfant.

Au 1er trimestre, le toxoplasme traverse le placenta assez rarement. Quand il y arrive, cela aboutit à la mort de l'œuf et donc à une fausse couche. C'est surtout à partir du 5e mois que la maladie est grave car le placenta est traversé et le toxoplasme sera responsable de malformations, cérébrales ou oculaires. En fin de grossesse, la contamination de l'enfant est plus fréquente car le placenta est davantage perméable, mais les conséquences sont moins graves.

Prévention toxoplasmose

Si vous n'êtes pas immunisée :
• faire un sérodiagnostic toutes les 4 à 5 semaines pour détecter une éventuelle contamination ;
• ne pas manger de viande crue ou saignante. Il est à noter que le parasite est tué par la congélation ;
• manger des fruits et des légumes cuits de préférence ou très bien lavés ;
• éviter la présence d'animaux domestiques, en particulier le chat qui est porteur du toxoplasme et le rejette dans ses excréments.
En cas de contamination, un traitement efficace à base d'antibiotiques sera entrepris.

- **La syphilis**

Le dépistage de la syphilis fait partie des examens prénuptiaux. Néanmoins, un test est obligatoire dans les trois premiers mois de la grossesse, cette maladie grave pouvant se transmettre à l'enfant à partir du 5e mois.

Si les résultats sont positifs, on traite la future mère à la pénicilline et l'enfant naîtra en bonne santé. Si la mère n'est pas soignée à temps, c'est-à-dire avant le 5e mois, elle n'a que 35 % de chances de mettre au monde un enfant normal et sain. Il faut ajouter que cette maladie est devenue extrêmement rare chez le nouveau-né.

- **Le sida**

Que signifie le terme de SIDA ?
S.I.D.A. est l'abréviation de Syndrome d'Immuno-Déficience Acquise. Lorsque le sida évolue chez un malade, celui-ci présente un ensemble de troubles — *syndrome* — dus à l'affaiblissement de ses défenses immunitaires — *immuno-déficience* — cette incapacité à se défendre ayant été — *acquise* — au contact du virus.

L'organisme atteint est privé d'une partie de ses globules blancs, essentiels à la défense de l'organisme, qui sont détruits par le virus. Il est alors la proie de multiples infections qui mettent le malade en danger de mort.

Que veut dire être séro-positif ?
Le sida est le résultat de la contamination par un virus : le HIV (Humain Immuno-Déficience Virus). Un test sérologique permet de savoir si l'on est porteur ou non du virus.

En cas de contamination par le virus, l'organisme réagit et fabrique des anticorps. La personne qui possède ces anticorps est dite séropositive.

Une personne séropositive peut :
- développer la maladie car les anticorps sont inefficaces ;
- ne pas avoir la maladie. Dans ce cas, elle est dite *porteur sain*.
  Dans tous les cas, elle transmet le virus.

Le virus se transmet uniquement de sang à sang. Aussi, un porteur du virus peut-il le transmettre lors :
• de relations sexuelles car, dans le sperme et les sécrétions vaginales, il y a des globules blancs infectés par le virus. D'où la nécessité d'utiliser des préservatifs ;
• d'échange de seringues chez les toxicomanes ;
• par transfusion de sang contaminé. D'où une surveillance stricte du sang en Europe depuis 1985.

Une mère porteuse du virus peut le transmettre à son enfant au cours de la grossesse.

Les risques encourus par l'enfant d'être réellement atteint par la maladie étaient de 50 % soit 1 sur 2 en 1990. Aujourd'hui, ce pourcentage est tombé à un peu moins de 5 % grâce à la multithérapie.

Tous les enfants de mères séropositives sont séropositifs à la naissance car les anticorps anti-HIV de la mère sont passés à travers le placenta.
• Chez certains enfants, les anticorps disparaîtront dans les 8 à 9 mois suivant la naissance car il s'agit uniquement des anticorps de la mère.
• Chez d'autres, 5 %, le taux d'anticorps ne baissera pas avec le temps car il s'agit de leurs propres anticorps. Ce qui signifie qu'ils ont été infectés.

Plus de la moitié de ces bébés mourra avant l'âge de deux ans. Les autres présenteront des complications nerveuses graves et le risque, toujours présent, de développer un jour la maladie.

Les femmes enceintes séropositives qui le désirent ont la possibilité de recourir à une interruption thérapeutique de grossesse avant la 10e semaine d'aménorrhée. Au-delà de ce délai, l'interruption de grossesse est toujours possible car entrant dans le cadre de l'interruption thérapeutique.

Il s'agit là d'un choix extrêmement difficile pour la future maman qui aura besoin, dans tous les cas, d'un soutien psychologique.

- **Le cytomégalovirus**

Il s'agit d'un virus généralement inoffensif dont l'infection passe inaperçue.

Néanmoins, dans quelques cas rares, l'infection chez la femme enceinte peut provoquer une fausse couche au cours du premier trimestre. Quand l'infection survient plus tardivement, les conséquences sur le futur enfant peuvent être graves.

Par pure précaution, une future maman doit éviter de s'occuper de très jeunes enfants pendant les cinq premiers mois de sa grossesse. Ils sont en effet très souvent porteurs du virus, sans aucune conséquence pour eux, et peuvent être contaminant par l'intermédiaire de la salive, de l'urine et des selles. Mais que cela ne soit surtout pas une obsession pour vous car le respect d'une bonne hygiène est la meilleure des garanties.

7ᵉ SEMAINE de grossesse

*9ᵉ semaine depuis le premier jour
de vos dernières règles*

2ᵉ mois de grossesse

Vous ne le savez pas encore, mais votre bébé bouge !

Votre bébé à naître

Votre bébé travaille comme un petit fou ! Il se construit à toute vitesse. Il a pratiquement doublé sa taille depuis la semaine dernière.

Il mesure maintenant 17 à 22 mm. Sa tête, encore très volumineuse, plus grande que tout le reste du corps, en est maintenant séparée par le cou qui s'est formé. Elle est encore penchée sur la poitrine mais dans son ensemble, le corps est moins courbé. A l'autre extrémité, la queue commence à régresser.

Bras et jambes continuent de s'allonger. Il est à rappeler que depuis le début de leur formation, les bras sont en avance par rapport aux jambes. Ils se courbent au coude tandis que les mains se plient légèrement au niveau du poignet. Les os de ces membres sont au stade de cartilage primitif alors que les muscles se mettent en place. Les doigts et les orteils commencent à se former.

Le visage de votre futur bébé poursuit son élaboration. Les yeux se rapprochent tandis que les paupières se dessinent, que les fosses nasales se mettent en place et que les mâchoires se consolident. Recouvrant la mâchoire supérieure, la lèvre est maintenant présente. Dans les mâchoires, les bourgeons dentaires s'installent.

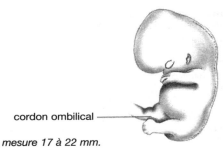

cordon ombilical

Votre bébé mesure 17 à 22 mm.
Il commence à se redresser.

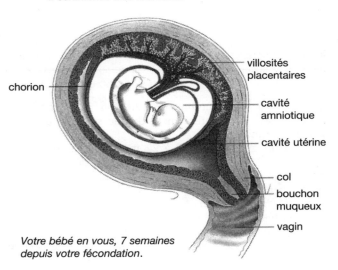

chorion

villosités
placentaires

cavité
amniotique

cavité utérine

col

bouchon
muqueux

vagin

Votre bébé en vous, 7 semaines
depuis votre fécondation.

L'œil est déjà tout à fait remarquable. Le cerveau primitif a poussé deux prolongements jusqu'aux ébauches des yeux. Ils s'épanouissent en corolle pour former les rétines. La peau située devant s'épaissit tout en devenant transparente pour devenir la lentille grossissante que l'on appelle le cristallin. Celui-ci commande l'apparition de la cornée. Comme le nerf optique est complètement terminé, votre bébé pourrait déjà presque voir !

En ce qui concerne les organes internes, la glande thyroïde prend sa place définitive, accolée à la trachée. Le cœur commence à se cloisonner en cœur droit et cœur gauche. Inlassablement, il bat au rythme de 80 battements par minute.

A l'extrémité postérieure du corps, le cloaque se divise en deux. A l'arrière apparaît le canal ano-rectal et, vers l'avant, le canal urogénital primitif.

Les glandes sexuelles sont toujours indifférenciées. Suivant ce qui est inscrit au niveau des gènes, elles vont se différencier en testicules ou en ovaires.

Tous les autres organes poursuivent leur différenciation et leur croissance en vue d'atteindre leur forme définitive fonctionnelle. Cette croissance rapide des organes peut aller plus vite que le développement des cavités intérieures. C'est le cas du cœur et du foie qui forment une énorme proéminence à la surface du thorax. C'est également le cas de l'intestin dont les anses qui s'allongent trop vite sortent de la cavité abdominale trop petite et se replient provisoirement dans le cordon ombilical.

Et l'incroyable se produit enfin : votre bébé bouge !

Il se retourne sur lui-même mais ces mouvements sont purement réflexes car les muscles ne sont pas encore innervés et ne sont donc pas commandés par le cerveau.

Ces mouvements se passent au plus profond de vous et malheureusement n'arrivent pas jusqu'à vous. Vous ne les percevez pas. Pourtant ils sont bien réels puisqu'ils sont visibles à l'échographie. Vous sentirez votre bébé bouger seulement au 4e mois. Encore un peu de patience !

Vous, la future maman

L'hormone HCG, qui peut être détectée très rapidement après la conception et qui indique que vous êtes enceinte, atteint maintenant un taux maximum dans votre corps. Cela explique vos nausées, votre fatigue et différents petits malaises. Courage, c'est bientôt fini !

Conseils

Mangez sain et équilibré

Votre bébé a grandi d'une façon spectaculaire depuis le début de sa conception : il a presque doublé sa taille chaque semaine. La multiplication rapide de ses cellules, qui entraîne la construction de ses tissus et organes, suppose qu'elles ont tous les nutriments nécessaires à leur croissance. Ces nutriments de base sont apportés jusqu'à elles par son sang. Comme il ne s'alimente pas directement lui-même, il puise ce dont il a besoin dans votre propre sang. C'est pourquoi votre alimentation est si importante pour lui.

Il ne s'agit pas comme on le pensait à une époque de manger pour deux mais de se nourrir correctement et intelligemment de façon à apporter à votre organisme et au sien tous les éléments nécessaires. Ne pas sauter de repas, manger des produits sains qui se digèrent facilement et sont rapidement assimilables, veiller à un apport suffisant de calories, d'éléments indispensables, de vitamines, sont des règles simples mais essentielles qu'il faut respecter.

Buvez !

Durant votre grossesse, votre masse sanguine augmente, vos reins filtrent davantage puisqu'en plus de vos déchets, vous avez ceux de votre bébé à éliminer. Vous devez donc boire suffisamment : 1 litre et demi à 2 litres de liquide par jour.

Vous boirez de l'eau de préférence à toute autre boisson. Vous n'oublierez pas cependant de boire du lait qui est considéré comme un aliment et fait donc partie de la ration alimentaire ainsi que du jus de fruits frais, pour les vitamines. Limitez le thé et le café et abstenez-vous complètement de boissons alcoolisées.

Pour votre information

L'alimentation de la femme enceinte

Les principaux nutriments de base sont les *glucides* ou sucres, les *lipides* ou corps gras et les *protéines* qui vont donner les acides aminés, matériaux élémentaires pour la construction de la matière vivante.

Pour le bon fonctionnement de la machine humaine, tous ces éléments doivent être associés selon des proportions définies. C'est la base de toute alimentation équilibrée.

Les besoins en calories

Chaque sorte de nutriment dégage lors de sa combustion, au cours de la digestion, un certain nombre fixe de calories par gramme. Ces calories fournissent l'énergie indispensable à la vie. Le minimum vital est de 1 500 calories par jour. Ce sont les calories utilisées uniquement pour le fonctionnement des organes et pour le maintien d'une température constante à 37° C. Ce minimum vital varie en fonction du sexe, du poids, de la taille et de l'âge.

Pour tout mouvement ou effort que nous faisons, il y a nécessité de calories supplémentaires apportées par l'alimentation. Plus le travail est fatigant, plus la dépense d'énergie, donc de calories, est grande. Au contraire, si nous mangeons trop par rapport à nos dépenses énergétiques, le surplus de calories se transforme en graisse.

Le corps de la future mère travaille davantage, aussi a-t-elle besoin de calories supplémentaires mais pas énormément.

Si vous êtes une femme d'activité moyenne, votre besoin quotidien en calories est d'environ 2 000. Enceinte, vous avez besoin de 2 200 à 2 500 calories. Les apports alimentaires devront en gros rester les mêmes mais être particulièrement bien équilibrés en fonction des besoins.

Il y a cependant quelques cas particuliers où un apport calorique supplémentaire est nécessaire :
• Si vous avez moins de 20 ans et que par conséquent vous n'avez pas terminé votre propre croissance, vous devrez veiller à un apport exceptionnel en calcium.
• Si vous faites un travail très fatigant physiquement, n'oubliez pas les protéines.
• Si vous avez déjà eu plusieurs enfants.
• Si vous attendez des jumeaux, naturellement vous devrez augmenter également l'apport calorique, au cours de la deuxième moitié de la grossesse, par une consommation un peu plus importante de protéines.

Les bases d'une bonne alimentation

Avoir son quota de calories ne suffit pas si on ne considère pas leur provenance, qui est capitale. Il doit y avoir un juste équilibre dans l'alimentation entre tous les nutriments de base qui, en plus des calories, vont apporter à l'organisme les matières premières nécessaires à son entretien — c'est votre cas — et à sa croissance — c'est le cas de votre bébé.

Nous devons donc ingérer régulièrement, sous peine de carences graves, des produits contenant des protéines, des lipides, des glucides ainsi que des sels minéraux et des vitamines.

Pour une femme enceinte ayant une activité moyenne, une alimentation équilibrée doit comporter pour 100 calories :
- 15 à 20 calories d'origine protéique,
- 30 à 35 calories d'origine lipidique,
- 50 à 55 calories d'origine glucidique.

Ce qui correspond, pour une dépense énergétique de 2 500 calories, à l'absorption quotidienne de :
- 80 à 90 g de protéines, moitié animales, moitié végétales ;
- 80 g de lipides ;
- 300 g de glucides.

Les protéines

Elles construisent et renouvellent tous les tissus de l'organisme. C'est la raison pour laquelle elles doivent avoir une place importante dans l'alimentation.

Votre futur bébé consomme 9 g de protéines au cours du premier mois, puis 9 g par semaine au 3ᵉ mois et enfin, 9 g par jour en fin de grossesse.

Les protéines d'origine animale se trouvent dans la viande, le poisson, les œufs, le lait et ses dérivés. A poids égal, le poisson fournit autant de protéines que la viande. De même, 2 œufs valent un bifteck de 100 grammes.

Les protéines d'origine végétale sont présentes dans les céréales, les légumes secs, le riz, le pain. Elles ne peuvent remplacer les protéines d'origine animale et doivent donc être consommées en tant que complément.

Les lipides

Energétiques comme les sucres mais également plastiques, ils participent activement à l'élaboration des organes. Ils sont essentiels, en particulier, à la construction du système nerveux. Ils ne doivent pas apporter plus de 30 % des calories de la ration alimentaire quotidienne.

Les graisses animales se trouvent dans la viande, le poisson gras, le jaune d'œuf, le lait ainsi que dans les produits d'origine animale tels que la charcuterie, le beurre et la margarine.

Les graisses végétales sont présentes essentiellement dans les huiles et les fruits oléagineux tels que cacahuètes, noix, noisettes, amandes.

N'abusez pas des graisses animales. Préférez-les sous leur forme crue qui est plus digeste : lait, beurre, fromage.

Les glucides

Surtout énergétiques, ils sont présents évidemment dans le sucre, le miel, les confitures, les pâtes et le riz, les fruits secs, les légumes secs, les fruits frais.

Si vous avez tendance à grossir, diminuez la ration de glucides, sauf en ce qui concerne les fruits frais riches en vitamines. Diminuez également les lipides au profit des protéines dont le rôle dans l'édification du corps est si important.

En plus de ces nutriments de base, d'autres substances sont indispensables pour le bon fonctionnement de l'organisme. Ce sont les vitamines et les minéraux qui se trouvent tout naturellement et en quantité suffisante dans une alimentation variée.

Les vitamines

Ces molécules chimiques complexes que l'on appelle vitamines déclenchent toutes les réactions biochimiques nécessaires à l'élaboration de la matière vivante ainsi qu'au maintien et au bon fonctionnement de l'organisme tout entier.

Nom	Rôle	Source alimentaire
Vitamine A	• Essentielle pour la croissance et la vue. Sa carence entraîne des troubles de la vision. • Indispensable pour la formation de l'émail des dents, des cheveux et des ongles. • Nécessaire à la formation de la glande thyroïde. • Protège la peau et les muqueuses. • Permet de résister aux infections.	Lait entier et ses dérivés, beurre frais, jaune d'œuf, poissons, huile de foie de poissons, foie animal, rognons. Légumes verts, notamment persil, épinards, laitue, tomates. La carotte contient du carotène, précurseur de la vitamine A.
Vitamine B₁	• Indispensable pour la constitution de votre bébé, notamment de ses nerfs et de ses yeux. • Nécessaire pour la lactation. • Favorise la digestion en stimulant l'estomac et l'intestin. • Son besoin est accru dans le cas d'une maladie infectieuse.	Cuticule des céréales. Pour cette raison, préférer riz et pain complets, graines entières, noisettes, germes de blé, levure de bière. Légumes secs, pommes de terre. Abats : cœur, foie, rognons. Fruits.
Vitamine B₂	• Essentielle au moment de la fécondation et dans les 1ᵉʳˢ jours du développement de l'embryon. • Prévient les problèmes de peau.	Graines entières, germe de blé, levure de bière, légumes verts, lait, œufs, foie animal.
Vitamine B₃	• Aide à la construction des cellules nerveuses. • Protège des infections et des saignements de gencives.	Graines entières, germe de blé, levure de bière, cacahuètes, légumes verts, œufs, poisson, foie, rognons.

Nom	Rôle	Source alimentaire
Vitamine B₅	• Essentielle pour la multiplication cellulaire, obligatoire pour le maintien de l'intégrité tissulaire. • Rôle important dans la fabrication des globules rouges.	Cuticule des céréales, graines entières, cacahuètes, œufs, fromages, foie, cœur, rognons.
Vitamine B₆	• Aide à l'assimilation des graisses et des acides gras nécessaires à la production des anticorps. • Sa déficience cause des troubles nerveux et de l'anémie.	Germe de blé, levure de bière, pommes de terre, champignons, bananes, légumes secs, foie, cœur, rognons.
Vitamine B₁₂	• Essentielle pour la formation et la protection des globules rouges. • Indispensable pour la formation du système nerveux central du bébé.	Germe de blé, levure de bière, graines entières, poisson, foie.
Acide folique (en liaison avec le groupe des vitamines B)	• Importance capitale dans la synthèse des protéines, la multiplication cellulaire, le bon fonctionnement de la moelle osseuse, siège de la fabrication du sang. • Empêche les malformations du tube neural comme la spina bifida. • Essentielle pour un bon développement du système nerveux central du bébé.	Légumes verts : laitue, cresson, endives, pissenlits, poireaux. Toutes les sortes de choux : choux-fleurs, choux de Bruxelles, chou rouge, chou vert, brocolis. Noix, agrumes, c'est-à-dire oranges, citrons, pamplemousses. Foies d'agneau et de poulet. Fromages fermentés.
	Une carence en acide folique peut provoquer des hémorragies entraînant un avortement en début	

Nom	Rôle	Source alimentaire
	de grossesse, un retard dans la croissance in utero du bébé ainsi que des malformations fœtales, surtout neurologiques. Cette carence peut être due à la malnutrition, à l'alcoolisme, aux anti-épileptiques. Une grossesse gémellaire, ainsi que le fait d'avoir déjà eu plusieurs enfants, sont des facteurs aggravants. Chez ces femmes présentant un facteur de risque, un apport médicamenteux en supplément à l'alimentation est nécessaire. Chez les autres, il peut être souhaitable pendant le premier trimestre de la grossesse, mais surtout, l'alimentation doit être équilibrée en conséquence.	
Vitamine D	• Permet l'absorption du calcium par l'intestin et son incorporation par les cellules osseuses. Elle est par conséquent indispensable pour la construction d'un squelette solide à votre bébé. • C'est la vitamine de l'antirachitisme.	Lait, beurre, jaune d'œuf, poisson, huile de foie de morue. L'organisme fabrique lui-même la vitamine D grâce aux rayons solaires qui activent une pro-vitamine présente dans la peau. Si votre grossesse a lieu en hiver, votre médecin vous prescrira probablement une ampoule de stérogyl vers le 6e mois et une autre au début du 9e.
Vitamine C	• Permet de lutter contre la fatigue et augmente la résistance aux infections. • Participe à l'élaboration d'un placenta solide. • Favorise l'absorption du fer par l'intestin. • Rôle important dans la	Les fruits frais et notamment citrons, oranges, mandarines, pamplemousses, kiwis. Les légumes verts, surtout consommés crus.

Nom	Rôle	Source alimentaire
	réparation des fractures et la cicatrisation. Les besoins en vitamine C sont variables suivant qu'il y a stress, fièvre ou infection.	La vitamine C est détruite par la cuisson. Deux oranges suffisent pour assurer la ration quotidienne.
Vitamine E	• Pour une bonne fertilité. • Pour le maintien de l'intégrité des membranes cellulaires.	Germe de blé, salades vertes et la plupart des aliments.
Vitamine K	• Pour la coagulation du sang.	Légumes verts crus. Elle est également fabriquée dans l'intestin à partir d'une bactérie.

Les sels minéraux

Tels que calcium, sodium, magnésium, potassium, phosphore. Ils doivent être maintenus à un taux constant dans l'organisme sous peine d'entraîner des troubles. Or, pendant tout le temps de votre grossesse, vos besoins vont être accrus.

Nom	Rôle	Source alimentaire
Calcium	• Essentiel pour la formation du squelette et des dents de votre bébé. Si vous ne lui en apportez pas en quantité suffisante, il puisera dans vos propres réserves, entraînant pour vous une décalcification.	Le lait et ses dérivés : yaourts et fromages, les plus riches étant ceux à pâte dure comme le gruyère ou le cantal. Les œufs, le pain complet, quelques légumes verts comme épinards,

Nom	Rôle	Source alimentaire
		choux, endives, cresson.
	Le calcium n'est fixé par les os qu'en présence de vitamine D, présente, elle aussi, dans l'alimentation.	
Magné-sium	• Bon équilibre neuro-musculaire.	Amandes, noix, noisettes, abricots secs, flocons de céréales complètes, germe de blé, chocolat.

Les oligo-éléments

Ce sont des minéraux dont la présence, en quantité infime, est essentielle pour le maintien d'une bonne santé. Il s'agit, entre autres, de l'iode, du zinc, du cuivre, du fer, du fluor.

Nom	Rôle	Source alimentaire
Fer	• Essentiel pour la formation et la bonne santé des globules rouges. Le fer est le composant essentiel de l'hémoglobine, pigment transporteur d'oxygène, qui donne leur couleur aux globules rouges.	Cresson, épinards, persil, lentilles, haricots blancs, fruits secs, le jaune d'œuf, le foie de génisse ou d'agneau, le chocolat.
	L'enfant en formation a besoin d'une quantité importante de fer pour la fabrication de ses propres globules rouges. Si l'alimentation de la mère est pauvre en fer, il va puiser dans les réserves de celle-ci, ce qui aura pour conséquence de la rendre anémique.	

Nom	Rôle	Source alimentaire
Zinc	• Aide à la synthèse des protéines et de nombreuses enzymes, protéines spéciales nécessaires aux réactions biochimiques. • Nécessaire à la libération de la vitamine A stockée dans le foie, dans la circulation sanguine.	Cuticule des céréales, riz et pain complets, germe de blé, flocons de céréales complètes, noisettes, œufs, foie animal, coquillages.
Iode	• Indispensable au bon fonctionnement de la glande thyroïde.	Coquillages, poissons. Sa présence dans le sel marin couvre les besoins de l'organisme pour une alimentation normalement ou peu salée.
Fluor	• Action préventive contre les caries.	Présent dans les eaux minérales. Votre médecin pourra également vous prescrire Zymafluor en comprimés à partir du 5ᵉ mois.

En pratique

Ne passez pas votre temps à peser vos aliments et à calculer vos calories. Composez vos repas suivant vos habitudes, vos goûts et vos moyens. Chaque aliment contenant, la plupart du temps, plusieurs types de nutriments et de vitamines, **variez les menus**. Faites alterner différents types de viande et de poissons que vous consommerez grillés ou bouillis. N'oubliez pas les œufs qui, contrairement à leur réputation, ne font pas mal au foie, les laitages et les fromages. Veillez à manger à chaque repas des légumes verts et de la salade qui contiennent beaucoup de minéraux et de vitamines ainsi que des fibres de cellulose indispensables à un bon transit intestinal.

Supprimez les plats en sauce et les ragoûts, les plats trop épicés, les graisses animales, la charcuterie, les fritures, les poissons fumés, le gibier et les abats. Evitez les pâtisseries trop riches en sucre.

C'est tout naturellement que vous augmenterez légèrement vos rations au cours de votre grossesse car cela correspondra à un besoin accru de la part de votre bébé.

Par ailleurs, sous prétexte du bébé qui grandit et « réclame », ne vous laissez pas aller à la gourmandise. Sachez que tout ce qui ne sera pas utilisé sera stocké sous forme de graisse, peu mobilisable ensuite.

Vous devez adopter une ligne de conduite dans le domaine de l'alimentation et vous y tenir :
• ne sautez jamais de repas ;
• faites 3 ou 4 repas équilibrés en quantité et qualité ;
• ne grignotez jamais entre les repas ;
• pour couper une fringale subite, croquez une pomme ou une carotte crue.

Surveillez votre poids

Ce qui va vous guider dans votre alimentation tout au long de votre grossesse est votre prise de poids. Vous devez vous peser régulièrement deux fois par semaine pour vérifier que vous ne grossissez pas trop.

Il se peut, à ce moment de votre grossesse, que vos nausées soient très importantes et que vous ayez maigri de 1 ou 2 kg. Ce n'est pas grave, vous allez les reprendre au cours des mois suivants. Au 6e mois, de toute façon, vous aurez pris 6 kg. Deux sont pour votre bébé et 4 pour vous, sous forme de réserve graisseuse. Cette réserve physiologique commune à tous les mammifères est constituée dans le but ultérieur d'apporter l'énergie nécessaire à la fabrication du lait maternel.

A partir du 6e mois, la prise de poids ne doit pas excéder

1 kg à 1 kg 200 par mois. Si vous dépassez ce chiffre, vous devez réajuster votre régime alimentaire en diminuant les glucides et les lipides. Si cette prise de poids est importante, ne décidez surtout pas de faire un régime. Il serait totalement inapproprié. C'est **votre médecin**, et lui seul, qui vous conseillera. Votre gain de poids total au cours de la grossesse doit se situer entre 9 et 12 kg maximum.

8ᵉ SEMAINE de grossesse

*10ᵉ semaine depuis le premier jour
de vos dernières règles*

2ᵉ mois de grossesse

A la fin de cette 8ᵉ semaine, votre bébé va terminer l'édification de presque tous ses organes. Malgré tout, il lui reste encore beaucoup de chemin à parcourir avant de devenir un grand !

Votre bébé à naître

Son poids est de 2 à 3 grammes et sa taille atteint le cap des 3 cm. Prenez votre mètre de couturière et regardez ce que représentent 3 cm ! Et pourtant, dans ces 3 cm du futur homme ou future femme, il y a déjà tout, ou presque : un cœur qui bat, des organes internes aux diverses fonctions et, dans la grosse tête qui commence à se redresser, le cerveau qui se construit peu à peu.

Le visage continue à se modeler : les oreilles externes, situées assez bas, presque sous la bouche, ainsi que le bout du nez sont maintenant très bien visibles. Les cavités de la bouche et du nez se rejoignent par la formation du palais, tandis que les bourgeons des dents provisoires sont bien implantés. Il y a 10 bourgeons par mâchoire qui évolueront pour donner les 20 dents de lait de votre bébé. Les yeux ne sont toujours pas recouverts par les paupières en cours de formation. Au niveau du cou qui se redresse progressivement, se placent les glandes salivaires.

Les mains et les pieds ont leur forme définitive avec

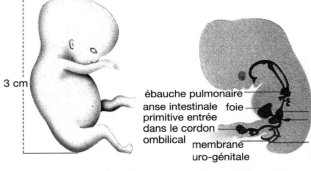

ébauche pulmonaire
anse intestinale   foie
primitive entrée
dans le cordon
ombilical   membrane
                 uro-génitale
estomac
pancréas
membrane
anale

Votre bébé, 8 semaines après votre fécondation.
Il mesure 3 cm et pèse 3 g.

doigts et orteils bien constitués. Le pouce et l'index commencent à s'opposer.

Les organes internes continuent leur développement.

Le cœur et tout le système vasculaire sont complètement achevés à la fin de cette 8e semaine de développement. Dès à présent, les battements du cœur peuvent être entendus grâce au Doppler (voir page 140).

Le cœur est maintenant cloisonné en cœur droit et cœur gauche. Dans tout organisme autonome, ce que sera votre bébé quand il sera né, le côté gauche du cœur a pour fonction d'envoyer aux organes, en se contractant, du sang frais, c'est-à-dire oxygéné au contact des alvéoles pulmonaires et chargé des nutriments apportés par l'alimentation. Le côté droit du cœur remonte vers les poumons le sang chargé en gaz carbonique pour l'en débarrasser.

L'anse intestinale primitive continue son allongement et prend des allures contournées dans le cordon ombilical où elle a dû pénétrer, faute de place dans l'abdomen.

Les canaux excréteurs sont fermés sur l'extérieur par une membrane : la membrane anale et la membrane uro-génitale. Entre les deux se situe le périnée.

Les organes génitaux externes sont encore indifférenciés, c'est-à-dire qu'ils sont à la fois fille et garçon, mais les glandes sexuelles commencent à se former. Des cordons testiculaires apparaissent si votre bébé est génétiquement un garçon alors que la zone centrale de l'ovaire commence à se dessiner si votre bébé est génétiquement une fille.

Vous, la future maman

Vous commencez à vous habituer à votre état et supportez avec philosophie les petits désagréments qui apparaissent au cours de la journée. Certains d'entre eux tendent d'ailleurs à s'atténuer : vous avez peut-être moins de brûlures d'estomac et vous avez organisé votre alimentation de telle sorte que vous ne souffrez plus de constipation. Mais d'autres petits ennuis sont peut-être survenus entre-temps. Connaissez-les pour les accepter sans panique et vous en soulager avant qu'ils ne disparaissent complètement d'eux-mêmes, car eux aussi sont transitoires.

Les malaises

Si vous avez tendance à avoir la tête qui tourne, à avoir l'impression de vous sentir mal et peut-être à perdre connaissance, ne vous affolez pas.
• Si ces malaises surviennent en fin de matinée ou trois heures après un repas, c'est que vous êtes en hypoglycémie, c'est-à-dire que votre taux de sucre dans votre sang est trop bas. Dans ce cas, ne restez pas à jeun.
• Vous manquez peut-être de calcium ou de magnésium. Dans ce cas, repensez votre alimentation.
• Ces malaises sont peut être le fait d'une tension artérielle basse, phénomène normal chez la femme enceinte.
   Quoi qu'il en soit, **voyez votre médecin** et, pendant tout le temps où vous serez sujette à ce genre de petits malaises, évitez les stations debout prolongées, les endroits où il est impossible de s'asseoir, les lieux mal aérés, les longs trajets.

En tant que femme enceinte, vous avez droit à une **carte de priorité**, utilisez-la ! (voir page 136).

Les fourmillements

Fréquents la nuit, notamment dans les bras, ils sont dus à la compression d'une racine nerveuse. Faites quelques mouvements pour activer la circulation sanguine et changez de position.

Les crampes

Fréquentes, elles aussi, la nuit, elles peuvent être très pénibles. Elles sont souvent le fait d'une petite carence en vitamine B ou en magnésium. Parlez-en à votre médecin qui vous prescrira une médication appropriée et repensez votre alimentation.

Des sensations douloureuses dans l'abdomen

• Au cours de ce premier trimestre, l'utérus en augmentant de volume va se redresser et passer dans la cavité abdominale. Là, il comprime les organes voisins, intestin et vessie, entraînant quelques spasmes qui se traduisent par des douleurs diffuses au niveau de l'intestin, surtout en cas de constipation, et d'envies plus fréquentes d'uriner.
• Ces sensations douloureuses peuvent se situer dans le bas-ventre et être, dans ce cas, dues aux ligaments et aux muscles qui soutiennent l'utérus devenu plus lourd.
• Si les douleurs situées dans le bas-ventre ressemblent à celles ressenties au moment des règles, c'est qu'il s'agit de contractions de l'utérus. Si elles sont fortes et à répétition, couchez-vous et **appelez votre médecin**.
De toute façon, quelles que soient les douleurs que vous ressentiez, petites ou grandes, **vous devez en parler à votre médecin**.

Conseils

Déclarez votre grossesse

La venue au monde de votre bébé va occasionner des frais qui vous seront en grande partie remboursés grâce aux primes accordées par l'Etat. Ces avantages sont délivrés par deux organismes distincts :
• la Caisse primaire d'Assurance-maladie de la Sécurité sociale qui accorde des avantages sous le terme d'**Assurance-maternité** (voir Annexe page 417) ;
• la Caisse d'Allocations familiales (CAF) qui verse différentes primes regroupées sous l'appellation de **prestations familiales** (voir Annexe page 419).

Pour en bénéficier, vous devez :
• déclarer votre grossesse avant la 14e semaine auprès de votre Caisse d'Assurance-maladie et auprès de votre Caisse d'Allocations familiales ou de votre organisme de tutelle (exemple : rectorat si vous êtes dans l'enseignement) ;
• passer les examens médicaux obligatoires, avant et après la naissance, d'abord pour vous et ensuite pour votre enfant.

La déclaration de grossesse peut être faite par écrit, tout au début de la grossesse, ou après le 1er examen prénatal obligatoire. Lors de cette visite, le médecin vous remet un formulaire comportant trois volets numérotés.
• *Envoyez cette semaine le volet no 3* du feuillet d'examen prénatal signé par le médecin accompagné de vos 3 derniers bulletins de salaire précédant la date du début de votre grossesse à votre Caisse d'Assurance-maladie. Vous recevrez en retour, mais avec un certain délai, un guide de surveillance médicale de la mère et un jeu d'étiquettes autocollantes à votre nom.
• *Envoyez* en même temps *les volets 1 et 2* à votre Caisse d'Allocations familiales. Ils ouvrent les droits à l'Allocation pour jeune enfant (APJE), néanmoins soumise à conditions de ressources (voir page 418).

Le guide de surveillance médicale et les étiquettes autocollantes

Ils remplacent les feuillets du carnet de maternité qui n'existe plus. Chaque étiquette comprend vos nom, prénom, date de naissance, n° d'assuré social.

Vous avez autant d'étiquettes que de visites gratuites qui sont au nombre de huit : avant la fin du 3e mois, puis chaque mois, soit sept. Une 8e visite obligatoire a lieu dans les 8 semaines qui suivent l'accouchement. Pour chacune de ces visites et pour tout examen de laboratoire ou échographie, vous devrez coller sur la feuille de maladie que vous enverrez à la Sécurité sociale l'étiquette correspondante. Si vous passez des visites supplémentaires, votre médecin vous remplira une feuille de maladie ordinaire en vue du remboursement au taux habituel de la Sécurité sociale.

Vous avez également l'étiquette de la visite du père, non obligatoire, et d'examen dentaire et celles des visites obligatoires de l'enfant.

Les futures mamans utilisant la carte vitale n'ont plus besoin de ces étiquettes.

La carte nationale de priorité

Délivrée en même temps que les plaquettes d'étiquettes sous condition d'en faire la demande, elle vous assure un droit de priorité aux bureaux et guichets des administrations et services publics ainsi que dans les transports publics.

Si vous êtes mariée non salariée, étudiante, célibataire, chômeuse, sans ressources, reportez-vous pages 319 à 322 et page 415 pour connaître tous vos droits.

Faites une première échographie

La 10ᵉ semaine de grossesse, soit à 12 semaines d'aménorrhée, est la plus propice pour une échographie qui va apporter au médecin qui vous suit de précieuses informations sur
vous et votre bébé.

Cette première échographie le renseignera sur :

L'âge de votre grossesse

• Si la date de vos dernières règles est incertaine ;
• si vos cycles menstruels sont irréguliers ;
• si votre grossesse suit directement l'arrêt de la pilule,
vous ne connaissez pas avec précision l'âge de votre grossesse, ce qui est le cas d'un quart des femmes enceintes en
France.

Tous les embryons de 6 à 11 semaines ont, pour le même
âge, sensiblement la même taille. Par conséquent, la mesure,
par échographie, de la longueur tête-fesses d'un embryon
permet de connaître son âge à quatre jours près. La date de
l'accouchement peut ainsi être précisée.

La croissance de votre futur bébé

A partir de la 11ᵉ semaine de grossesse, on peut mesurer le
diamètre bipariétal, c'est-à-dire le diamètre de la tête pris
au-dessus des oreilles ; le diamètre abdominal ; la longueur
du fémur. Les battements cardiaques dont la fréquence se
situe autour de 80 battements par minute sont également
contrôlés.

Dès cette première échographie, sera effectuée **la mesure
de la clarté nucale**.

Cette observation fait apparaître qu'une nuque dont
l'épaisseur est supérieure à 3 millimètres à la 13ᵉ semaine
constitue un signal d'alerte pour la trisomie 21.

Une échographie réalisée dans de bonnes conditions permet de déceler environ 60 % des trisomies 21 et 90 % des malformations graves.

Ces observations sont particulièrement précieuses :
— si la future mère a plus de 40 ans
— s'il y a un risque génétique familial
— s'il y a eu une complication lors d'une précédente grossesse.

Le bon déroulement de votre grossesse

L'échographiste vérifiera l'implantation du placenta ainsi que l'ensemble de vos organes génitaux internes pour s'assurer qu'il n'y a aucune complication comme une malformation utérine, un fibrome ou une béance du col.

En dehors des observations trimestrielles, votre médecin peut demander une échographie pour être renseigné sur :

Un éventuel risque de fausse couche

Vous avez perdu du sang et puis tout est rentré dans l'ordre après du repos et un léger traitement. L'échographie dans ce cas est intéressante pour juger de la bonne continuation de la grossesse.

La possibilité d'attendre des jumeaux

A l'image, apparaîtront deux œufs distincts ou un seul œuf contenant deux embryons, suivant le type de gémellité.

Pour votre information

La surveillance de votre bébé à naître

Les techniques de surveillance du bébé en cours de formation ont énormément évolué au cours de ces dernières années. Dans la grande majorité des cas, elles sont utilisées uniquement lorsqu'il y a un doute quelconque sur le bon développement du bébé. Excepté l'échographie qui est un examen de surveillance de routine extrêmement précieux.

L'échographie

C'est une technique qui permet de voir le bébé grâce à l'utilisation des ultrasons qui, non perceptibles par l'oreille humaine, traversent les substances de nature différente à des vitesses différentes. Le faisceau d'ondes retourne ainsi vers sa source d'émission comme un écho. Il est capté, transformé en image photographiable projetée sur un écran lumineux.

Cet examen est totalement indolore pour la mère et inoffensif pour le bébé. La vessie étant vide, une sonde à ultrasons est déplacée sur le ventre de la mère enduit au préalable d'un gel destiné à assurer un contact parfait. Des images apparaissent sur l'écran et les plus significatives sont prises en photo.

Vous serez sans doute déçue par l'image que vous verrez sur l'écran, vous ne comprendrez pas ce que vous verrez. A votre demande, le médecin pourra vous montrer votre cavité utérine contenant une petite masse arrondie. Là, dans ce « sac ovulaire », se trouve votre bébé. Ce renflement, c'est sa tête et là, ce point qui saute régulièrement, son cœur ! Ce bébé dont vous suivez le développement semaine après semaine depuis sa conception, soudain vous le voyez ! Vous le devinez plutôt, mais c'est bien lui ! Maintenant, vous allez pouvoir l'imaginer encore mieux, l'attendre avec encore plus d'impatience et rêver au jour, encore lointain mais qui tout doucement se rapproche, où il dormira dans vos bras.

Avec les nouveaux appareils qui permettent d'observer une image en trois dimensions (3D), le bébé in utero apparaît dans son émouvante réalité.

Le Doppler

Cet appareil qui utilise également les ultrasons permet d'entendre les bruits du cœur du bébé avant même la 8e semaine depuis la fécondation. Il permet aussi la mesure de la vitesse du flux sanguin dans les vaisseaux ombilicaux et dans les vaisseaux du bébé.

Le Doppler agit comme un sonar. Les ondes sonores ont une fréquence et lorsqu'elles se réfléchissent sur une surface en mouvement, la fréquence varie. La surface mobile est la paroi du cœur du bébé qui bat et donc, qui se rapproche et s'éloigne.

Une sonde enduite de gelée est déplacée sur la paroi abdominale de la mère jusqu'à ce que soient captées des ondes qui sont ensuite transformées en sons perceptibles par l'oreille humaine. Des sons régulièrement espacés et caractéristiques du cœur fœtal sont ainsi enregistrés.

L'embryoscopie

Se pratique de la 8e à la 10e semaine depuis la fécondation pour détecter une malformation qui aurait pu échapper à l'échographie. Par l'intermédiaire d'un tube fin muni d'un système optique introduit dans le col de l'utérus, on regarde l'embryon à travers les membranes.

Cet examen est réservé uniquement à des cas très limités, lorsqu'il y a une forte présomption de malformation, en particulier des pieds et des mains. Le risque de rupture des membranes, donc de fausse couche, est en effet très élevé, de l'ordre de 10 %.

La biopsie du trophoblaste ou choriocentèse

Effectué 8 semaines après la fécondation, cet examen est pratiqué seulement lorsqu'il y a de fortes présomptions de malformations graves d'origine chromosomique. Il a l'avantage sur l'amniocentèse qui donne les mêmes renseignements (voir page 204) d'être pratiqué à un stade beaucoup plus précoce de la grossesse. L'interruption de grossesse qui suit un diagnostic positif sera un peu moins éprouvante, à tous points de vue, s'il a lieu à 2 mois de grossesse au lieu de 4 mois comme c'est le cas avec l'amniocentèse.

L'examen consiste en le prélèvement, à l'aide d'une pince introduite par le vagin, de cellules du trophoblaste, c'est-à-dire des villosités qui entourent l'œuf et qui par la suite vont évoluer en placenta. Comme les villosités qui entourent l'embryon sont issues de la division de la cellule-œuf, elles contiennent les mêmes chromosomes et donc les mêmes données génétiques que toutes les autres cellules. En faisant

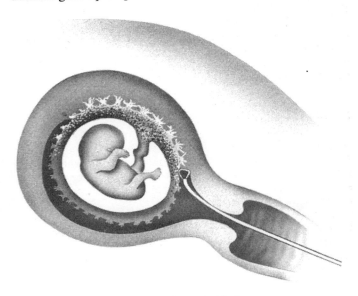

La biopsie du trophoblaste.

l'étude des chromosomes, le généticien découvre un certain nombre d'informations concernant le bébé à naître. En particulier son sexe, indépendamment des recherches de malformations (voir le caryotype page 206).

La biopsie du trophoblaste n'est pas faite systématiquement à toutes les femmes ayant plus de 40 ans et qui font partie de ce fait des sujets à risques, car le risque de fausse couche provoqué par l'examen reste élevé : 1 % au lieu de 0,5 % pour l'amniocentèse. Elle est donc réservée uniquement aux femmes ayant déjà donné naissance à un enfant atteint d'une malformation d'origine chromosomique ou d'une maladie métabolique.

L'examen ne dure que quelques minutes et le résultat est connu 2 à 3 jours plus tard.

D'autres techniques de surveillance du bébé à naître seront utilisées tout au long de la grossesse (voir page 197).

RÉCAPITULATIF DU DEUXIÈME MOIS DE VOTRE BÉBÉ

Age de votre bébé	5e semaine	6e semaine	7e semaine	8e semaine
Sa taille.	5 à 7 mm.	10 à 14 mm.	17 à 22 mm.	3 cm.
Son poids.		1,5 g	1,5 à 2 g.	2 à 3 g.
Son développement.	Développement rapide du cerveau : formation des hémisphères cérébraux. Bouche primitive et bourgeons des mâchoires, du nez et de l'odorat. Ebauches des yeux et des oreilles visibles. Présence de pré-cartilage dans les bourgeons des membres. Apparition d'un diverticule respiratoire. Estomac, foie, pancréas.	La tête est toujours très penchée sur la poitrine. Le visage s'affirme par la confluence des bourgeons des mâchoires et du nez. Présence de la langue. Mise en place de la lame dentaire. Ebauche du nerf optique. Elaboration de l'épiderme. Formation de la colonne vertébrale. Bras et jambes s'allongent. Formation des reins.	Rapprochement des yeux et formation des paupières. Formation de la rétine et du cristallin de l'œil. Le nerf optique est fonctionnel. Formation de la thyroïde. Mise en place des premiers muscles. Les bras se plient aux coudes. Doigts et orteils se forment. Formation d'un canal ano-rectal et d'un canal uro-génital.	La tête commence à se redresser. Oreilles externes et bout du nez sont visibles. Formation du palais. Présence de 10 bourgeons dentaires par mâchoire. Les yeux ne sont pas encore recouverts par les paupières. Glandes salivaires. Mains et pieds définitifs. Pouce et index s'opposent. Le cœur est cloisonné en cœur droit et cœur gauche. Allongement de l'intestin. Une membrane anale et une membrane uro-génitale ferment les canaux excréteurs.
Observations générales.	Les battements du cœur peuvent être vus à l'échographie.	Le sexe de votre bébé est encore indifférencié bien que génétiquement défini.	Votre bébé a déjà des mouvements visibles à l'échographie.	Les battements du cœur sont perçus par le Doppler. Ils sont de 80 par minute.

RÉCAPITULATIF DU DEUXIÈME MOIS DE VOTRE GROSSESSE

Age de la grossesse	5e semaine	6e semaine	7e semaine	8e semaine
Observations générales.	Vos seins se développent beaucoup. Apparition possible d'un masque de grossesse.	Formation du placenta par augmentation des villosités du trophoblaste. L'utérus a la taille d'une mandarine.	L'hormone HCG est à son taux maximum.	L'utérus a la taille d'une orange.
Symptômes.	Nausées avec vomissements possibles. Salivation excessive. Brûlures d'estomac. Ballonnements. Constipation. Insomnies. Jambes lourdes.			Petits malaises possibles. Fourmillements. Crampes. Sensations douloureuses dans l'abdomen dues à l'utérus qui s'alourdit.
Précautions à prendre.	Porter un soutien-gorge. Crème antivergetures.	Eviter : • surmenage, • gros efforts. Si douleur dans le bas-ventre, voir le médecin.	Mangez sain et équilibré. Buvez beaucoup. Surveillez votre poids tous les 15 jours.	
Examens.	Visites chez : • le dentiste, • l'ophtalmologiste.	Recherche dans les urines : • albumine, • sucre. Recherche dans le sang : • anticorps de la rubéole, de la toxoplasmose, du sida, • agglutinines anti-D si vous êtes Rh (–)		
Démarches.	Inscrivez votre enfant à la crèche.	Première consultation obligatoire.		Déclarez votre grossesse.

3ᵉ MOIS

Votre bébé est maintenant, au début de ce troisième mois, un petit bonhomme avec une grosse tête, des bras et des jambes et la plupart de ses organes internes. A présent, ce n'est plus un embryon mais un *fœtus* et l'adjectif *fœtal* est utilisé pour décrire ses structures et organes. La période fœtale qui va se poursuivre jusqu'à la naissance est caractérisée par une croissance rapide du corps tandis que la différenciation tissulaire devient moins active.

Au cours de ce 3ᵉ mois, la taille de votre bébé va tripler et son poids quadrupler avec un ralentissement relatif de la croissance de la tête par rapport au reste du corps. Les traits de son visage vont s'affiner progressivement et le type humain devient reconnaissable. Son sexe va se différencier : est-ce une fille ou un garçon ? Pour le moment, le mystère demeure entier et vous permet de rêver.

Et surtout, il bouge ! Faiblement, certes, mais il bouge ! Il agite légèrement bras et jambes, serre les poings, tourne la tête. Vous ne percevez pas encore ces mouvements tellement ils sont faibles et votre bébé encore si petit. Pensez donc, il ne mesurera que 10 cm à la fin de ce 3ᵉ mois !

Vous ne le sentez pas bouger mais vous savez qu'il est là. Sa présence se manifeste par tous ces petits désagréments qui vous ont assaillie dans votre vie quotidienne, depuis le début de votre grossesse. Ce 3e mois va être le point de départ d'une période formidable car la plupart de ces ennuis vont s'estomper. Progressivement, vous allez vous sentir mieux physiquement et moralement. Vous allez attendre votre bébé avec plus de sérénité. Et comme vous pouvez l'imaginer, à ce moment précis de votre grossesse, cela vous est facile de l'attendre avec joie.

9ᵉ SEMAINE de grossesse

*11ᵉ semaine depuis le premier jour
de vos dernières règles*

Début du 3ᵉ mois de grossesse

*Votre bébé est donc maintenant un fœtus mais pour vous
rien n'est changé : depuis le jour de sa conception, c'est
votre bébé.*

Votre bébé à naître

Sa taille est de 4 cm de la tête au coccyx et de 5,5 cm de la
tête aux talons. Son poids est de 10 g. Votre bébé est environ 40 000 fois plus grand que l'œuf dont il est issu. Les
principaux systèmes organiques sont en place. La croissance des tissus et organes a entraîné le développement des
formes externes, ce qui a beaucoup fait évoluer son aspect
général. Une des modifications les plus notables est en particulier le redressement progressif de la tête qui commence
à s'arrondir. Encore très volumineuse, elle représente environ la moitié de la taille totale.

Mais il y a surtout le modelage du visage avec l'apparition de traits humains reconnaissables. Votre bébé ne peut
plus être confondu avec un embryon de n'importe quelle
espèce de mammifère, il ressemble maintenant à un petit
d'homme. Les yeux qui étaient situés très loin sur les côtés
de la tête commencent leur migration vers le devant du
visage, tandis que les oreilles se rapprochent de leur locali-
sation définitive. Les narines, aux orifices bouchés, sont
encore très écartées mais les conduits du nez communiquent
avec la bouche qui commence à se rétrécir. Les bourgeons

du goût apparaissent, les lèvres se dessinent. Les paupières continuent leur développement et recouvrent maintenant l'œil qui va rester ainsi fermé pendant plusieurs mois, jusqu'à l'achèvement complet du globe oculaire.

Les membres continuent à s'allonger, les bras plus rapidement que les jambes, et acquièrent une longueur proportionnelle à la longueur du corps.

La cavité abdominale est formée, ce qui délimite une zone supérieure contenant le cœur et le système pulmonaire en développement et une zone inférieure comprenant l'estomac, le foie, le pancréas, la rate, les intestins. Ces deux zones sont séparées par le diaphragme. La cavité abdominale est encore trop petite pour contenir l'intestin qui s'allonge toujours, sort en hernie et s'enroule dans le cordon ombilical.

Le cœur bat maintenant entre 110 et 160 battements par minute. Il est à noter que, dès le début, le cœur de l'embryon est autonome par rapport à celui de la mère. Il bat à son propre rythme bien que soumis à l'état nerveux de sa mère. Quand celle-ci se trouve soudain dans un état de stress, grosse émotion ou colère, son sang se charge d'adrénaline qui traverse le placenta et influence le rythme cardiaque du bébé. C'est pourquoi il est important que la mère ait une vie calme.

Le petit intestin est déjà capable de mouvements musculaires involontaires appelés péristaltisme. Ce sont ces mouvements qui se propagent sous forme d'ondes qui permettent le déplacement des matières à l'intérieur de l'intestin.

Si le sexe lui-même n'est pas encore là, les voies génitales sont déjà bien différenciées. Avec, chez la fille, un canal utéro-vaginal, les ovaires et les trompes de Fallope alors que chez le garçon, les testicules sécrètent déjà de la testostérone. Ils sont situés dans la paroi postérieure de l'abdomen. La migration des testicules n'est pas un déplacement actif mais un phénomène passif en rapport avec la croissance de la paroi abdominale.

Le placenta

Les villosités qui entouraient complètement la partie externe de l'œuf (voir figure page 78) se sont peu à peu développées à l'endroit où est fixé le cordon ombilical. Dans le même temps, elles ont dégénéré sur tout le pourtour de l'œuf qui est maintenant lisse au début de ce 3e mois. Les villosités restantes vont encore grandir et se ramifier, formant des petits arbres très chevelus destinés à augmenter les surfaces d'échanges entre sang maternel et sang fœtal. Cet ensemble de villosités, localisées en un seul endroit, aboutit à la fin du mois au placenta, organe en forme de disque, intermédiaire vital entre la mère et l'enfant.

Le sang maternel arrive dans les lacs sanguins par des artères spiralées situées dans la paroi utérine et baigne les villosités. Dans celles-ci circule, dans de petites artères ramifiées qui se subdivisent ensuite en capillaires, le sang de l'enfant apporté par les vaisseaux du cordon ombilical. *Il n'y a jamais de communication directe entre la circulation*

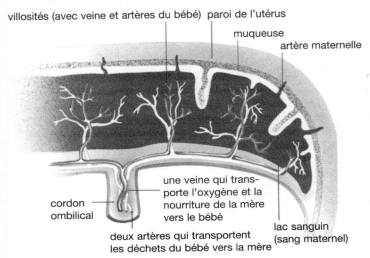

villosités (avec veine et artères du bébé) paroi de l'utérus

muqueuse

artère maternelle

une veine qui transporte l'oxygène et la nourriture de la mère vers le bébé

cordon ombilical

deux artères qui transportent les déchets du bébé vers la mère

lac sanguin (sang maternel)

Le placenta.

maternelle et la circulation fœtale : les deux sangs ne se mélangent jamais. Les échanges entre le sang de la mère et celui de l'enfant se font uniquement à travers les parois des villosités.

Les petits lacs sanguins séparant les troncs villeux, et dans lesquels trempent les villosités, contiennent environ 150 cm^3 de sang qui se renouvellent 3 à 4 fois par minute.

Le placenta s'épaissit progressivement uniquement par l'allongement de la prolifération des villosités choriales et non aux dépens des tissus maternels. Son accroissement en surface est sensiblement parallèle à celui de l'utérus. Il couvre approximativement, durant toute la durée de la grossesse, 25 à 30 % de la surface interne de l'utérus.

Le cordon ombilical

C'est le pédicule qui relie le bébé à sa mère par l'intermédiaire du placenta. A ce stade du développement, le cordon ombilical est encore très gros car, en plus des 2 artères et de la veine qui assurent la survie du bébé, il contient les anses intestinales contournées qui ne tiennent pas dans la cavité abdominale encore trop petite.

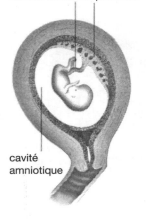

cordon ombilical placenta

cavité amniotique

La veine ombilicale puise dans le sang maternel, par l'intermédiaire du placenta, nourriture et oxygène et les dirige grâce à un réseau de petits vaisseaux veineux vers les organes du bébé. Puis les artères ombilicales évacuent les déchets, dus au métabolisme du bébé, vers le placenta qui les déverse dans la circulation maternelle. Il est à noter que dès la naissance, c'est l'inverse : ce sont les artères qui transportent le sang riche en nutriments et en oxygène et les veines qui remportent le sang chargé de déchets.

Les vaisseaux ombilicaux ont des parois riches en fibres musculaires et élastiques. Ils sont entourés d'une sorte de gelée qui a pour rôle de les protéger. Ces éléments contribuent à leur constriction et à leur oblitération rapide dès la ligature et la section du cordon.

Le cordon s'allonge et s'amincit au cours de la grossesse. Très souple, il permet au bébé tous les mouvements possibles. Près de la naissance, il a une épaisseur d'environ 2 cm de diamètre et mesure 50 à 60 cm de longueur.

A la naissance, la section du cordon ombilical rompt définitivement les liens entre la circulation maternelle et celle de l'enfant qui devient totalement autonome. Ce qui reste du cordon, sur l'abdomen de l'enfant, sèche et tombe quelques jours après, en laissant une cicatrice indélébile : l'*ombilic*, plus connu sous le nom de nombril.

La cavité et le liquide amniotiques

Nourri par l'intermédiaire du placenta et du cordon ombilical, votre bébé est protégé par les enveloppes qui l'entourent. Suspendu comme un cosmonaute dans la cavité amniotique par le cordon, il fait mille galipettes dans le liquide qui la remplit.

Le liquide amniotique est un moyen d'échanges supplémentaires entre la mère et l'enfant par les substances qu'il contient. D'abord liquide clair, aqueux, sécrété par les cellules de l'amnios, membrane qui délimite la cavité, il est ensuite enrichi de sels minéraux puis de sécrétions issues de l'organisme maternel et du fœtus lui-même, au fur et à mesure de sa croissance.

La quantité de liquide amniotique varie en fonction de l'âge de la grossesse. Elle est de 20 cm³ à la 7e semaine, de 300 à 400 cm³ à la 20e et se stabilise ensuite aux alentours de 500 cm³. En perpétuel mouvement, le liquide amniotique est régulièrement renouvelé. Il est absorbé par la peau et par la bouche du bébé. Une partie du liquide avalé se transforme en urine et est rejetée dans la cavité amniotique tandis que l'autre partie est absorbée par l'intestin, gagne la circulation fœtale et, par l'intermédiaire du placenta, retourne à l'organisme maternel.

Les annexes chez les jumeaux

La disposition des annexes fœtales varie selon le type de jumeaux.

Quand il s'agit de **jumeaux frères**, que l'on appelle habituellement «faux jumeaux», résultant de la fusion de deux spermatozoïdes avec deux ovocytes différents, il y a formation de deux zygotes différents (voir page 43). Chaque zygote s'implante individuellement dans l'utérus et y développe son propre placenta et sa propre cavité amniotique. Quand il s'agit de **vrais jumeaux** résultant du clivage d'un seul zygote, il peut y avoir plusieurs cas :
• chaque embryon possède son placenta et sa cavité amniotique, comme dans le cas de faux jumeaux. Le diagnostic de

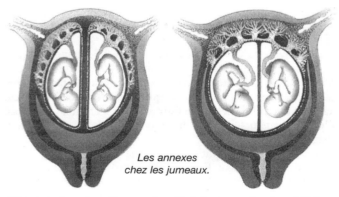

*Les annexes
chez les jumeaux.*

Faux jumeaux et quelques vrais jumeaux : chaque bébé possède son placenta et sa cavité amniotique.

Vrais jumeaux : les deux bébés ont un placenta commun et des cavités amniotiques séparées.

vrais jumeaux est alors fait par la similitude des groupes sanguins, des empreintes digitales, du sexe et de l'aspect physique comme la couleur des yeux ou celle des cheveux. La carte génétique est rigoureusement identique chez les vrais jumeaux ;

• le plus fréquemment, les deux embryons ont un placenta commun et des cavités amniotiques séparées ;

• dans de rares cas, les deux embryons ont un placenta et une cavité amniotique communs.

C'est la première échographie qui vous apprendra si vous attendez des jumeaux.

Vous, la future maman

Votre **utérus** a maintenant la taille d'un gros pamplemousse, doux au toucher.

Votre **cœur** bat plus vite. Cette accélération cardiaque est directement liée à l'augmentation importante du volume sanguin. Toute cette masse sanguine à mouvoir, dont 25 % sont directement utilisés par le système placentaire, entraîne un travail accru de la part du cœur. Cela peut avoir pour conséquence, pour vous, un léger essoufflement à l'effort.

Vos **reins** travaillent davantage. Votre sang qui transporte les nutriments et l'oxygène vers votre bébé récupère aussi ses déchets et doit donc les éliminer. Le gaz carbonique est éliminé au niveau de vos poumons tandis que les déchets métaboliques sont filtrés par votre système rénal.

Conseils

Buvez

Pour aider vos reins dans leur travail supplémentaire d'élimination des déchets. Boire beaucoup vous permettra d'éviter les petites infections urinaires fréquentes chez la femme enceinte.

Marchez

Vous devez fournir de l'oxygène à votre bébé et rejeter son gaz carbonique. Marchez au moins 30 minutes chaque jour, en respirant calmement. Choisissez un endroit tranquille, loin des fumées de voitures, dans un jardin ou un square de la ville, à défaut de campagne.

La marche est également excellente pour la circulation sanguine, la constipation et l'état de stress.

Détendez-vous

Evitez autant que possible toute cause de stress ou d'énervement. L'adrénaline que vous libérez subitement sous l'effet d'une émotion quelconque franchit le placenta et gagne votre bébé dont le cœur s'accélère soudain, sous l'influence de vos propres émotions.

Pour votre information

Rôle du placenta

Le placenta, organe transitoire, indispensable au maintien de la grossesse et au développement du bébé, sert à la fois de poumon, rein, intestin et foie. Il assure de multiples fonctions.

Fonction respiratoire

Le placenta sert de véritable poumon au bébé. L'oxygène du sang de la mère passe à travers les parois des villosités et oxygène le sang du fœtus. Ce sang oxygéné irrigue le foie, le cœur, le cerveau et tous les autres organes non encore fonctionnels. Le gaz carbonique est rejeté de l'enfant vers la mère.

Fonction nutritive

C'est à travers lui que sont transportés vers le bébé, toujours par la circulation sanguine, tous les nutriments de base directement issus de la dégradation des aliments de la mère.

Le passage de l'eau, des sels minéraux, des sucres, se fait rapidement. Certains produits sont stockés pour constituer des réserves, tels le fer et le calcium, alors que d'autres sont transformés grâce à une activité métabolique importante. Le taux du glucose sanguin fœtal est réglé par le placenta jusqu'à ce que le foie du bébé puisse assurer lui-même cette fonction, tout à la fin de la grossesse.

Le placenta assure également le transfert des vitamines, notamment celles du groupe B, ainsi que les vitamines D et E. La vitamine A est stockée dans le foie du bébé tandis que la vitamine C s'accumule dans le placenta qui la lui distri-

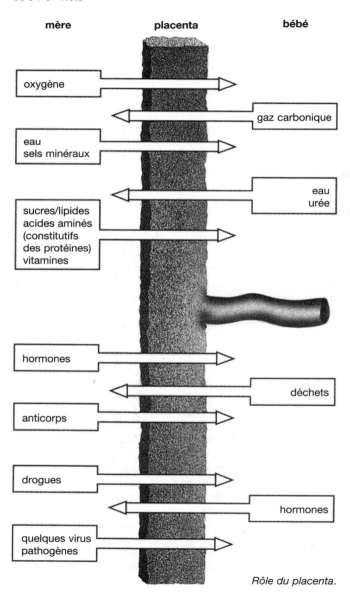

Rôle du placenta.

bue progressivement jusqu'au 8e mois, période à partir de laquelle elle est directement stockée dans ses glandes surrénales et son foie.

Fonction endocrine

Considéré comme une véritable glande, le placenta sécrète ses propres hormones, nécessaires à la bonne marche de la grossesse et au bon développement du bébé. Ces hormones vont prendre le relais des ovaires à partir du 4e mois. Leur dosage renseigne sur la vitalité de la grossesse.

Fonction protectrice

Le placenta arrête de nombreuses bactéries ou ne les laisse passer que très tard, vers la fin de la grossesse, quand la paroi des villosités devient extrêmement fine pour augmenter encore les échanges entre sang maternel et sang fœtal.

En revanche, les virus le traversent facilement jusqu'à la 20e semaine.

Les anticorps maternels passent vers l'enfant et l'immunisent contre la plupart des maladies infectieuses même six mois après la naissance, le temps que son propre système immunitaire se mette en place.

Rôle du liquide amniotique

Il protège le futur bébé des chocs et des bruits, en formant autour de lui un coussin liquide. Protection également des germes qui pourraient venir du vagin. La cavité amniotique est totalement hermétique et le liquide qui se trouve à l'intérieur est absolument stérile.

Il permet les déplacements du bébé qui, suspendu au cordon ombilical, ne subit pas les effets de la pesanteur et fait des exercices de voltige ou se dirige facilement d'un point à l'autre de la cavité en prenant appui sur la paroi avec ses pieds.

Il apporte de l'eau et des sels minéraux au fœtus qui en ingurgite.

Il aide le col à se dilater au moment de l'accouchement. L'accumulation du liquide dans la partie inférieure de l'utérus, au terme de la grossesse, forme la «poche des eaux» qui, en descendant, aide à la dilatation du col. La perte des eaux correspond à la rupture des membranes. Le liquide amniotique qui s'échappe alors sert à lubrifier les voies génitales pour le passage de l'enfant.

10ᵉ SEMAINE de grossesse

*12ᵉ semaine depuis le premier jour
de vos dernières règles*

3ᵉ mois de grossesse

*La croissance de votre bébé continue à un rythme rapide et,
pour la première fois, la tête qui s'est redressée lentement
au cours des dernières semaines est maintenant presque
droite.*

Votre bébé à naître

Sa taille est de 5 cm de la tête au coccyx et de 7,5 cm de la
tête aux talons. La longueur de son pied est de 9 mm. Son
poids est de 18 g. Au début, la taille de votre bébé doublait
tous les jours, puis toutes les semaines. Maintenant, il doit
attendre plusieurs semaines avant de la doubler à nouveau.

Le visage, qui est bien visible depuis que la tête s'est
redressée, est à présent distinctement celui d'un humain.

Votre bébé qui a maintenant de nombreux muscles est
capable de mouvements spontanés de tout son corps. Il
tourne la tête, agite bras et jambes, ferme les poings. Ces
mouvements que vous ne percevez pas encore sont des
réflexes émanant directement de la moelle épinière. Le cerveau n'est pas encore assez développé pour les réguler. Il ne
pourra d'ailleurs pas le faire, même après la naissance. Le
cerveau est un organe si complexe et si différencié que sa
maturation mettra de longues années à se faire et s'achèvera
seulement vers l'âge de 18 ans. Pour le moment, il poursuit
son élaboration. Elle se traduit, en ce début de 3ᵉ mois de
grossesse, par une multiplication intense, comme un bouquet

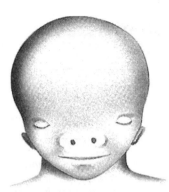

Depuis qu'il a des paupières, votre bébé garde les yeux fermés.

de feu d'artifice, des cellules nerveuses appelées *neuroblastes*. Ce n'est qu'au terme de leur maturation que les neuroblastes porteront le nom de *neurones*. Parallèlement à leur prolifération, les neuroblastes migrent dans la substance cérébrale. Cette migration est nécessaire pour l'établissement des circuits nerveux.

Des bulbes pileux, à l'origine des poils et des cheveux, commencent à se former dans la couche la plus profonde de la peau. Les bourgeons des dents permanentes se forment également. Ils sont situés, du côté de la langue, sous la ligne des dents de lait qui continuent leur évolution. Ces bourgeons qui se développent d'une façon tout à fait semblable à ceux des dents de lait vont rester à l'état de repos pendant de nombreuses années. Quand l'enfant a 6 ans, ils commencent à se développer, repoussant la dent de lait correspondante et provoquant sa chute.

Les organes internes continuent leur développement sur le plan structurel et fonctionnel.

Dans le pancréas, les *îlots de Langerhans* commencent leur développement. Il s'agit d'un groupe de cellules de la plus haute importance. Leurs sécrétions, insuline et glucagon, pour les 2 principaux types cellulaires, maintiennent en équilibre le taux de sucre dans le sang, empêchant la maladie du diabète.

Le foie est énorme. Son poids représente approximativement 10 % du poids total du corps. Cela est dû à la fonction actuelle du foie qui est de fabriquer les cellules sanguines. Entre les cellules hépatiques et les parois vasculaires, se trouvent en effet de grands îlots cellulaires qui produisent les cellules sanguines de la lignée rouge et celles de la lignée blanche. Cette activité du foie diminuera progressivement au cours des 2 derniers mois de la vie intra-utérine, le relais étant peu à peu assuré par la moelle. A la naissance, seuls quelques îlots persisteront pour finalement disparaître. Le poids du foie ne représentera plus alors que 5 % du poids total du corps.

La grande hernie intestinale qui occupait le cordon ombilical rentre peu à peu dans la cavité abdominale qui s'agrandit. Quand tout va être en place, le cordon ombilical va s'amincir considérablement car il ne contiendra plus que les vaisseaux sanguins.

Vous, la future maman

L'utérus, trop gros pour tenir dans la cavité pelvienne, monte dans la cavité abdominale. La vessie n'étant plus comprimée, les fréquentes envies d'uriner vont cesser.

D'une façon générale, vous commencez à vous sentir mieux. Vos nausées vont disparaître cette semaine ou la semaine prochaine comme par enchantement. Vous allez

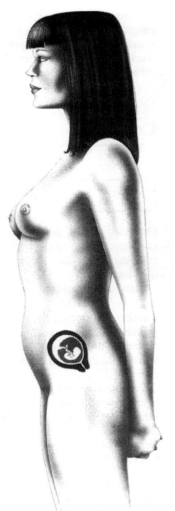

Vous, 10 semaines après votre fécondation.

retrouve le goût de la nourriture avec un nouvel enthousiasme. **Méfiez-vous !** Ne vous laissez pas aller à l'euphorie de votre appétit retrouvé car, si vous n'y prenez garde, vous risquez de grossir de 5 kg, voire davantage, en l'espace d'un mois. Ne vous laissez pas tenter par les pâtisseries et les sucreries. **Soyez vigilante** à votre poids : pesez-vous régulièrement deux fois par semaine.

Conseils

Pouvez-vous pratiquer un sport ?

Oui, si c'est un sport auquel vous êtes habituée, si vous le pratiquez avec modération et si vous êtes assez raisonnable pour arrêter le jour où vous vous sentirez moins à l'aise ou trop lourde.

Dans ces conditions, vous pouvez pratiquer évidemment *la marche* qui est un excellent moyen pour se tonifier et s'aérer. Les muscles travaillent avec peu d'efforts. Si vous la pratiquez en montagne, ne dépassez pas 1 000 à 1 200 mètres d'altitude car, au-delà, l'oxygène se raréfie. Or, votre bébé est grand consommateur d'oxygène, ne l'oubliez pas.

La *natation* est le sport idéal pour la femme enceinte. L'eau qui vous porte en partie vous rend plus légère. Vous y ferez des exercices musculaires que vous auriez du mal à faire au sol. Pour cette raison, la préparation à l'accouchement en piscine se développe de plus en plus. Evidemment vous ne plongerez pas.

Vous pourrez faire de la *gymnastique*, mais pas n'importe laquelle. Evitez l'aérobic et la musculation, beaucoup trop violents pour les muscles et les ligaments, même si vous êtes habituée à ces pratiques. Préférez les gymnastiques douces comme le stretching qui assouplit les ligaments et étire les muscles en finesse. Faire du yoga est bien sûr une excellente préparation à l'accouchement.

Si vous pratiquez depuis un certain temps *la danse rythmique ou classique, le tennis, la planche à voile,* vous pouvez continuer à condition que ce soit uniquement pour vous distraire. Refusez toute espèce de compétition qui vous ferait faire des mouvements imprudents et vous obligerait à une dépense énergétique trop importante.

Non, à tous les sports où il y a risque de chute, de secousses qui malmènent l'utérus, d'obligation de courir qui provoque l'essoufflement. Pour ces raisons, vous éviterez *les jeux d'équipe, le judo, le patinage, l'équitation, le ski* qu'il soit de descente ou de fond, *le ski nautique, l'escalade* et tout ce que votre bon sens vous indiquera.

Vous pouvez faire un peu de bicyclette au début de votre grossesse car elle est bonne pour le cœur qu'elle tonifie. Mais lorsque vous commencerez à vous sentir un peu moins agile, cessez car vous risquez la chute.

Pensez au mode d'allaitement de votre enfant

Le moment est venu de vous demander si vous désirez allaiter ou non votre enfant car, si la réponse est positive, vous devez commencer à **préparer vos seins** en vue de cet allaitement.

Si vos bouts de seins ne sont pas sortis

Chaque jour tiraillez-les un peu pour les former et les rendre aptes à la succion. Vous pouvez également couper l'extrémité de vos bonnets de soutien-gorge afin que la pression exercée sur l'aréole favorise leur érection.

Pour que vos seins retrouvent toute leur beauté après la grossesse et l'allaitement, tonifiez dès maintenant les muscles qui les soutiennent.
• *1er exercice*. Lever les coudes à la hauteur des épaules et

appuyer le plus fortement possible les paumes des mains l'une contre l'autre. Compter jusqu'à 10, relâcher, baisser les coudes sans décoller les mains. Recommencer 10 fois.
• *2e exercice*. Ecarter les bras horizontalement et les tendre en arrière le plus loin possible. Les ramener le long du corps et recommencer 10 fois.
• *3e exercice*. Faire de grands cercles avec les bras tendus à l'horizontale. Recommencer 10 fois.

Pour votre information

Quel mode d'allaitement choisir ?

Vous êtes indécise. Vous êtes partagée entre vouloir suivre le courant actuel qui est un retour à l'allaitement maternel et l'absence d'envie réelle.
• *1er point* : Ne subissez pas l'influence de votre entourage. Faites ce que vous ressentez profondément.
• *2e point* : Si vous ne désirez pas allaiter pour une raison que vous ne savez pas expliquer, **ne vous culpabilisez pas**. Quel que soit le mode d'allaitement que vous choisirez, vous serez tout aussi bonne mère qu'une autre et votre enfant sera tout aussi beau et intelligent qu'un autre.
• *3e point* : Si vous hésitez, sachez que le lait maternel présente de nombreux avantages sur le lait artificiel.
    Pour ou contre l'allaitement maternel ? Décidez en toute connaissance de cause.

Le lait maternel

C'est le seul aliment *naturel* et *complet* parfaitement adapté aux besoins de l'enfant puisque sa composition se modifie progressivement en fonction de sa croissance.

Dès les premiers jours, il est épais et jaune. C'est le *colostrum*, chargé de purger le nouveau-né du *méconium*, substance accumulée dans l'intestin au cours de la vie intra-utérine. Après quelques jours, le lait devient plus fluide et plus orangé. Riche en graisses et en sucres, ce lait dit *lait de transition* permet au bébé de démarrer sa prise de poids. Après la 3ᵉ semaine, apparaît le *lait mature*, blanc bleuté, qui contient tous les éléments nécessaires à la croissance de l'enfant.

Le lait maternel ne se modifie pas seulement au cours du temps, il évolue aussi au cours de la tétée. Clair et fluide au début, il met le bébé en appétit avant de le rassasier par un lait plus épais et quatre fois plus riche en graisses à la fin de la tétée.

Indépendamment des facteurs nutritionnels, ce qui différencie essentiellement le lait maternel du lait artificiel est l'apport, dès les premières tétées, d'*anticorps* dirigés contre les germes présents dans l'environnement de la mère et donc de l'enfant. Outre les anticorps contre des virus dangereux tel le virus de la poliomyélite, le lait maternel contient des anticorps contre tous les germes intestinaux responsables de diarrhées. Leur action locale essentielle est d'empêcher l'adhésion des bactéries sur les muqueuses intestinales : elles sont agglutinées et éliminées dans les selles. La concentration des anticorps varie au cours de la lactation. Elle est maximale dans le colostrum présent les cinq premiers jours.

Dans nos pays où la mortalité infantile est ramenée à des taux très faibles, l'effet de protection du lait maternel comparé à celui du lait artificiel est moins évident que dans les pays en voie de développement. Malgré tout, avant l'âge de 7 mois, la fréquence des infections digestives et respiratoires est plus élevée chez les nourrissons élevés au biberon.

Cette réserve étant émise, il faut reconnaître qu'une bonne utilisation de laits spécialement adaptés, notamment des laits maternisés, permet aux bébés de se développer apparemment sans problèmes.

Les laits maternisés

Ils font constamment l'objet de recherches très approfondies à seule fin de les rapprocher le plus possible du lait de femme. Ils devraient être encore améliorés à l'avenir grâce à l'étude des anticorps, des vitamines, des oligo-éléments et des hormones présents dans le lait maternel.

Malgré tout, quelles que soient les qualités des laits artificiels, ils n'ont pas celles du lait maternel car leurs protéines restent des protéines de vache. Certains chercheurs estiment actuellement que l'ingestion trop précoce de protéines animales, donc pas spécifiques à notre espèce, alors que la barrière intestinale est encore immature, jouerait un rôle important dans le développement de maladies allergiques comme l'eczéma et l'intolérance au lait de vache.

Pour ces raisons, il est conseillé à la jeune mère d'allaiter son enfant pendant au moins la durée de son séjour à la maternité puis, si elle a du lait, de poursuivre durant son congé de maternité.

Si vous pensez allaiter, sachez que :
• l'*alcool* que vous ingérerez, la *nicotine* des cigarettes que vous fumerez, passeront dans le lait et intoxiqueront votre bébé ;
• les *antibiotiques* passent également dans le lait et risquent de perturber, de façon parfois irréversible, la flore bactérienne de l'enfant qui tète.

Si vous ne désirez pas allaiter ou si, une fois rentrée chez vous, face à diverses difficultés, vous optez pour l'allaitement artificiel, ne vous sentez pas coupable d'être une mauvaise mère. Il vaut mieux pour votre bébé une mère détendue et gaie, heureuse de donner le biberon plutôt qu'une mère nerveuse, inquiète de savoir si elle a assez de lait, s'il est de bonne qualité, si son enfant tète suffisamment.

Quant à la relation intime mère-enfant prolongée par la tétée, le fait de donner le biberon est aussi source de joie et d'émotion. La mère qui tient son enfant contre elle en le faisant boire lui donne tout autant de tendresse et d'amour. En outre, le père peut, lui aussi, donner le biberon et tisser avec son enfant les mêmes liens que la mère. Ce n'est plus alors un spectateur qui se sent exclu et inutile puisqu'il peut partager avec la mère cette fonction essentielle : l'alimentation de leur petit.

11ᵉ SEMAINE de grossesse

*13ᵉ semaine depuis le premier jour
de vos dernières règles*

3ᵉ mois de grossesse

*Le premier trimestre de votre grossesse s'achève à la fin de
cette semaine. Vous avez déjà accompli le tiers du chemin.*

Votre bébé à naître

Sa taille est de 6 cm de la tête au coccyx et de 8,5 cm de la
tête aux talons. Son poids est de 28 g. La longueur de son
pied est de 1,2 cm.

L'eau qui entre dans la constitution de votre bébé représente près de 90 % de son poids !

Sa tête est encore volumineuse. Elle représente environ le
tiers de la longueur totale du corps. A la naissance, elle sera
le quart de la longueur totale. En comparaison, la tête d'un
adulte est environ le huitième de la longueur totale du corps.

Les premiers os sont présents. D'abord tissus cartilagineux apparus en premier dans les membres, ils se sont enrichis en cellules osseuses qui se sont organisées en tissus
plus compacts. Des îlots cartilagineux continuent à se
mettre en place au niveau du crâne et de la face. Le nez, aux
narines maintenant ouvertes, pointe son petit bout cartilagineux au milieu du visage tandis que le menton commence à
s'affirmer.

De la colonne vertébrale, qui continue à se consolider,
partent les premières formations des côtes. Et en relation
avec les os des jambes, ceux du bassin se dessinent.

Petit à petit, tous les îlots cartilagineux vont se rejoindre,

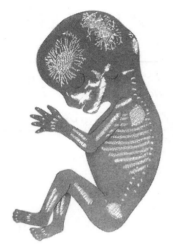

Les muscles de votre bébé.   *Votre bébé a déjà des os.*

se durcir et s'articuler. Le squelette complet avec ses 110 os ne sera terminé qu'à l'adolescence.

Les premiers poils, issus de la croissance des cellules des bulbes pileux, font leur apparition dans les régions des sourcils et de la lèvre supérieure. C'est un duvet extrêmement fin qui tombera au moment de la naissance pour être remplacé par d'autres poils plus gros.

Pendant ce temps, les cellules nerveuses poursuivent leur course folle. Elles se multiplient, se différencient mais ne sont pas encore reliées les unes aux autres. Le cerveau s'est séparé en plusieurs parties distinctes qui se plissent au fur et à mesure qu'elles se développent pour lui donner son aspect caractéristique. Il n'est pas encore fonctionnel. Il faudra attendre encore quelque temps que sa maturation soit suffisante pour qu'il puisse prendre les commandes. Pour le moment, seules des fibres motrices venant de la moelle épinière se branchent directement sur les fibres sensorielles des muscles, formant les circuits courts des réflexes les plus simples.

Vous, la future maman

Votre **cœur** est plus rapide qu'avant votre grossesse. Il exécute autour de 4 à 8 battements de plus par minute.

Vous l'avez sans doute remarqué : vos **cheveux** ont embelli depuis le début de votre grossesse. Moins gras, ils ont plus de volume. Cela tient au fait que les hormones de la gestation qui vous imprègnent freinent, d'une part, la chute normale des cheveux et, d'autre part, la sécrétion des glandes sébacées situées à leur racine. Deux à six mois après l'accouchement, vos cheveux vont recommencer à tomber normalement. Tombent également ceux qui auraient dû le faire pendant les 9 mois de la grossesse, d'où l'impression démoralisante de perdre tous ses cheveux. Aussi, ne dramatisez pas quand vous verrez vos cheveux tomber après la naissance de votre bébé. C'est là un phénomène normal. Tout rentrera dans l'ordre au bout de quelques mois.

Conseils

Prévenez votre employeur

N'attendez pas que votre état se voie pour prévenir votre employeur. Vous n'ignorez pas que cet heureux événement n'en est pas un pour lui car il est synonyme de complications. Que vous soyez dans une petite ou une grande entreprise, votre remplacement va poser un problème. C'est un casse-tête supplémentaire pour l'employeur qui sait, en outre, que lorsque l'enfant sera là, vous aurez de nombreux motifs de vous absenter.

Ne vous culpabilisez pas. Vous êtes enceinte, vous en avez le droit. Vous n'avez pas à vous en excuser. Néanmoins, essayez de comprendre et d'accepter la mauvaise humeur passagère de votre patron qui a l'air de se préoccuper davantage de la bonne marche de son entreprise que de vous. Soyez patiente, après quelque temps, quand tout sera réorganisé en fonction de votre départ en congé de maternité, il sera sans doute plus décontracté et peut-être… vous félicitera !

Si vous prévenez dès à présent votre employeur, il ne se sentira pas pris à la gorge et aura le temps de vous trouver une remplaçante. Gardez de bonnes relations avec lui et vos collègues en ne jouant pas à la femme enceinte. Restez naturelle. Soyez disponible pour mettre au courant la personne qui vous remplacera. Et, sans faire du zèle en en faisant plus, n'en faites surtout pas moins. Tout est question de relations humaines. Votre patron vous saura gré de votre attitude compréhensive et, à votre retour de congé de maternité, vous n'en serez que mieux accueillie.

Pour votre information

```
Grossesse et travail : la protection sociale
```

Recherche d'emploi

• Une femme enceinte n'est pas tenue de signaler son état à son futur employeur.
• Un employeur ne peut refuser d'embaucher une femme sous prétexte qu'elle est enceinte.

Garantie de l'emploi

• Le licenciement d'une femme salariée est annulé si, dans un délai de 15 jours à partir de la notification de son licenciement, elle envoie à son employeur, par lettre recommandée avec accusé de réception, un certificat médical attestant qu'elle est enceinte.
• On ne peut licencier une femme dont la grossesse a été constatée médicalement. Le licenciement ne pourra avoir lieu qu'à la fin de la 4e semaine de travail repris après les congés de maternité.

Un employeur doit respecter le repos légal de la future mère et ne pas l'employer pendant une période totale de 8 semaines dont six après l'accouchement.

Des exceptions cependant :
— une faute grave de la part de l'employée ;
— si elle arrive au terme d'un contrat à durée déterminée ;
— si elle part en congé de maternité sans avoir prévenu son employeur ;
— s'il y a impossibilité pour l'employeur de continuer à l'employer pour un motif indépendant de la grossesse.
• La femme enceinte est tenue de prévenir son employeur juste avant son congé de maternité, au plus tard. Elle lui enverra son certificat de grossesse et une lettre recommandée avec A.R. lui indiquant la date présumée de son accouchement et celle du congé de maternité.

De toute façon, le licenciement ne peut prendre effet pendant la période légale du congé de maternité.

Droits de la femme enceinte

• Une femme enceinte peut rompre son contrat de travail sans préavis et sans avoir à payer d'indemnités de rupture.
• Elle peut demander un changement d'affectation durant le temps de sa grossesse. Dans ce cas, son salaire ne peut être diminué, quelles que soient ses nouvelles fonctions, si elle a un an d'ancienneté dans l'entreprise.

• Certains contrats de travail ou conventions collectives autorisent à la femme enceinte une réduction de ses horaires sans diminution de salaire.

• En fin de congé postnatal, la jeune mère est tenue de prévenir son employeur par lettre recommandée avec accusé de réception, au moins 15 jours avant la date normale de reprise du travail.

• Elle peut solliciter son réembauchage dans l'entreprise dans un délai de douze mois par lettre recommandée avec accusé de réception. L'employeur est tenu à la réembaucher en priorité et l'emploi proposé devra correspondre à sa qualification et donner les mêmes avantages que ceux dont elle bénéficiait à la date de son congé.

12ᵉ SEMAINE de grossesse

*14ᵉ semaine depuis le premier jour
de vos dernières règles*

3ᵉ mois de grossesse

Si votre bébé est un garçon, il a, à présent, un petit pénis !

Votre bébé à naître

Sa taille est de 7 cm de la tête au coccyx et de 10 cm de la tête aux talons. Son poids est de 45 g.

Le visage de votre bébé s'affine. Avec les os de la face qui progressivement prennent leur forme définitive, il ressemble vraiment à un petit d'homme. Ses yeux qui étaient encore sur les côtés se sont déplacés vers l'avant tandis que ses oreilles qui étaient au niveau du cou sont à présent plus hautes sur la tête.

Le foie, toujours énorme, n'est plus seul à fabriquer les cellules sanguines. Il est aidé en cela par la moelle qui va prendre peu à peu son relais. Elle assurera seule cette fonction dès la naissance et durant la vie entière de votre bébé.

Si votre bébé est une fille, ses ovaires commencent à descendre dans l'abdomen. Si c'est un garçon, la prostate est d'ores et déjà présente. Et puis, les glandes sexuelles déjà formées depuis plusieurs semaines sécrètent des hormones indispensables à la maturation des organes sexuels externes. Chez le garçon, le pénis est maintenant apparent.

Vous, la future maman

Votre bébé grossit et grandit. Il élabore ses os et ses muscles et a donc besoin de tous les éléments constitutifs indispensables à leur formation et à leur croissance. Il puise dans votre sang tout ce dont il a besoin et en particulier les acides aminés qui, en s'assemblant, constituent les protéines, matière de base des muscles. Il puise également du calcium et d'autres sels minéraux pour l'édification de son squelette, du fer pour la formation de ses globules rouges, des vitamines qui permettent les réactions chimiques au sein de ses cellules.

Il fait actuellement une énorme consommation de tous ces éléments, parmi beaucoup d'autres. S'ils ne sont pas apportés en quantité suffisante dans votre sang par l'alimentation, il prendra quand même ce dont il a besoin, **à votre propre détriment**. Aussi, nourrissez-vous correctement (voir pages 118 à 130).

Conseils

```
Les soins quotidiens de votre corps
```

Votre hygiène doit être parfaite bien que simple et sans excès.

En élevant la température de base de votre corps, la grossesse favorise la transpiration. Aussi, une bonne hygiène consistant en la prise de douches quotidiennes est-elle encore plus indiquée que d'habitude. Préférez les douches aux bains, plus toniques pour l'organisme en général et plus raffermissantes pour les seins et la peau de l'abdomen, en particulier.

Utilisez de préférence un savon gras plutôt qu'un produit

moussant qui décape la peau. Le film gras, protecteur naturel de la peau, ne doit pas être éliminé par des produits trop
agressifs, sous peine de favoriser divers types d'affections
cutanées tels que des mycoses ou des démangeaisons. En
outre, certains produits peuvent déclencher des allergies se
manifestant par de l'urticaire ou par un gonflement des articulations pouvant être accompagné de fièvre.

Après votre douche, n'oubliez pas d'adoucir votre peau
avec une crème nourrissante ou hydratante et de traiter les
zones délicates que sont les seins et la peau de l'abdomen
par des produits appropriés.

La toilette intime

La toilette vulvaire doit être effectuée matin et soir avec un
savon doux que vous rincerez correctement. Sécher avec un
mouchoir jetable fraîchement sorti de sa boîte.

Contentez-vous d'un lavage externe. Les douches vaginales, quel que soit le produit utilisé, sont tout à fait nui-
sibles. Elles provoquent la destruction des bactéries qui
peuplent le milieu vaginal et lui assurent une défense naturelle. Faire une toilette interne, c'est ouvrir la porte à de
futures infections vaginales.

La toilette anale doit être faite systématiquement à
chaque fois que vous allez à la selle afin que les germes
naturellement présents dans les matières fécales ne migrent
pas vers le vagin et n'y provoquent pas d'infections.

Evidemment, votre compagnon doit avoir, lui aussi, une
hygiène irréprochable.

Pour votre information

Les rapports sexuels

Tout naturellement, vous vous posez la question : les rapports sexuels sont-ils permis ?

Oui, si votre grossesse se déroule normalement et si vous en avez le désir.

Vous pouvez continuer à avoir une sexualité normale sans vous faire de souci pour votre bébé. Le col de l'utérus, placé très haut dans le vagin et fermé, ne laisse rien passer dans l'utérus. Votre bébé est bien à l'abri au centre de ce gros muscle, protégé de surcroît dans la bulle de la cavité amniotique remplie de liquide qui amortit toutes les ondes de choc.

Non, temporairement

• Si la pénétration est douloureuse par inflammation de l'entrée du vagin. A l'inflammation s'ajoute une contracture de défense qui augmente encore la difficulté. **Signalez-le à votre médecin** qui vous donnera un traitement approprié.
• Si les rapports provoquent des saignements et des contractions de l'utérus. Dans ces conditions, faites-vous examiner rapidement. C'est peut-être le signe d'une éventuelle fausse couche.
• Si vous avez déjà fait des fausses couches spontanées en début de grossesse, abstenez-vous aux périodes correspondant aux règles pendant les trois premiers mois.
• Si vous n'avez pas de désir. Il peut être en sommeil en début de grossesse alors que votre organisme est soumis à un changement important sur le plan hormonal. Les nausées, la fatigue, ne prédisposent pas à des ébats amoureux. De même en fin de grossesse, la fatigue, l'inconfort dû à l'utérus qui appuie sur tous les organes expliqueront votre manque d'entrain.

Si vous n'éprouvez pas de désir, parlez-en sans fausse pudeur à votre compagnon. Il comprendra votre désaffection passagère pour les choses de l'amour. Cela n'empêche ni la complicité, ni la tendresse. Cela vous évitera de faire l'amour par « devoir conjugal », sans plaisir, et d'en perdre ainsi l'envie, même après l'accouchement, par la création d'une sorte de réflexe conditionné de déplaisir.

Si la pénétration vous incommode, vous pouvez néanmoins avoir une sexualité agréable par des caresses manuelles et buccales. Vous développerez ainsi une tendresse et une attention au plaisir de l'autre qui vous apporteront un épanouissement sexuel indispensable à la vie de couple.

13ᵉ SEMAINE de grossesse

*15ᵉ semaine depuis le premier jour
de vos dernières règles*

3ᵉ mois de grossesse

Votre bébé ouvre la bouche !

Votre bébé à naître

Sa taille est de 8 cm de la tête au coccyx et de 12 cm de la tête aux talons. Son poids est de 65 g.

La tête de votre bébé peut être à présent mesurée par les ultrasons. Elle a un diamètre de 3,2 cm. A partir de cette mesure, on peut calculer la date de votre accouchement à quelques jours près. Durant cette semaine, la tête de votre bébé va encore s'accroître en diamètre de 4 mm.

Le squelette de votre bébé continue à se former par une production continue d'os. Les articulations sont fonctionnelles et les bras peuvent se plier aux coudes et aux poignets. Les doigts peuvent se replier à l'intérieur de la main : votre bébé serre les poings ! Pendant ce temps, il écarte les doigts de pied en éventail ! Mais aucun de ces mouvements ne sont encore contrôlés par le cerveau.

Dans la peau, des cellules possédant des prolongements élaborent progressivement un pigment sombre : la mélanine. Ce pigment est transmis aux autres cellules de l'épiderme par l'intermédiaire des prolongements. Ce sont ces cellules qui sont responsables, après la naissance, de la pigmentation de la peau.

La bouche est capable de s'ouvrir, de se fermer et d'exécuter des mouvements de succion. Votre bébé commence à avaler un peu du liquide amniotique dans lequel il baigne. Il l'excrète ensuite comme de l'urine grâce à ses reins devenus fonctionnels. C'est la première fois que s'établit un circuit primitif d'absorption et d'excrétion par les voies digestives.

Vous, la future maman

Votre ventre commence à s'arrondir. Si peu que seul un œil averti peut s'en apercevoir lorsque vous êtes habillée. Mais vous, qui vous connaissez bien, vous savez que votre corps a changé. Vos vêtement sont encore portables s'ils sont de coupe un peu ample, mais d'ici quelques temps, il faudra desserrer les élastiques !

Conseils

Problèmes urinaires et génitaux : attention

Ne laissez pas traîner de petites infections locales de la zone uro-génitale. Elles peuvent empirer et être à l'origine de complications graves.

Les infections urinaires

L'infection urinaire est un trouble fréquent chez les femmes enceintes puisque près de 10 % d'entre elles en souffrent. Elle n'est pas forcément infectieuse et peut être simplement due au froid ou le plus souvent à une absorption en eau insuffisante. Votre bébé prend dans votre sang l'eau dont il a besoin. Si vous ne buvez pas suffisamment, votre sang est plus concentré, de même que votre urine qui devient irritante.

Les signes

• Vous ressentez une petite brûlure au moment de l'émission de l'urine. Vous pouvez vérifier tout de suite si vous avez ou non une infection en achetant chez votre pharmacien une bandelette de dépistage. La détection de nitrites est le signe d'une présence bactérienne.
• Vous avez des envies fréquentes d'uriner, de jour comme de nuit, avec de fortes brûlures au passage de l'urine. Vous avez dans ce cas les signes cliniques d'une véritable infection urinaire.

Dans tous les cas, **vous devez consulter votre médecin**. Il fera rechercher dans vos urines la présence d'un microbe. Le plus souvent, il s'agit du colibacille *Escherichia coli* qui peuple naturellement notre intestin et est indispensable à son bon fonctionnement. Son passage dans les voies urinaires provoque des colibacilloses qui doivent être absolument traitées. D'autres germes peuvent être responsables.

Une fois le microbe détecté dans vos urines, le médecin pourra entreprendre un traitement approprié.

Ne faites surtout pas de médication sauvage en prenant un remède prescrit pour une infection urinaire antérieure. Il ne s'agit pas forcément du même microbe. Vous risquez de masquer le vrai problème, ce qui engendrera des complications.

Les conséquences

Une infection urinaire non soignée peut avoir des conséquences sérieuses :
• pour la mère : si l'infection gagne les reins ;
• pour le bébé : en freinant la croissance ;
• risque de fausse couche ou, plus tard dans la grossesse, d'accouchement prématuré.

Prévention

• Boire systématiquement beaucoup d'eau.
• Repos au chaud. Eviter le froid et l'humidité.
• Vérifier l'acidité de l'urine par une languette de papier qui change de couleur suivant qu'elle est acide ou basique. Si votre urine est trop acide, vous pouvez rétablir l'équilibre en buvant de l'eau de Vichy, du jus de poireau, du lait et en mangeant des fruits et des légumes cuits. Si, au contraire, elle n'est pas assez acide, ce qui favorise le développement des germes, vous aurez intérêt à consommer davantage de viande et à boire du thé.

Si vous avez une alimentation équilibrée votre urine sera exactement comme elle doit être, c'est-à-dire : neutre.

Les infections génitales

La grossesse provoque une augmentation des sécrétions vaginales ou *pertes blanches*. Elles n'ont pas de signification particulière sauf si elles présentent un aspect inhabituel.

Les signes

• Vous avez des sécrétions suspectes, plus abondantes qu'à l'accoutumée ou à consistance plus épaisse ou ayant une mauvaise odeur.
• Vous avez des démangeaisons ou des brûlures dans la région vulvaire.
• Les rapports sexuels sont douloureux.
• Votre compagnon a lui-même une infection.

Quel que soit le cas, **vous devez consulter votre gynécologue rapidement**. Un prélèvement des sécrétions vaginales sera soumis à l'examen par un laboratoire qui déterminera de quel type d'infection il s'agit.

Le traitement approprié devra être également suivi par votre compagnon.

Les conséquences

Il ne faut négliger aucun type d'infection. Traitée à temps, elle sera sans conséquence mais, laissée sans soin, elle va s'étendre et pourra être responsable :
• d'un avortement spontané au premier trimestre ;
• d'un accouchement prématuré, si l'infection survient plus tardivement ;
• d'une infection aiguë de la mère au moment de l'accouchement : c'est l'infection puerpérale ;
• ultérieurement, des métrites et salpingites chroniques ;
• d'une infection de l'enfant au moment de l'accouchement.

Prévention

La seule prévention possible est d'avoir une hygiène parfaite.
• Après chaque selle, vous devez vous essuyer d'avant en arrière pour ne pas amener les germes en provenance de l'intestin vers la vulve.
• Vous vous laverez après chaque selle.
• Vous changerez votre linge très souvent : serviettes-éponges et gants de toilette.
• Votre conjoint veillera, lui aussi, à avoir une hygiène irréprochable, notamment avant de vous approcher pour l'amour.
   Ces quelques précautions simples peuvent à elles seules vous éviter bien des désagréments.

Pour votre information

Les infections génitales

• Des pertes abondantes, liquides, à odeur nauséabonde, des démangeaisons de la vulve sont les signes caractéristiques d'une *mycose*. Le responsable est le plus souvent le champignon *Candida albicans* qui a une prédilection pour les milieux acides. La grossesse, en modifiant l'acidité du milieu vaginal pour le protéger de l'agression des microbes habituels, favorise malheureusement l'apparition de mycoses.

• Quand les pertes sont plutôt épaisses et malodorantes, seul le laboratoire sera capable de préciser de quel microbe il s'agit. Il indiquera l'antibiotique correspondant qui en viendra à bout. L'antibiotique sera prescrit sous forme d'ovules à glisser à l'intérieur du vagin. Il peut être associé à un traitement antifongique si besoin est.

Seul votre gynécologue est capable de décider du traitement à suivre.

RÉCAPITULATIF DU TROISIÈME MOIS DE VOTRE BÉBÉ

Age de votre bébé	9e semaine	10e semaine	11e semaine	12e semaine	13e semaine
Sa taille.	4 cm de la tête au coccyx. 5,5 cm de la tête aux talons.	5 cm de la tête au coccyx. 7,5 cm de la tête aux talons.	6 cm de la tête au coccyx. 8,5 cm de la tête aux talons.	7 cm de la tête au coccyx. 10 cm de la tête aux talons.	8 cm de la tête au coccyx. 12 cm de la tête aux talons.
Son poids.	10 g.	18 g.	28 g.	45 g.	65 g.
Son développement.	La tête commence à s'arrondir. Apparition des traits humains. Les narines sont encore bouchées. Apparition des bourgeons du goût et de l'odorat. Les lèvres se dessinent. Les paupières recouvrent l'œil complètement. Les voies génitales sont biens différenciées. Les testicules sécrètent la testostérone. Le cœur a entre 110 et 160 battements par minute.	Le visage est humain. Votre bébé fait des mouvements spontanés que vous ne pouvez percevoir : il tourne la tête, agite bras et jambes. Apparition des bulbes pileux à l'origine des poils et des cheveux. Bourgeons des dents permanentes sous les dents de lait. Foie énorme qui fabrique actuellement les cellules sanguines. Apparition des îlots de Langerhans dans le pancréas.	Présence des premiers os. Les os du bassin se dessinent. Formation des premières côtes. Les narines sont ouvertes. L'intestin trop long pour la cavité abdominale entre dans le cordon ombilical.	Les yeux sont à leur place définitive. La moelle osseuse commence à élaborer des cellules sanguines. Les glandes sexuelles sécrètent des hormones. Si votre bébé est un garçon, il a une prostate et un pénis.	La tête a un diamètre de 3,5 cm. Les articulations sont fonctionnelles. Les doigts se replient à l'intérieur de la main. Elaboration du pigment de la peau : la mélanine. La bouche s'ouvre et se ferme. Mouvements de succion. Mise en route d'un circuit primitif d'absorption et d'excrétion par les voies digestives.
Observations générales.	Votre bébé n'est plus un embryon mais un fœtus.	Le sang de la mère et celui du bébé ne se mélangent jamais.	90 % du poids de votre bébé sont dus à l'eau.	Formation définitive du placenta.	

RÉCAPITULATIF DU TROISIÈME MOIS DE VOTRE GROSSESSE

Age de la grossesse	9e semaine	10e semaine	11e semaine	12e semaine	13e semaine
Observations générales.		L'utérus commence à monter dans la cavité abdominale. La vessie est moins comprimée.		Votre bébé puise dans votre sang : • calcium, • sels minéraux, • fer, • vitamines.	L'utérus a la taille d'un pamplemousse. Votre ventre commence à s'arrondir.
Symptômes.	Accélération cardiaque due à l'augmentation du volume sanguin. Essoufflement à l'effort possible. Les reins travaillent plus.	Les envies d'uriner deviennent moins fréquentes. Les nausées s'estompent.	Votre cœur a 6 à 8 battements de plus par minute.	Anémie si votre alimentation n'est pas correcte.	
Précautions à prendre.	Marcher pour oxygéner le sang. Boire beaucoup pour éviter les infections urinaires.	Eviter les sports violents ou pouvant provoquer une chute.	Commencez à préparer vos seins, si vous décidez d'allaiter.	A signaler à votre médecin : des rapports sexuels douloureux.	A signaler à votre médecin : • une petite brûlure en urinant, • des pertes vaginales suspectes.
Examens.		1re échographie			Si votre grossesse est à risques : ponction du cordon ombilical.
Démarches.			Prévenez votre employeur de votre grossesse.	C'est l'ultime délai pour déclarer votre grossesse.	

4ᵉ MOIS

Durant ce 4ᵉ mois, votre bébé va grandir beaucoup puisque sa vitesse de croissance va passer par un maximum, mais il ne va pas faire que grandir. Tous ses principaux organes sont à présent en place et ont commencé à fonctionner. Jusqu'à présent, ils travaillaient séparément les uns des autres. Par exemple, tout au début, le cœur battait seul, pour lui-même. Peu à peu, il s'innerve et est commandé par le système nerveux. Il va réagir à présent en fonction des activités du corps, donc en fonction des besoins de l'ensemble. Pendant ce 4ᵉ mois, des relations vont donc s'établir entre les organes qui vont apprendre à travailler ensemble, chaque organe dépendant du travail d'un autre pour finalement gouverner l'organisme tout entier. Toute cette mise en place qui commence va se faire progressivement pendant les mois qui suivent. C'est la longue maturation de votre bébé qui commence.

Quant à vous, vous entrez dans une période privilégiée où vous allez vous sentir bien car les nausées et la fatigue des premiers mois sont passées. Et puis surtout, vous allez vivre une nouvelle expérience. Une sensation exaltante et bouleversante. Alors que vous serez allongée tranquillement, vous allez soudain sentir un léger mouvement en vous. C'est votre bébé qui bouge ! Pour la première fois, vous allez réaliser vraiment qu'il est là, en vous. Qu'il vit !

14ᵉ SEMAINE de grossesse

---

*16ᵉ semaine depuis le premier jour
de vos dernières règles*

Début du 4ᵉ mois de grossesse

---

*Un nouveau mois commence. Le temps passe, doucement
mais sûrement…*

Votre bébé à naître

Sa taille est de 9 cm de la tête au coccyx et de 14 cm de la
tête aux talons. Son poids est de 110 g. Le diamètre de sa
tête est aux environs de 3,6 cm.

Votre bébé devient plus actif à partir de cette semaine. En
plus des mouvements physiques involontaires des bras et
des jambes, il est capable d'ouvrir la bouche, tourner les
yeux et froncer les sourcils !

Sa tête est maintenant droite et ses jambes sont à présent
plus longues que ses bras. Le derme ou couche profonde de
la peau se différencie au cours des 3ᵉ et 4ᵉ mois en un tissu
conjonctif contenant des fibres élastiques et des fibres de
collagène, responsables de l'aspect définitif de la peau. En
même temps, se mettent en place dans l'épiderme de petites
papilles contenant des corpuscules du tact. Le sens du toucher commence donc à se développer chez votre bébé.

Le squelette pourrait être vu par les rayons X. Auparavant, les os contenaient trop peu de calcium pour être
visibles de cette façon.

Le cœur exécute maintenant 110 à 120 battements par
minute. Des chercheurs ont montré qu'un fœtus de cet âge a
un électrocardiogramme semblable à celui d'un adulte.

C'est maintenant, vers la fin du 3ᵉ mois, que l'intestin qui s'est beaucoup développé commence à réintégrer la cavité abdominale qui s'est agrandie.

La glande thyroïde commence à être fonctionnelle et fabrique l'hormone thyroïdienne, si importante durant toute la vie de l'individu. Elle assurera, entre autres fonctions, la croissance de l'enfant. Pour fonctionner normalement, la cellule thyroïdienne a besoin d'iode, qui lui est apporté par l'alimentation. Utiliser régulièrement du sel marin assure un apport en iode suffisant.

La cavité amniotique contient maintenant 250 cm^3 de liquide. Ce volume va augmenter avec l'âge de la grossesse.

Vous, la future maman

Pensez à vous peser régulièrement !

Conseils

La visite médicale du 4ᵉ mois

C'est le moment de prendre rendez-vous pour votre deuxième visite médicale obligatoire.

Comme à chaque visite médicale obligatoire qui aura lieu désormais chaque mois, le médecin vérifiera votre poids, votre tension artérielle, l'absence d'albumine, de sucre dans vos urines. Il demandera les analyses de sang classiques pour contrôler votre glycémie et votre numération globulaire et fera un prélèvement vaginal pour une recherche de streptocoques B.

Ces visites sont d'autant plus indispensables si vous faites partie de ce que l'on appelle « les grossesses à risque » qui demandent une surveillance particulière.

Pour votre information

Les grossesses à risque

Ne vous inquiétez pas, le terme de « grossesses à risque » n'a rien d'alarmant. Il existe uniquement pour différencier une grossesse que l'on pourrait qualifier de normale d'une grossesse qui, pour une raison ou une autre, nécessite une surveillance plus étroite et des examens particuliers. Cette surveillance de la grossesse permet de prévenir d'éventuels accidents et donc de réduire énormément les handicaps de naissance ainsi que la mortalité infantile.

80 % des femmes enceintes n'ont aucun problème. Les autres présentent un ou plusieurs facteurs qui font courir un risque à l'enfant. Le risque le plus habituel est la prématurité mais il y a aussi les risques de retard de croissance du fœtus liés à une maladie ou au

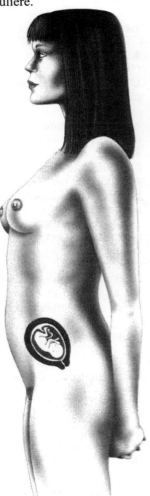

Vous, 14 semaines après votre fécondation.

mode de vie de la future mère ainsi que les risques de souffrance fœtale, au moment de l'accouchement.

Les facteurs de risques

L'âge de la mère

C'est un facteur de risques très important qui ne doit pas être pris à la légère.

• Quand la future mère est très jeune, moins de 18 ans, certains risques sont plus importants que chez une femme plus âgée. Le risque de toxémie gravidique caractérisée par de l'albuminurie et de l'hypertension artérielle (voir page 257) est multiplié par 3, celui d'accouchement prématuré par 2. Souvent, le poids du bébé d'une mère très jeune est inférieur à la moyenne.

Ces risques sont souvent liés à des problèmes psychologiques et sociaux qui entraînent des comportements à risques. L'adolescente qui cache sa grossesse le plus longtemps possible est mal surveillée et souvent mal alimentée. Il est à noter que lorsqu'une adolescente enceinte est bien acceptée par sa famille et entourée affectivement, on observe une nette diminution des complications.

• Quand la future mère a plus de 38 ans (voir page 201).

Le nombre de grossesses précédentes

A partir du 4e enfant, le risque d'une présentation anormale et d'un accouchement difficile augmente car l'utérus peut avoir perdu une partie de son tonus et donc de son pouvoir de contractibilité. Les hémorragies au moment de la délivrance sont également plus fréquentes.

Le risque de ces grossesses tient beaucoup au fait que la femme qui attend son 4e ou 5e enfant a tendance à être plus négligente dans ses précautions d'hygiène et dans la surveillance générale de sa grossesse.

Les grossesses multiples

La mère est particulièrement surveillée quand elle attend des jumeaux, ce qui est le cas d'1 femme sur 80, et a fortiori lorsqu'elle attend plus de deux enfants, ce qui reste exceptionnel.

En début de grossesse, les risques d'avortement spontané sont assez grands. Plus tardivement, c'est l'accouchement prématuré qui est à craindre car il peut y avoir, dans le cas de vrais jumeaux, un excès de liquide amniotique, ou *hydramnios*, qui distend l'utérus et les membranes, entraînant des contractions. L'hospitalisation est alors nécessaire. Le risque d'un accouchement prématuré est de un sur trois pour une première grossesse et un sur deux pour une deuxième. Pour la mère, la toxémie gravidique avec albuminurie, hypertension et œdème est plus fréquente également et nécessite une hospitalisation.

Les jumeaux naissent assez souvent un peu prématurés et l'un est presque toujours plus petit que l'autre. C'est pourquoi les visites prénatales sont plus fréquentes et les échographies plus nombreuses. C'est aussi une raison pour choisir d'accoucher dans un centre très équipé sur le plan pédiatrique.

Les grossesses antérieures à problèmes

Il y a tout lieu de surveiller de près cette nouvelle grossesse. Tout accident survenu lors de grossesses précédentes comme : hémorragies, retard de croissance du fœtus in utero, enfant mal formé ou mort-né ainsi que tout problème survenu au moment de l'accouchement, doit être signalé. Ils peuvent être causés par une mauvaise insertion du placenta ou une dilatation du col difficile et insuffisante au moment de l'accouchement. Tout doit être mis en œuvre pour que les troubles apparus lors d'une précédente grossesse ne se reproduisent pas.

Les maladies de la future mère

Elles peuvent entraîner une souffrance fœtale, des malformations, un avortement ou un accouchement prématuré.

Les maladies incriminées sont l'alcoolisme (voir page 68), l'anémie (voir page 265), le diabète (voir page 280), l'hépatite virale (voir page 109), l'herpès (voir page 267), l'hypertension artérielle (voir pages 257 et 282), l'incompatibilité Rhésus (voir page 73), l'infection urinaire (voir page 182), la rubéole (voir page 60), le sida (voir pages 111 et 282).

Les mères présentant une de ces maladies seront tout particulièrement surveillées pendant toute la durée de leur grossesse.

Les problèmes de constitution de la mère

Il peut y avoir des problèmes au cours de la grossesse mais surtout au moment de l'accouchement dans les cas :
• d'obésité ;
• d'anomalies du bassin. Il peut être trop petit, en particulier chez les femmes mesurant moins de 1,50 m ou malformé de naissance ou encore déformé à la suite d'un accident ;
• d'utérus trop petit avec un ou plusieurs kystes ou encore d'utérus rétroversé.

Dans tous les cas, les conditions de l'accouchement doivent être déterminées de façon précise.

Les conditions socio-économiques de la mère

Elles sont la cause de 60 % des accouchements prématurés.

Par suite de mauvaises conditions économiques, la future mère poursuit un travail pénible plus longtemps qu'il ne le faudrait. Les transports longs et fatigants, les travaux ménagers, la garde des enfants déjà présents, une alimentation mal équilibrée faute de moyens, sont autant de facteurs favorisant le surmenage, l'anémie, la toxémie et par là, un accouchement prématuré.

Les « filles-DES »

On appelle ainsi les jeunes femmes dont les mères ont pris du Distilbène ou DES, médicament prescrit en France de 1948 à 1975 pour éviter les fausses couches. Sur 100 000 filles exposées in utero au DES, plus de la moitié présentent des anomalies au niveau du vagin. Ces anomalies souvent bénignes sont cependant des facteurs de risques importants pour une grossesse extra-utérine ou une fausse couche spontanée au cours du premier trimestre ou encore un accouchement prématuré. Chaque fille née au cours de ces années doit interroger sa mère pour savoir si elle a pris ce médicament au cours de sa grossesse. Si c'est le cas, elle doit en avertir son médecin qui la suivra tout particulièrement.

La surveillance des grossesses à risque

La surveillance médicale sera plus étroite avec, suivant le risque et le moment de la grossesse, une visite médicale tous les quinze jours, voire toutes les semaines. Des examens spécialisés seront en outre effectués selon les cas. Il s'agit de :
- l'échographie (voir page 139),
- le Doppler (voir page 140),
- la biopsie du trophoblaste (voir page 141),
- l'embryoscopie (voir page 140),
- la ponction du cordon ombilical (voir page 198),
- le dosage de l'HT 21 (voir page 202),
- le dosage d'alpha-fœtoprotéine (voir page 203)
- l'amniocentèse (voir page 204),
- la fœtoscopie (voir page 216),
- l'amnioscopie (voir page 341),
- la radiopelvimétrie (voir page 365),
- la radiographie fœto-pelvienne (voir page 356).

La ponction du cordon ombilical

Cet examen est effectué vers 3 mois de grossesse. Il s'agit d'une prise de quelques gouttes de sang fœtal prélevé à l'aide d'une aiguille fine dans la veine du cordon ombilical. Le prélèvement est pratiqué sous anesthésie locale et sous contrôle échographique. On localise d'abord le placenta, puis le bébé et ensuite le cordon ombilical. Le sang est tout de suite analysé et les résultats sont obtenus rapidement.

L'analyse précoce du sang du bébé permet de savoir s'il est atteint par une maladie infectieuse attrapée par la mère au cours de la grossesse, comme la rubéole ou la toxoplasmose.

15ᵉ SEMAINE de grossesse

---

*17ᵉ semaine depuis le premier jour
de vos dernières règles*

4ᵉ mois de grossesse

Votre bébé semble respirer !

Votre bébé à naître

Sa taille est de 10 cm de la tête au coccyx et de 16 cm de la tête aux talons. Son poids est de 135 g. Le diamètre de sa tête mesurée par les ultrasons est de 3,9 cm. La longueur de son pied est de 2 cm !

Votre bébé bouge dans le liquide amniotique. Si vous avez déjà eu d'autres enfants, vous pouvez percevoir ces mouvements, mais si c'est votre premier enfant, vous ne les sentez pas encore.

L'arbre pulmonaire comprend la trachée et les deux lobes pulmonaires qui n'ont pas terminé leur complète maturation. Dans chacun des lobes, les divisions se poursuivent régulièrement pour former les innombrables alvéoles au niveau desquelles se feront les échanges gazeux, quand votre bébé sera né.

Les poumons n'ont pas encore de fonction en tant qu'organe de la respiration. Cependant, de pseudo-mouvements respiratoires ont lieu. Ils sont encore peu fréquents, rapides et irréguliers. Ces mouvements de la poitrine qui se lève et s'abaisse ont pour résultat de faire entrer dans les poumons du liquide amniotique puis de l'expulser. N'oubliez pas que votre bébé respire par l'intermédiaire de votre sang. Vous lui apportez de l'oxygène et le débarrassez du gaz carbo-

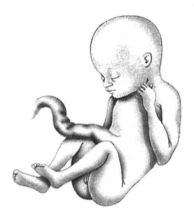

nique qu'il rejette. C'est la raison pour laquelle il n'a pas besoin de ses poumons pour le moment. Et s'ils sont remplis de liquide amniotique, n'ayez pas peur, il ne risque pas de se noyer !

La déglutition et la respiration requièrent une coordination complexe entre les nerfs et les muscles. Le liquide amniotique est un bon milieu qui permet « l'entraînement » de ces activités avant la naissance.

Vous, la future maman

Vous avez plus de 38 ans ? Vous faites partie, dans ce cas, des grossesses à risque. Ne vous alarmez pas inutilement. Si vous n'avez pas de problème particulier, tout se déroulera normalement mais néanmoins, faites-vous surveiller correctement.

Conseils

Etre mère à quarante ans

Qu'il s'agisse ou non d'une première grossesse et même si tout va bien apparemment, être enceinte à 40 ans nécessite de prendre certaines précautions et notamment de se faire suivre très scrupuleusement. Une femme qui débute une grossesse vers 38-39 ans est plus menacée qu'une autre par le risque de maladies associées à la grossesse. Il s'agit le plus fréquemment d'*hypertension* et de *maladies rénales* qui peuvent avoir, entre autres répercussions, un retard dans le développement de l'enfant. Il faut savoir également que le taux de *césariennes* est plus élevé, notamment quand il s'agit d'un premier accouchement.

Le risque de *fausse couche* spontanée est également très élevé puisqu'il interrompt 33 % des grossesses entre la 8e et la 10e semaine. Malgré tout, le risque le plus grave, lié directement à l'âge de la mère, reste la *trisomie 21* plus couramment appelée le *mongolisme*. Pour cette raison, différents examens tels l'HT 21 et l'amniocentèse sont systématiquement proposés pour dépister toute anomalie de cet ordre.

Finalement, suite à cette surveillance particulièrement sévère, il apparaît que les femmes enceintes de 40 ans ont souvent moins de problèmes que des femmes plus jeunes.

Pour votre information

L'HT 21

L'HT 21 est la contraction de deux mots : hormone et trisomie 21. On a en effet remarqué qu'un taux anormalement élevé dans le sang de l'hormone de grossesse HCG entre la 15e et la 16e semaine d'aménorrhée (soit les 13e et 14e semaines de grossesse) fait suspecter une anomalie chromosomique responsable de ce que l'on appelle le mongolisme.

Le taux de l'HCG présente dans le sérum est évalué à partir d'une simple prise de sang. Les résultats sont donnés dans un minimum de 10 jours. Ils n'ont pas valeur de diagnostic mais sont évalués en taux de risques. Cela veut dire que si les résultats sont positifs, il ne peut s'agir que d'une suspicion qui nécessitera un examen plus approfondi. Une amniocentèse sera alors pratiquée. A peine 4 % des résultats entraînent une recherche plus poussée.

Pour des jumeaux, les résultats sont difficilement interprétables.

L'HT 21 a été définitivement adopté début 1999, comme moyen de dépistage de la trisomie 21. Il est couplé à la recherche, dans la même prise de sang, de l'alpha-fœtoprotéine.

Tout médecin doit obligatoirement proposer à la future maman ces examens de dépistage. Elle est libre de refuser mais doit, dans ce cas, signer une décharge.

Ces examens sériques sont pratiqués tous âges confondus. Ils permettent d'éliminer les amniocentèses inutiles et par conséquent d'en diminuer les risques.

Ne faites pas, des jours d'attente des résultats, des jours d'angoisse. Ces examens sont là, au contraire, pour vous apprendre que votre bébé est tout à fait normal.

Le dosage d'alpha-fœtoprotéine

Il s'agit d'un examen sanguin destiné à rechercher une éventuelle malformation du système nerveux central, en particulier : la *spina bifida*. Ce terme désigne un éventail de malformations plus ou moins graves. Au sens littéral, il signifie « épine dorsale bifide ».

La formation tubulaire représentant le système nerveux central dans les premières semaines de grossesse ne s'est pas complètement fermée. Le résultat est un défaut de fermeture de la colonne vertébrale avec malformation de la moelle épinière qui entraîne paralysie et arriération mentale.

L'examen consiste en la recherche dans le sang de la future mère d'une protéine émise par le fœtus. Si son taux est élevé, on peut craindre une anomalie du système nerveux. Au contraire, si son taux est trop bas, elle éveille le soupçon d'une maladie d'origine chromosomique et nécessite un complément d'information qui sera donné par une amniocentèse. Dans tous les cas, un taux bas ou élevé d'alpha-fœtoprotéine entraîne la poursuite d'autres recherches.

Cet examen est à présent couplé à l'HT 21.

Pour prévenir la formation de spina bifida, le médecin prescrit systématiquement de l'acide folique lors des 2 ou 3 mois précédant la grossesse et lors des 2 premiers mois de celle-ci, lorsque dans une famille il y a déjà eu une telle malformation.

La même prévention est appliquée chez les femmes à partir de 35 ans et chez celles ayant fait une fausse couche spontanée.

Il faut ajouter que la maladie est rare et qu'elle se détecte également à l'échographie.

L'amniocentèse

L'amniocentèse consiste en un prélèvement de liquide amniotique. Les cellules du bébé qu'il contient sont traitées selon certaines techniques de façon à pouvoir examiner leurs chromosomes. L'amniocentèse doit avoir lieu entre la 16e et la 18e semaine d'aménorrhée. Avant cette date, il n'y a pas assez de liquide amniotique et pas suffisamment de cellules fœtales dans le liquide. Après cette date, la grossesse est trop avancée et l'on hésite à pratiquer un avortement thérapeutique si l'amniocentèse révèle une anomalie du fœtus.

L'amniocentèse soulève, bien sûr, le problème de l'ITG (Interruption Thérapeutique de Grossesse). L'ITG est tolérée par la loi mais n'est pas obligatoire. L'hypothèse en est toujours discutée avant la pratique de l'examen. La plupart des équipes médicales refusent d'ailleurs de faire l'amniocentèse quand la future mère est farouchement contre l'éventualité d'une interruption de grossesse.

L'amniocentèse n'est pas obligatoire mais proposée systématiquement aux femmes ayant dépassé 38 ans. Dans ce cas, elle est remboursée par la Sécurité sociale. Avant 38 ans, l'examen n'est pas remboursé, sauf pour les cas précis de grossesses à risque. (Voir page 205.) Son prix élevé en fait un examen de luxe : environ 2 000 F pour la recherche d'une anomalie chromosomique, 5 000 à 10 000 F pour celle d'une maladie enzymatique.

L'âge de 38 ans n'est pas choisi par hasard. C'est passé cet âge que le risque d'avoir un enfant porteur d'une *trisomie* s'élève considérablement. Les trisomies résultent d'un chromosome en trop. Ce surnombre peut porter sur les chromosomes 13, 18 et 21. Le risque de trisomie 21 que l'on a coutume d'appeler le *mongolisme* est de 1 pour 2 000 à 28 ans. Il passe à 1 pour 500 à partir de 38 ans et à 1 pour 100 à 40 ans. Au-delà de 40 ans, le pourcentage augmente encore plus rapidement. Si vous avez plus de 38 ans et désirez faire cet examen, ne vous laissez pas influencer si votre médecin le juge superflu. Vous êtes en droit de l'exiger.

Les indications de l'amniocentèse

• Pour détecter une anomalie chromosomique chez l'enfant de la femme de plus de 38 ans.
• Indépendamment de l'âge de la mère, elle est pratiquée systématiquement chez les femmes ayant déjà eu un enfant atteint d'une maladie d'origine chromosomique.
• Chez une femme dont le dosage de l'HT 21 fait suspecter une trisomie 21.
• Chez une femme ayant déjà fait plusieurs fausses couches spontanées, celles-ci étant souvent le résultat d'un œuf présentant une anomalie chromosomique.
• Quand, dans un couple, l'un des futurs parents présente une maladie familiale grave, telle que la mucoviscidose ou la myopathie.
• Chez une femme dont le dosage de l'alpha-fœtoprotéine fait suspecter une malformation de la moelle épinière (spina bifida).
• Pour diagnostiquer certaines maladies héréditaires liées au sexe comme l'hémophilie ou la myopathie.
• Pour repérer certaines anomalies du système nerveux central. Ceci ne se fait pas par l'étude des chromosomes mais par des examens biochimiques.

Pour tous ces cas, l'amniocentèse sera remboursée par la Sécurité sociale.

La technique de l'amniocentèse

L'amniocentèse est toujours pratiquée dans un centre spécialisé car si la technique est relativement simple, ce n'est pas cependant un examen de routine. Un risque de fausse couche existe, de l'ordre de 0,5 %.

Le femme enceinte est allongée sur le dos, légèrement sur le côté. Après avoir repéré l'enfant par échographie, le praticien enfonce une aiguille à travers l'abdomen insensibilisé et la paroi utérine, jusque dans la cavité amniotique où il prélève 5 à 10 millilitres de liquide. Si la future mère est Rh (–), on lui injecte après l'intervention des immunoglobulines anti-D (voir page 74).

L'établissement du caryotype

Les cellules du bébé, en suspension dans le liquide amniotique, sont mises en culture sur un milieu nutritif. Par l'addition d'une substance au milieu de culture, on bloque les cellules à un stade donné de leur division, quand les chromosomes sont bien individualisés et donc bien visibles. Les cellules étalées sur des lames de verre sont observées au microscope et photographiées. Les 46 chromosomes d'une cellule ainsi photographiée sont alors découpés et assemblés par paires selon des normes internationales. L'assemblage qui en résulte s'appelle le *caryotype*. Toute anomalie du caryotype est le signe concret d'une anomalie chromosomique qui sera à l'origine d'une malformation ou d'une maladie.

Par la présence des chromosomes sexuels, *le caryotype permet de connaître le sexe de l'enfant*.

Dans le cas d'une maladie liée au sexe comme l'hémophilie ou la myopathie qui n'atteignent que les garçons, le caryotype renseigne sur le risque encouru par l'enfant à naître, quand la maladie est présente dans la famille.

L'établissement du caryotype nécessite une quinzaine de jours.

Le Diagnostic pré-implantatoire (DPI)

Technique récente qui consiste à « trier » les embryons obtenus par fécondation in vitro en examinant leur caryotype. L'embryon sélectionné est implanté dans l'utérus. Le DPI, tout à fait légal, ne s'adresse qu'aux couples portant une maladie héréditaire grave transmissible à la descendance. Il ne peut en aucun cas s'agir de « choisir » son enfant.

16ᵉ SEMAINE de grossesse

*18ᵉ semaine depuis le premier jour
de vos dernières règles*

4ᵉ mois de grossesse

*Cette semaine, il va vous arriver quelque chose de mer-
veilleux !*

Votre bébé à naître

Sa taille est de 11 cm de la tête au coccyx et de 17,5 cm de
la tête aux talons. Son poids est de 160 g. La longueur de
son pied est de 2,5 cm et le diamètre de sa tête de 4 cm.

Les oreilles commencent à être en place sur les côtés de
la tête alors que les yeux se sont beaucoup rapprochés. La
rétine devient sensible à la lumière.

Tout le corps de votre bébé est recouvert d'un très fin
duvet, doux comme de la soie. Il porte le joli nom de
lanugo. Il tombera à la naissance pour être remplacé par un
autre duvet, aux poils plus gros.

Et puis, le miracle se produit enfin : vous sentez votre
bébé bouger ! Pour la première fois, vous le sentez vraiment
vivre en vous. Bien sûr, il y a eu tous ces petits malaises qui
vous ont indiqué son existence, il y a eu également cette
première échographie où vous avez vu son cœur battre, mais
c'était sur un écran, en dehors de vous. Maintenant, c'est
différent. Vous sentez dans votre ventre que ça bouge ! Il y
a quelqu'un qui s'agite ! Pour le moment, les mouvements
perçus sont légers comme des ailes de papillons. Mais,
attendez de voir la suite !

Vous, la future maman

La grande quantité de progestérone que vous produisez a pour effet de relâcher tous vos muscles lisses. L'effet secondaire indésirable est un ralentissement des fonctions intestinales. Ne laissez pas la constipation s'installer. Evitez pour cela les aliments trop sucrés. Mangez des produits naturels, riches en fibres. Si votre constipation est tenace, ne prenez aucun médicament sans en parler auparavant à votre médecin.

Conseils

> ## La deuxième échographie

La 20ᵉ semaine de grossesse, soit 22 semaines d'aménorrhée, est la période idéale pour pratiquer une deuxième échographie. Celle-ci permet une étude précise de toutes les structures physiques externes de votre bébé afin de détecter une éventuelle anomalie de formation. On va de plus juger de sa bonne croissance en mesurant le diamètre de sa tête ou *diamètre bipariétal* (BIP), ainsi que le diamètre abdominal au niveau de l'ombilic. On fera, en outre, une mesure de l'os du nez pour rechercher une éventuelle trisomie 21.

Si votre bébé n'est pas bien orienté, en particulier si on ne peut voir son dos dans le doute d'une spina bifida, l'échographie sera renouvelée.

On verra sur cette 2ᵉ échographie :
• la main qui se rapproche de la bouche ;
• les mouvements de déglutition ;
• le réflexe plantaire qui indique que le sens du toucher existe : quand le bébé touche la paroi utérine avec son pied, il se recule ;

- les mouvements des muscles de la respiration : le diaphragme et la paroi thoracique se soulèvent ;
- le cerveau ;
- le placenta, bien visible entre 12 et 18 semaines.

Pour votre information

Les risques d'avoir un enfant anormal

Evidemment, tout le monde y pense. On a beau se dire que cela n'arrive qu'aux autres, on sait très bien au fond de soi qu'on n'est pas à l'abri d'un accident.

Le pourcentage d'enfants nés avec une anomalie ne dépasse pas 3 % et dans ce chiffre entrent un grand nombre d'anomalies mineures guérissables. Les malformations ont diverses origines et, avec plus de précautions, un certain nombre d'entre elles pourraient être évitées.

Les maladies congénitales

On appelle maladie congénitale, une maladie apparue durant la vie intra-utérine et révélée à la naissance.

Anomalies liées à un accident de la grossesse

Ces accidents peuvent être dus à une maladie de la mère telle que la rubéole (voir page 60), la toxoplasmose (voir page 109), le sida (voir page 111), la syphilis (voir page 111) ; à une intoxication de la mère par des produits chimiques ou à une exposition aux rayons X.

Quand l'accident a lieu à un stade précoce de la grossesse, alors que membres et organes sont en formation, le

risque encouru par le bébé à naître est grand. Les malformations seront moins importantes si l'accident a lieu à un stade
plus tardif de la grossesse.

Anomalies liées au mode de vie

En particulier alcoolisme, tabagisme ou encore drogue (voir
pages 68, 69).

L'âge de la mère

C'est particulièrement vrai pour le mongolisme qui est plus
fréquent chez les enfants de femmes très jeunes ou ayant
plus de 38 ans.

L'existence d'une maladie héréditaire

On appelle maladie héréditaire une maladie que l'enfant
reçoit en héritage de ses parents. Cette maladie est codée par
les gènes qui, en s'exprimant, déterminent la maladie.

Parmi les maladies héréditaires, un grand nombre ne s'accompagnent d'aucune malformation et sont compatibles
avec une vie normale. Beaucoup d'entre elles peuvent actuellement être traitées.

La maladie héréditaire peut ne pas être apparente à la
naissance et se manifester plus tard. Exemple : la myopathie, grave maladie musculaire dont l'apparition est progressive et qui frappe surtout les garçons.

La maladie peut aussi ne pas s'exprimer du tout mais,
dans ce cas, le sujet reste porteur du gène responsable de la
maladie et le transmet à sa descendance. Il est possible
d'évaluer le risque exact de transmission quand on connaît
le gène incriminé et sa fréquence dans la population.

Le mariage entre cousins germains

Les mariages consanguins et surtout ceux entre cousins germains multiplient les risques de voir apparaître une anomalie. Une tare familiale peut être cachée car récessive. Portée par un chromosome d'un parent, elle a de fortes probabilités d'être également portée par le chromosome de l'autre parent, puisque de la même famille. L'enfant recevant le gène responsable de la maladie à la fois de son père et de sa mère en sera obligatoirement atteint. Avec un conjoint pris au hasard dans la population, le risque aurait été très dilué car il y avait davantage de chances pour que le gène correspondant soit normal. Ce gène normal étant dominant sur le gène portant la maladie, l'enfant issu de ce mariage serait porteur mais sain.

Le risque pour un enfant issu du mariage de cousins germains peut être calculé lorsque la maladie est connue. Dans le cas d'une tare non apparente, le risque est plus difficile à évaluer.

Les maladies héréditaire d'origine chromosomique

Elles peuvent porter sur le nombre des chromosomes ou leur structure.

L'anomalie de nombre. L'exemple est le mongolisme ou *trisomie 21*. Suite à une erreur dans la répartition des chromosomes au cours d'une des divisions de l'ovocyte, le zygote, première cellule du bébé, a 3 chromosomes 21 au lieu de 2. D'où le nom de trisomie 21. Toutes les cellules de l'individu, issues de cette première cellule, auront, elles aussi, un chromosome en trop. Il en résulte un surnombre de gènes dont les ordres vont conduire à une surproduction de substances chimiques qui vont aboutir à la formation des traits caractéristiques du mongolisme.

Détection de la trisomie 21

Une suspicion de trisomie 21 peut être détectée par plusieurs techniques :
— le *dosage de l'HT 21* (voir page 202)
— la *mesure de la clarté nucale* (voir page 138)
— la *mesure* de l'os du nez.

Ces examens donnent une première indication qui sera complétée par une *amniocentèse*. Celle-ci permet d'établir le *caryotype* du bébé (voir page 206) qui révélera de façon irréfutable s'il y a trisomie ou non.

Quand dans une famille, il y a une présomption importante de trisomie 21, on pratique une biopsie du trophoblaste (voir page 141) vers la 8ᵉ semaine de grossesse. Cette technique permet d'établir le caryotype du bébé.

L'anomalie de structure. Un fragment de chromosome peut se casser et se perdre ou se fixer sur un autre chromosome. C'est ce que l'on appelle une *translocation*. La conséquence visible est une anomalie.

Heureusement, un grand nombre d'œufs à chromosomes anormaux ne sont pas viables et sont naturellement éliminés. C'est la cause de très nombreuses fausses couches survenant dans les 6 à 8 premières semaines.

Si l'aberration porte sur les chromosomes sexuels, elle va déterminer des anomalies dont les plus connues sont :
• le syndrome de Klinefelter. Seuls les garçons sont touchés avec une fréquence de 1 sur 500 dans la population. Ils ont un chromosome X supplémentaire donc 47 chromosomes. Leur formule chromosomique est XXY, ce qui détermine une atrophie testiculaire, cause de stérilité ;
• le syndrome de Turner. Seules les filles sont touchées avec une fréquence de l'ordre de 1 cas sur 3 000. Leur formule chromosomique est XO. Elles ont donc 45 chromosomes. Leur morphologie est féminine mais elles sont de petite taille et n'ont pas d'ovaires.

Les maladies héréditaires d'origine génique

L'anomalie ne concerne qu'un gène, c'est-à-dire une infime portion de chromosome. Le gène perturbé envoie des ordres qui font dévier les cellules qui les reçoivent de leur travail normal. Certaines vont fabriquer trop ou pas du tout d'enzymes, ces maillons indispensables pour un bon fonctionnement des chaînes métaboliques. Il s'ensuit alors une perturbation dans le métabolisme des protéines, des sucres ou des graisses avec l'apparition de maladies comme la *phénylcétonurie* ou la *galactosémie* parmi les plus connues. Ces affections, recherchées systématiquement dès la naissance, voient leurs effets compensés par un régime alimentaire approprié. Non traitées, elles sont la cause d'arriérations mentales.

D'autres cellules vont élaborer des produits de mauvaise qualité et ne rempliront donc pas le rôle pour lequel elles sont conçues. C'est le cas des globules rouges dont l'hémoglobine déficiente assure mal le transport de l'oxygène dans la maladie appelée la *drépanocytose*.

Actuellement, on connaît plus de 3 000 maladies métaboliques héréditaires d'origine génique. Leur gravité est d'importance variable puisqu'elles vont de la myopathie au simple daltonisme.

La transmission de l'anomalie génique

Elle se fait comme la transmission de tous les caractères de l'individu selon les lois de l'hérédité. Un *gène dominant*, même présent chez un seul des parents, s'exprime dans la descendance. Ce qui ne veut pas dire que 50 % des enfants seront atteints. Dans le calcul des risques intervient le fait que le conjoint est sain.

Pour qu'un *gène récessif* s'exprime dans la descendance, il faut qu'il soit présent chez les deux parents. Le père et la mère qui possèdent le gène récessif en un seul exemplaire ne présentent pas la maladie mais sont porteurs. La maladie apparaît chez l'enfant quand les 2 gènes parentaux se retrouvent dans la cellule-œuf, soit avec un risque de 1/4.

La transmission de l'hémophilie

Transmise par les femmes, elle se manifeste uniquement chez les garçons par une coagulation sanguine déficiente. Le gène est récessif.

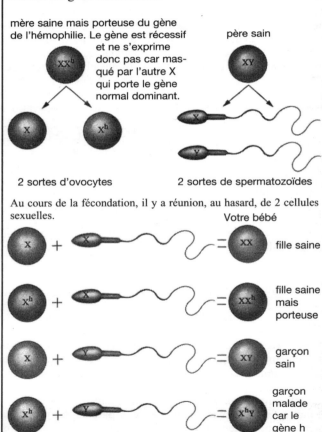

mère saine mais porteuse du gène de l'hémophilie. Le gène est récessif et ne s'exprime donc pas car masqué par l'autre X qui porte le gène normal dominant.

père sain

2 sortes d'ovocytes

2 sortes de spermatozoïdes

Au cours de la fécondation, il y a réunion, au hasard, de 2 cellules sexuelles.

Votre bébé

X + = XX fille saine

X^h + = XX^h fille saine mais porteuse

X + = XY garçon sain

X^h + = X^hY garçon malade car le gène h peut s'exprimer

Si la mère est saine, non porteuse et le père malade, tous les garçons seront sains et toutes les filles seront porteuses.

Il arrive assez fréquemment que **l'hérédité soit liée au sexe**, c'est-à-dire que le gène incriminé dans la maladie soit porté par un chromosome sexuel. Dans ce cas, il s'agit toujours du chromosome X.

Si le gène anormal porté par le chromosome X est récessif, il ne se manifeste pas chez les filles qui sont seulement porteuses. L'anomalie transmise par les femmes atteint 50 % des garçons. C'est le cas de maladies comme l'hémophilie ou la myopathie (voir schéma page 214).

La consultation de génétique

La consultation de génétique permet aux généticiens d'établir le caryotype, c'est-à-dire la carte d'identité des chromosomes des futurs parents (voir page 206). Cela permet de savoir s'ils sont porteurs d'une anomalie transmissible à leur descendance et, dans ce cas, suivant quelle fréquence.

Cet examen n'est pas fait systématiquement. Il s'adresse aux familles pour lesquelles il y a un risque de voir naître un enfant porteur d'une malformation d'origine chromosomique :
• aux couples qui ont déjà un enfant anormal et veulent connaître les risques encourus lors d'une future grossesse ;
• aux femmes qui ont déjà fait plusieurs fausses couches par suite d'une aberration chromosomique ;
• aux sujets porteurs d'une maladie ou d'une malformation et qui veulent connaître le risque de transmission de l'anomalie à leurs enfants ;
• aux cousins germains qui veulent se marier.

Les généticiens ne peuvent dire si l'enfant aura ou non la maladie. Ils donnent seulement des probabilités. En fonction de l'estimation du risque et de la possibilité de diagnostic prénatal, ils orienteront ou non vers une amniocentèse. Par l'amniocentèse qui permet d'étudier les chromosomes de l'enfant lui-même, on verra si la maladie touche cet enfant-là ou non.

Surveillance du bébé : la fœtoscopie

La fœtoscopie est effectuée entre 20 et 24 semaines d'aménorrhée. Elle est pratiquée uniquement chez une femme ayant déjà eu un enfant anormal ou faisant partie d'une famille présentant une maladie héréditaire grave.

Par cette technique, le fœtus peut être observé directement dans l'utérus. Pour cela, on introduit à travers la paroi abdominale, jusque dans la cavité utérine, après une anesthésie locale, un tube long et fin muni d'un système optique. L'optique peut être déplacée pour observer le bébé dans ses moindres détails.

Cette méthode est surtout utilisée pour :
• détecter une malformation, notamment de la face, des mains ou des pieds ;
• faire des prélèvements de différents tissus, comme la peau ou le foie, à des fins d'analyse ;
• prélever du sang fœtal pour dépister des maladies du sang comme la drépanocytose et l'hémophilie ou des maladies métaboliques qui peuvent être soignées très précocement.

Il est à noter que le sang est le plus souvent recueilli par ponction du cordon ombilical (voir page 198).

La fœtoscopie dure environ 24 minutes et nécessite plusieurs jours d'hospitalisation.

17ᵉ SEMAINE de grossesse

*19ᵉ semaine depuis le premier jour
de vos dernières règles*

4ᵉ mois de grossesse

Votre bébé étire bras et jambes ! Tous ces mouvements peuvent être vus à l'échographie.

Votre bébé à naître

Sa taille est de 12 cm de la tête au coccyx et de 19 cm de la tête aux talons. Son poids est de 200 g. Le diamètre de sa tête est maintenant de 4,5 cm.

La peau de votre bébé a acquis sa constitution définitive. Elle est cependant encore si mince que l'on peut voir tous les petits capillaires qui la parcourent comme autant de petits sillons roses.

Les fibres nerveuses de la moelle s'entourent de myéline. Il s'agit d'une substance riche en lipides qui sert de gaine isolante protectrice. Elle permet la conduction de l'influx nerveux sans risque de courts-circuits.

L'intestin de votre bébé continue à se développer. Tout en s'allongeant, il se contourne et prend sa place définitive. Une petite expansion apparaît : c'est l'appendice !

Dans l'intestin, une substance appelée *méconium*, composée de petits débris cellulaires qui flottent dans le liquide amniotique et que votre bébé avale, commence à s'accumuler. A la naissance, le bébé éliminera ce méconium. Ce sera le premier mouvement actif de son intestin.

Vous,
la future maman

A partir du 4ᵉ mois, on mesure chaque mois votre utérus avec un ruban de couturière pour contrôler la croissance du bébé. On inscrit le résultat sur votre dossier à côté des lettres H.U. qui signifient : Hauteur Utérine.

La hauteur utérine est la distance prise entre le bord supérieur du pubis et le fond de l'utérus. On sent celui-ci à la main quand la consistance ferme de l'utérus laisse place à la mollesse de l'intestin. Ce chiffre est constant pour plusieurs semaines.

A 4 mois, la hauteur utérine est de 16 cm. A 4 mois et demi, ce qui correspond au milieu de la grossesse, l'utérus arrive au nombril, soit au milieu du ventre.

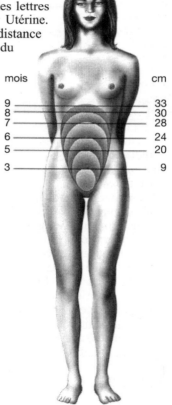

mois | cm

9 — 33
8 — 30
7 — 28
6 — 24
5 — 20
3 — 9

*Hauteur de l'utérus suivant
l'âge de la grossesse.*

Conseils

L'observation du col de l'utérus

La visite médicale du 4e mois est importante car elle permet à votre médecin d'apprécier l'état de votre col et de prendre les mesures qui s'imposent.

Votre médecin aura un œil particulièrement attentif à l'état de votre col si :

• vous avez déjà eu plusieurs accouchements ;
• si vous n'avez eu qu'un seul accouchement mais difficile ;
• si vous avez eu une interruption volontaire ou thérapeutique de grossesse ;
• si vous êtes « fille du Distilbène ».

Autant de causes pouvant provoquer une perte de tonicité musculaire dont le résultat est la *béance du col*.

Indépendamment des accouchements, la béance du col peut être provoquée par des contractions qui allaient aboutir à une fausse couche et qui ont été arrêtées grâce à un traitement approprié et du repos. Elle peut être également congénitale et ne pas avoir de raisons apparentes. C'est le cas d'un certain nombre de futures mères.

La béance du col est toujours située du côté de l'utérus et se voit très bien à l'échographie. Suivant l'état de béance, votre médecin vous conseillera un *cerclage*.

Pour votre information

Le cerclage

Le cerclage ne peut être pratiqué qu'entre la 12e et la 21e semaine d'aménorrhée, c'est-à-dire entre la 10e et la 19e semaine de grossesse. Il consiste à maintenir le col fermé par un fil très solide passé tout autour. Le cerclage est fait parfois sous anesthésie totale, mais souvent sous anesthésie locale seulement. Quelquefois, le médecin se contente de prescrire une médication à base de calmants et de barbituriques.

L'hospitalisation dure habituellement 48 heures car le fait de tirer sur le col pour le fermer peut entraîner des contractions.

Un certain nombre de précautions doivent être prises :
• désinfection du vagin avant et après l'intervention ;
• administration d'agglutinines anti-D à la future mère si elle est Rh (–) ;
• injection à la future mère, par voie intraveineuse, de substances médicamenteuses, avant, pendant et après l'intervention, pour éviter l'apparition de contractions. Le traitement est ensuite poursuivi un certain temps par voie orale.

Si l'on vous fait un cerclage, vous devrez prendre ensuite d'infinies précautions et en particulier vous reposer allongée le plus souvent possible, surtout à partir du 5ᵉ mois.

Si le cerclage vous provoque des contractions, vous devez en **avertir votre médecin au plus vite**. Il jugera de l'opportunité de vous décercler même si ce n'est pas encore le moment. C'est ce qui arrive dans 20 % des cas.

Le décerclage a souvent lieu à la 37ᵉ semaine, quelquefois plus tard. Il se fait à l'hôpital et la plupart du temps sans anesthésie. On prend les mêmes précautions que pour le cerclage. Vous avez toutes les chances d'accoucher dans les 24 heures qui suivent votre décerclage, mais il se peut aussi, si vous avez respecté toutes les recommandations de repos total, que vous accouchiez à terme.

RÉCAPITULATIF DU QUATRIÈME MOIS DE VOTRE BÉBÉ

Age de votre bébé	14e semaine	15e semaine	16e semaine	17e semaine
Sa taille.	9 cm de la tête au coccyx. 14 cm de la tête aux talons.	10 cm de la tête au coccyx. 16 cm de la tête aux talons.	11 cm de la tête au coccyx. 17,5 cm de la tête aux talons.	12 cm de la tête au coccyx. 19 cm de la tête aux talons.
Son poids.	110 g.	135 g.	160 g.	200 g.
Son développement.	La tête de votre bébé est à présent tout à fait droite. Il tourne les yeux et fronce les sourcils. Les jambes sont à présent plus longues que les bras. Apparition dans l'épiderme des corpuscules du toucher. L'intestin rentre dans la cavité abdominale. Sécrétion de l'hormone thyroïdienne.	Pseudo-mouvements respiratoires : le liquide amniotique entre puis sort des poumons.	Les oreilles sont à présent bien placées sur les côtés de la tête. La rétine est sensible à la lumière mais votre bébé garde les yeux fermés, protégés par ses paupières. Le corps de votre bébé se couvre d'un fin duvet : le lanugo.	La peau est transparente : on y voit le réseau des capillaires sanguins. Les fibres nerveuses de la moelle épinière s'entourent de myéline, conductrice de l'influx nerveux. L'appendice de l'intestin se forme. Le méconium commence à s'accumuler dans l'intestin.
Observations générales.	Des relations s'établissent entre les organes qui commencent à travailler ensemble.	L'électrocardiogramme de votre bébé est semblable à celui d'un adulte.	Votre bébé bouge. Vous ne le sentez pas encore.	La cavité amniotique contient 250 cm³ de liquide.

RÉCAPITULATIF DU QUATRIÈME MOIS DE VOTRE GROSSESSE

Age de la grossesse	14e semaine	15e semaine	16e semaine	17e semaine
Observations générales.	La cavité amniotique contient 250 cm^3 de liquide.	Si c'est votre premier bébé, vous ne sentez pas encore ses mouvements.	Votre utérus a la taille d'une noix de coco. Vous sentez votre bébé bouger.	La hauteur utérine (HU) est de 16 cm.
Symptômes possibles.	Vous êtes en forme.		Ralentissement des fonctions intestinales dû à la progestérone.	
Précautions à prendre.	Faites une visite médicale supplémentaire si vous êtes dans le cas des grossesses à risque.	Si vous avez 40 ans ou si vous attendez des jumeaux, votre grossesse est plus spécialement surveillée.	Manger des produits riches en fibres.	
Examens.	1re échographie	Quel que soit votre âge : • Recherche de l'HT 21 • Dosage d'alpha-protéines • Amniocentèse suivant le résultat de l'HT 21		S'il y a béance du col : cerclage.
Démarches.				

5ᵉ MOIS

Votre bébé est là et bien là ! Vous le sentez faire des galipettes et il ne se gêne pas pour vous lancer des coups de pieds, même en pleine nuit !

Ce 5ᵉ mois est formidable pour lui car il possède enfin toute la structure fondamentale de base de la pensée humaine. Dans son cerveau, les cellules nerveuses sont là, au nombre impressionnant d'une dizaine de milliards. Elles vont commencer à se relier les unes aux autres pour câbler cet ordinateur très élaboré qu'est le cerveau humain. Ce câblage qui va se poursuivre pendant toute l'enfance et l'adolescence dépendra essentiellement des informations qu'il recevra. Le rôle des parents en tant qu'éducateurs est alors primordial.

1e au 22 mars

18e SEMAINE de grossesse

*20e semaine depuis le premier jour
de vos dernières règles*

Début du 5e mois de grossesse

A la fin de cette semaine, vous aurez déjà fait la moitié du chemin !

Votre bébé à naître

Sa taille est de 13 cm de la tête au coccyx et de 20 cm de la tête aux talons. Son poids est de 240 g. Le diamètre de sa tête est d'environ 4,8 cm.

La peau de votre bébé commence à s'épaissir un peu mais reste quand même transparente. On peut voir sur ses doigts la marque de ses empreintes digitales. Les ongles se forment et quelques cheveux apparaissent.

Le cœur est maintenant suffisamment gros pour être entendu avec un simple stéthoscope posé sur l'abdomen de la future mère.

La multiplication des cellules nerveuses est à présent terminée. Leur nombre définitif de 12 à 14 milliards est acquis une fois pour toutes. Il commencera à diminuer progressivement dès le moment de la maturation complète du cerveau, vers l'âge de 18 ans.

Les muscles prennent de la force, aussi les mouvements de votre bébé sont-ils plus vigoureux. Vous commencez à les sentir beaucoup plus nettement.

Vous, la future maman

Comme tous les autres organes, votre glande thyroïde est plus active. Cela a pour conséquence une élévation de la température interne du corps. Vous avez souvent trop chaud et, pour ramener votre corps à une température normale, votre transpiration augmente. Ce mécanisme permet de libérer, grâce à la transpiration, l'excès de déchets produits par votre organisme et celui de votre bébé.

Cette élévation de température est inconfortable pendant les mois d'été. Aussi, si vous devez partir en vacances, choisissez en toute connaissance de cause un endroit tempéré.

Si votre grossesse se déroule en hiver, ne vous couvrez pas de façon excessive. Portez plusieurs vêtements légers que vous pourrez retirer au fur et à mesure des besoins.

Si vous transpirez beaucoup, mettez un peu de talc aux endroits les plus exposés. Il absorbera l'excès de sueur et vous évitera des échauffements et des irritations de la peau.

Conseils

A cette période de votre grossesse, vous vous sentez réellement bien. Vos nausées sont terminées et la fatigue des premiers mois est passée. Votre ventre n'est pas encore trop encombrant. Vous vous sentez active et avez envie d'entreprendre et de bouger. Par ailleurs, votre bébé est maintenant bien installé et vous ne craignez plus de fausse couche. *C'est donc le moment pour vous de faire des choses un peu fatigantes* que vous ne pourrez plus faire quand votre grossesse aura encore évolué, en particulier à partir du 6e mois.

Si vous envisagez de déménager, de rénover votre appartement, c'est le moment.

C'est aussi la période idéale pour faire des voyages.

Voyages et vacances

Où que vous alliez, si vous décidez de faire un voyage ou de partir en vacances, ne vous embarquez pas sans l'accord de votre médecin.

Les transports

Vous pouvez prendre le train ou l'avion sans problèmes mais sachez que les compagnies d'aviation refusent les femmes enceintes à partir du 8ᵉ mois.

Le mode de transport le moins bien adapté est finalement la voiture. Non seulement les soubresauts continuels peuvent déclencher des contractions mais de plus, le risque d'accident est important. Or, tout choc peut avoir des conséquences graves.

En voiture, ayez toujours la *ceinture de sécurité*. Placez-la de telle façon qu'elle passe au-dessus et au-dessous de votre ventre. Ne la mettez jamais sur votre ventre car en cas de choc, elle comprimerait dangereusement votre utérus. Ne faites jamais un long trajet mais procédez par petites étapes pour vous reposer pendant les haltes. Ne mangez pas trop.

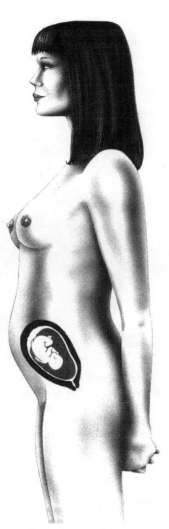

Vous, 18 semaines après votre fécondation.

*En voiture, ayez toujours votre ceinture
de sécurité attachée et placée au-dessus
et au-dessous de votre ventre.*

Vous pouvez conduire vous-même, rien ne s'y oppose, excepté le risque de chocs. Une extrême prudence est donc de rigueur. Roulez doucement pour éviter les coups de frein intempestifs devant un obstacle inattendu. N'oubliez jamais que la moindre émotion ou la moindre secousse provoque dans votre sang une décharge hormonale pouvant être à l'origine de contractions utérines. Sachez également que l'état de grossesse ralentit vos réflexes.

Quel que soit le mode de transport adopté, ne partez pas sans prendre avec vous des suppositoires antispasmodiques prescrits par votre médecin. Ils seront utiles dans le cas de douleurs ou de tiraillements dans le bas-ventre ou, pire, de contractions.

Bien choisir l'endroit de ses rêves

Faites des choses raisonnables. Ce n'est pas le moment de faire des excentricités et de vouloir faire à tout prix un trekking au Népal ou une randonnée à bicyclette.

Avant de partir, vous devez vous assurer d'un *minimum de précautions* :
• vous devez pouvoir vous reposer. Aussi, évitez les circuits touristiques où vous êtes en déplacement continuel ;
• votre régime alimentaire doit être correct. N'oubliez pas l'importance de votre alimentation pour une bonne croissance de votre bébé ;
• vous devez vous renseigner sur la présence d'un médecin non loin du lieu de votre séjour. Si votre départ a lieu autour du 6e mois et à plus forte raison après, assurez-vous de la *proximité* d'un hôpital bien équipé. Un accouchement prématuré est toujours possible ;
• emportez avec vous le double de votre dossier que vous constituerez avec le double des ordonnances et examens ;
• ne vous inscrivez pas dans un endroit nécessitant des vaccins irréalisables en ce moment. Pour cette raison, évitez les pays tropicaux.

Si vous allez au bord de la mer

Marchez beaucoup dans l'eau. L'eau de mer vous fouettera les jambes et activera votre circulation sanguine.

Nagez. La natation est un des meilleurs sports pour la femme enceinte. L'eau fraîche vous tonifie et vous porte, rendant les mouvements plus aisés.

Protégez-vous du soleil. Votre peau est plus fragile pendant tout le temps de votre grossesse. Le soleil accentue les traces brunes irrégulières qui forment le masque de grossesse. De plus, il dilate les vaisseaux sanguins et favorise l'apparition de couperose sur le visage, de varicosités et même de varices, sur les jambes. La grossesse prédisposant aux mêmes phénomènes, évitez d'en accentuer les effets.

Pour votre information

Les vaccins

Les vaccins autorisés

Ce sont ceux faits avec des microbes inactivés ou tués. Il s'agit des vaccins contre la poliomyélite mais uniquement sous forme injectable, contre le choléra, le tétanos et la grippe.

Les vaccinations antigrippale et antipoliomyélitique sont d'autant plus importantes que les anticorps qu'elles font apparaître passent à travers le placenta et protègent le bébé durant sa première année.

Les vaccins interdits

Ce sont ceux élaborés à partir de virus vivants atténués. Il s'agit des vaccins contre la poliomyélite sous forme buvable, contre la variole, la rubéole, la rage, la typhoïde, la fièvre jaune.

La prévention du paludisme

Le paludisme est dangereux pour les femmes enceintes car la forte fièvre qu'il provoque risque de déclencher une fausse couche.

Si vous partez dans un pays tropical, vous devez le signaler à votre médecin qui vous prescrira un traitement à titre préventif. Suivez bien ses instructions quant aux doses et à la durée des prises.

Surtout, ne prenez rien sans prescription médicale, certains antipaludéens étant interdits à la femme enceinte.

La prévention du paludisme n'est pas uniquement médicamenteuse. Elle commence par des gestes simples :
• couvrir bras et jambes pour éviter au maximum de se faire piquer par des moustiques, vecteurs de la maladie ;
• pulvériser sur ses vêtements des produits qui font fuir les insectes.

19e SEMAINE de grossesse

*21e semaine depuis le premier jour
de vos dernières règles*

5e mois de grossesse

Savez-vous comment votre bébé occupe ses journées ? Il dort !

Votre bébé à naître

Sa taille est de 14 cm de la tête au coccyx et de 21,5 cm de la tête aux talons. Son poids est de 335 g. Le diamètre de sa tête est aux environs de 5,1 cm. La tête et le cou représentent actuellement le tiers de la longueur de l'ensemble du corps.

Votre bébé est maintenant très actif. Il bouge bras et jambes et fait même de véritables ruades. Suspendu à son cordon, il pédale, se retourne et fait d'innombrables galipettes. Il aime changer de position et se déplacer et pour cela pousse avec ses pieds sur la paroi de l'utérus ! Sur votre ventre, soudain une bosse apparaît : c'est votre bébé qui se frotte contre vous. Cette bosse qui bouge, c'est peut-être un pied, un bras, sa tête. Caressez doucement cette petite bosse pour montrer à votre bébé que vous savez que c'est lui.

Votre bébé dort environ 16 à 20 heures sur 24. Il commence à avoir des phases de sommeil profond et de sommeil léger. Pendant les périodes de sommeil léger, une tape sur votre abdomen peut le faire sursauter. Les périodes de sommeil et de veille peuvent être appréciées par l'observation de son activité motrice et de son rythme cardiaque. Elles ne correspondent pas au rythme du sommeil de la mère. Aussi, pouvez-vous être réveillée en pleine nuit par votre bébé qui ne dort pas et s'agite. Caressez doucement votre ventre. Il se calmera et peut-être pourrez-vous vous rendormir !

Vous, la future maman

Vous vous essoufflez rapidement. Vos organes travaillant davantage, vous libérez beaucoup plus de gaz carbonique. De surcroît, vous devez éliminer le gaz carbonique de votre bébé et lui apporter de l'oxygène. Pour cela, vous respirez plus rapidement. Cette hyperventilation vous rend plus fatigable à l'effort.

La difficulté à respirer s'explique également par le fait que l'utérus en augmentant de volume repousse la masse abdominale vers le haut, appuie alors sur le diaphragme et diminue le volume de la cage thoracique.

Votre cerveau est plus sensible au niveau plus élevé de gaz carbonique qui circule dans votre sang. Cela peut vous provoquer quelques **éblouissements**.

Conseils

Prévention essoufflement

Pour pallier la tendance à l'essoufflement qui va encore s'accentuer les mois suivants :
• réduisez au maximum les efforts physiques ;
• si vous avez la sensation d'étouffer, libérez votre diaphragme en faisant cet exercice : couchée sur le dos, jambes

POUR MIEUX RESPIRER

Pieds bien collés au sol : étirez votre cage thoracique pour libérer le diaphragme.

pliées, inspirez en levant les bras au-dessus de la tête pour bien étirer votre cage thoracique. Puis expirez en ramenant les bras le long du corps. Faites ainsi plusieurs respirations lentes et régulières jusqu'à ce que vous ayez retrouvé votre souffle. Vous pouvez faire cet exercice debout, en maintenant bien les pieds collés au sol pendant l'inspiration ;

• commencez sans tarder les exercices respiratoires qui vous seront utiles au cours de votre grossesse et surtout au moment de l'accouchement.

Pour votre information

Le contrôle de votre respiration

Ne perdez pas de temps. Commencez dès maintenant les exercices de gymnastique préparatoire à l'accouchement. Leur bon résultat tient à la facilité avec laquelle vous les ferez, aussi n'attendez pas les cours d'accouchement sans douleur qui commencent beaucoup trop tard.

Une respiration, c'est une inspiration, une expiration, un temps de repos. A une respiration succède une autre respiration. Le muscle principal de la respiration est le diaphragme sur lequel reposent le cœur et les poumons. C'est son mouvement qui permet de percevoir la respiration abdominale.

Vous ferez tous les exercices de respiration, couchée sur le dos, les jambes fléchies, pieds à plat sur le sol.

La respiration abdominale

La prise de conscience de la respiration abdominale est nécessaire pour l'exécution de la respiration complète.

• Mettez une main sur le ventre et l'autre sur la poitrine pour bien sentir les mouvements de l'air qui va circuler.

- Expirez à fond.
- Bouche fermée, inspirez en gonflant votre ventre. La main qui y est posée doit se soulever tandis que celle qui est sur votre poitrine doit à peine bouger.
- Bouche ouverte, expirez lentement en abaissant progressivement la paroi abdominale.

La respiration complète

- Expirez à fond.
- Bouche fermée, inspirez lentement en gonflant l'abdomen.
- Continuez d'inspirer en gonflant la poitrine.
- Marquez un temps de repos en fin d'inspiration.
- Bouche ouverte, expirez ensuite lentement. Videz d'abord la poitrine puis le ventre.
Faire l'exercice 3 fois de suite avec un temps de repos de quelques secondes entre chaque.

La respiration thoracique

C'est celle que vous allez surtout travailler car ce sont les variantes de cette respiration que vous allez utiliser pendant l'accouchement.
- Posez une main sur le ventre, l'autre sur la poitrine.
- Expirez à fond.
- Bouche fermée, inspirez en gonflant la poitrine. La main posée sur le ventre doit à peine bouger tandis que celle placée sur la poitrine se soulève.
- Marquez un léger temps d'arrêt.
- Bouche ouverte, expirez lentement, en abaissant progressivement la cage thoracique.

Votre entraînement respiratoire en vue de l'accouchement porte sur les exercices suivants. Entre chaque exercice, vous ferez une respiration complète.

La respiration superficielle

Utile pendant les contractions de la dilatation.
• Bouche fermée ou entrouverte, inspirez puis expirez doucement mais rapidement. Seule la partie supérieure du thorax doit bouger.
• Rythmez bien votre respiration : le temps d'inspiration doit être égal au temps d'expiration.
• Entraînez-vous de façon à maintenir cette respiration plusieurs dizaines de secondes. En fin de grossesse, vous devriez tenir près de 60 secondes.

La respiration bloquée

Utile pendant l'expulsion.
• Bouche fermée, inspirez à fond.
• Au sommet de l'inspiration, retenez votre souffle et comptez mentalement jusqu'à 10.
• Bouche ouverte, expirez violemment.
• Entraînez-vous pour arriver à retenir votre souffle 30 secondes.

L'expiration forcée

Il est à noter que la respiration bloquée est de moins en moins préconisée au moment de l'expulsion. On lui préfère actuellement l'expiration forcée, c'est-à-dire une expiration lente et continue qui permet un meilleur relâchement du périnée.

20ᵉ SEMAINE de grossesse

*22ᵉ semaine depuis le premier jour
de vos dernières règles*

5ᵉ mois de grossesse

*Si votre bébé est une fille, elle possède déjà l'essentiel pour
faire de futurs bébés !*

Votre bébé à naître

Sa taille est de 15 cm de la tête au coccyx et de 22,5 cm
de la tête aux talons. Son poids est de 385 g. Le diamètre
de sa tête est de 5,4 cm. Comme l'ensemble du corps
grandit et grossit, la tête de votre bébé paraît moins volumineuse proportionnellement. La circonférence de la tête évolue de façon étroitement parallèle au développement du
cerveau.

Si votre bébé est un garçon, son scrotum, que l'on a coutume d'appeler familièrement « les bourses », est encore
solide. Si c'est une fille, le vagin commence à se former.
Les ovaires contiennent déjà des îlots d'ovogonies, cellules
sexuelles primitives. Votre bébé fille possède actuellement
près de 6 millions d'œufs ! A ce stade précoce de développement, un très grand nombre vont commencer à dégénérer
et au moment de la naissance, il en restera environ un mil-
lion (voir page 16).

Le pancréas commence à fabriquer de l'insuline. L'insuline est une hormone très importante puisqu'elle permet la
régulation du taux de sucre dans le sang. Quand le taux de

sucre dépasse la normale de 1 g par litre de sang, par manque d'insuline, apparaissent les troubles du diabète.

Le liquide amniotique se stabilise aux environs de 500 cm³ par un courant continu d'échanges entre la mère et son bébé.

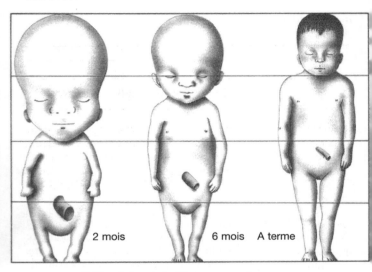

2 mois   6 mois   A terme

Taille relative de la tête par rapport au corps.

Vous, la future maman

Votre appétit va bon train !

Mangez en fonction de votre faim, qui est bien sûr plus importante depuis que vous êtes enceinte, mais n'en profitez pas pour vous laisser aller à la gourmandise. Ce regain d'appétit est la réponse naturelle au changement survenu dans votre métabolisme. Vous brûlez quotidiennement 500 à 600 calories supplémentaires pour vos propres besoins.

C'est inutile de contrôler votre poids plus d'une fois par semaine mais si vous ne pouvez résister au désir impérieux de nourriture, pesez-vous tous les deux jours : la balance se chargera de vous rappeler à l'ordre !

Conseils

Périnée : attention fragile

Le périnée est un ensemble de muscles et de ligaments compris entre le vagin et le rectum. Ils maintiennent en place la vessie et l'utérus et soutiennent le contenu abdominal en fermant complètement le petit bassin. Ils laissent seulement passer les artères et les veines ainsi que les conduits urinaire, génital et anal.

Ces muscles et ligaments sont très sollicités pendant la grossesse et l'accouchement. S'ils manquent de souplesse, ils peuvent se distendre au point de perdre ensuite toute tonicité ou même de se déchirer. Le résultat est un *prolapsus*, plus couramment appelé « descente d'organes ».

Si vous avez quelques pertes d'urine au cours des 6 premiers mois de votre grossesse, alors que vous faites un effort, que vous riez ou toussez, vous avez besoin d'une rééducation du périnée sous peine d'incontinence, d'importance variable, dans les semaines qui suivront l'accouchement.

Que vous ayez ou non des pertes d'urine, faites tous les jours des exercices pour tonifier et assouplir votre périnée. C'est une *prévention indispensable*.
• L'accouchement sera plus facile car vous saurez décontracter le périnée au moment de l'expulsion.
• Vous aurez plus de chance d'éviter une épisiotomie, c'est-à-dire l'incision de la peau et du muscle pratiquée pour éviter une déchirure lors de l'expulsion.

• Vous préserverez votre tonus vaginal, indispensable à une bonne vie sexuelle.

N'hésitez pas à consulter un service d'uro-dynamique comme il en existe dans chaque grande ville, au moindre signe de «fuites» pendant les deux premiers trimestres de votre grossesse. Votre médecin vous indiquera celui de votre ville.

Si votre périnée souffre pendant l'accouchement, les conséquences peuvent être :
• une incontinence urinaire plus ou moins importante. Ce qui est le cas de 30 % des accouchées qui ont parfois des pertes d'urine au cours d'efforts ou tout simplement en riant ou en toussant. Pour la majorité d'entre elles, cet état est provisoire mais 10 % doivent effectuer une rééducation des muscles périnéaux si elles ne veulent pas rester incontinentes ;
• une béance de la vulve ;
• une sensation de pesanteur au niveau du petit bassin.

Après l'accouchement, vous pouvez bénéficier d'une dizaine de séances de rééducation, prises en charge par la Sécurité sociale après entente préalable. Votre médecin ou une sage-femme consultés vous orienteront vers un kinési-thérapeute pour cette rééducation. Vous ferez ensuite, quotidiennement chez vous, les exercices appris.

La rééducation abdominale ne pourra être entreprise qu'une fois le périnée totalement récupéré.

Pour votre information

| **La préparation du périnée pour l'accouchement** |

C'est surtout au moment de l'expulsion que le périnée peut souffrir. En particulier, si la femme qui accouche pousse avant la dilatation complète ou si elle pousse en contractant les muscles du périnée et en bloquant sa respiration. Le périnée tendu s'oppose à la force de l'expulsion et se distend d'autant plus. D'où l'importance d'apprendre à reconnaître les muscles périnéaux et de savoir les contracter et les relâcher avec l'aide de la respiration.

La prise de conscience du périnée

Simulez le fait de retenir le besoin d'aller à la selle puis celui d'uriner. L'ensemble des muscles que vous sentez se contracter à l'arrière, puis vers l'avant, constitue le périnée.

Les exercices de préparation du périnée

• Assise en tailleur, mettez une main sur le périnée et les muscles abdominaux complètement détendus, contractez-le en commençant vers l'arrière et en continuant vers le vagin.
• Maintenez la contraction 5 secondes avant de relâcher pendant une dizaine de secondes. Poussez ensuite sur le périnée comme si vous vouliez pousser votre main : le périnée s'ouvre.

Quand vous arriverez à faire cet exercice facilement, entraînez-vous en coordonnant la respiration.
• Inspirez brièvement tout en contractant le périnée.
• Expirez longuement pendant la décontraction et l'ouverture du périnée.

Cet exercice vous sera précieux au cours de l'accouchement, au moment de l'expulsion, car il détend la vulve et le périnée, favorisant ainsi la venue au monde de votre bébé.

Faites ces exercices 2 à 3 fois par semaine à défaut de pouvoir les faire tous les jours, jusqu'à l'accouchement.

A tout moment de la journée et en n'importe quelle circonstance, assise ou debout, faites des séries de 10 contractions du périnée plusieurs fois par jour.

La musculation abdominale

Pour aborder votre futur accouchement avec confiance, autant que pour garder la forme pour les mois à venir, commencez dès maintenant les exercices musculaires. Par un entraînement régulier, vous allez entretenir le tonus et l'élasticité de vos muscles. Non seulement, vous vous fatiguerez moins dans les derniers mois de votre grossesse mais en plus, vous retrouverez plus rapidement la ligne après l'accouchement.

Essayez de respecter ces quelques règles de base :
• faites vos exercices régulièrement. Un peu tous les jours ;
• Votre entraînement doit être progressif car il ne doit pas être source de fatigue supplémentaire. Au début, vous ne ferez chaque mouvement que 1 ou 2 fois par jour et ensuite, lorsqu'ils vous sembleront faciles, vous irez jusqu'à 6, puis 10 ;
• ne faites jamais d'exercice pendant la digestion ;
• alternez exercices respiratoires et exercices musculaires.

Exercice nº 1

• Couchée sur le dos, jambes fléchies, pieds à plat sur le sol, bras écartés.
• Inspirez en levant les jambes à la verticale.
• Expirez en abaissant les jambes. Reposez les pieds au sol.

Exercice n° 2

• Couchée sur le dos, jambes pliées, bras écartés.
• Basculez vos jambes, toujours pliées, d'un côté puis de l'autre, jusqu'au sol, par un mouvement de torsion.

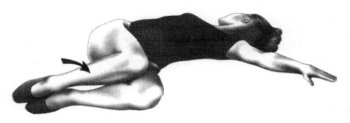

Exercice n° 3

• Allongée sur le dos, jambes fléchies, pieds à plat sur le sol, bras écartés.
• Soulevez les épaules et légèrement le thorax.
• Tenez la position 5 secondes, puis relâchez.
• Respirez en vous reposant sur le dos.
• Répétez le mouvement 5 ou 6 fois.

Vous arrêterez les exercices musculaires lorsque leur pratique commencera à être pénible.

21e SEMAINE de grossesse

23e semaine depuis le premier jour
de vos dernières règles

5e mois de grossesse

Chose incroyable : votre bébé suce son pouce !

Votre bébé à naître

Sa taille est de 16 cm de la tête au coccyx et de 24 cm de la tête aux talons. Son poids est de 440 g. Le diamètre de sa tête sera à la fin de la semaine aux environs de 5,8 cm.

Les ongles de votre bébé poussent ainsi que le fin duvet qui recouvre maintenant tout son corps. Ses cheveux commencent à recouvrir sa tête. Ils sont encore clairsemés et fins comme de la soie.

Depuis quelques semaines déjà, votre bébé ouvrait la bouche, la refermait et simulait avec ses lèvres quelques mouvements de succion. Parallèlement, il était capable de tourner la tête et de lever les bras. Cette fois, ça y est ! Il réussit à attraper son pouce avec la bouche. Il va s'exercer à perfectionner le réflexe de succion et sera ainsi parfaitement au point à sa naissance alors qu'il devra téter.

Les alvéoles pulmonaires continuent leur développement et les mouvements respiratoires deviennent plus fréquents. Ils sont irréguliers et rapides car encore mal coordonnés.

Le placenta

A ce stade de votre grossesse, le placenta qui croît depuis le début est définitivement constitué.

Au cours du 4e mois sont apparues un certain nombre de cloisons faisant saillie dans les lacs sanguins (voir figure page 149). Ce sont les *septa intercotylédonaires*. Ces cloisons, qui ont poursuivi leur croissance jusqu'à ce 5e mois, ont un axe constitué de tissu maternel recouvert en surface par une couche de tissu très mince d'origine fœtale. Par suite de la présence des septa, le placenta est divisé en un certain nombre de compartiments appelés par les accoucheurs : les *cotylédons*.

Jusqu'à la fin du 4e mois, le placenta a poussé à la fois en épaisseur et en circonférence. A présent, il change peu en épaisseur mais continue à s'élargir. Si, au 3e mois, le diamètre était de 6 cm, en fin de grossesse, il sera de 15 à 25 cm pour une épaisseur de 3 cm environ. L'augmentation en épaisseur du placenta est due à la croissance en longueur des villosités, ce qui entraîne un élargissement des espaces intervilleux remplis du sang maternel.

Extérieurement, le placenta est à présent un organe en forme de disque, attaché à la paroi utérine par sa face maternelle qui présente, en gros, une vingtaine de renflements qui représentent les cotylédons. La face fœtale du placenta est lisse et brillante, complètement tapissée par une membrane sur laquelle on voit courir de gros vaisseaux artériels et veineux qui sont les branches terminales des vaisseaux ombilicaux qui se rejoignent au niveau du cordon ombilical. A la périphérie, le placenta se continue avec les « membranes » formées, entre autres, par l'amnios et le chorion.

L'implantation du cordon ombilical n'est généralement pas au centre du disque placentaire.

A partir du 4e mois et au fur et à mesure que la grossesse avance, la membrane des villosités s'amincit énormément. Cela permet une augmentation considérable du taux des échanges entre mère et enfant. C'est cette membrane d'échanges entre sang maternel et sang fœtal qui est souvent appelée *la barrière placentaire*.

L'eau traverse la barrière placentaire très rapidement dans les deux sens puisque environ 99 % de l'eau et des sels minéraux qui parviennent au bébé retournent à la mère.

Vous, la future maman

Le volume de votre masse sanguine a beaucoup augmenté. Votre bébé grandit, aussi faut-il le nourrir davantage, c'est pourquoi 25 % de la masse sanguine sont directement utilisés par le système placentaire.

Cet accroissement de la masse sanguine peut vous occasionner quelques troubles dus à la difficulté de la circulation à remonter vers le cœur :
• *petits saignements du nez et des gencives* dus à la pression exercée par la masse sanguine sur les capillaires ;
• *fourmillements* dans les membres, *jambes lourdes, varices, hémorroïdes*. La dilatation de petits capillaires est visible sur la peau par l'apparition de tout un réseau de petites lignes rouges localisées au visage, aux épaules, aux bras, à la poitrine mais surtout aux jambes. Ce sont les fameuses *varicosités* qui atteignent les 2/3 des femmes blanches et le 1/3 des femmes noires. Elles disparaissent habituellement après la délivrance.

L'augmentation de la masse sanguine surcharge et dilate les veines qui ont tendance à un relâchement de leur tonus d'où une **diminution de la pression artérielle**. La diminution de la pression artérielle peut provoquer des *malaises* tels que *sensation de faiblesse et vertiges*.

Tous ces troubles vont s'accentuer ou risquent d'apparaître au cours du dernier trimestre de la grossesse. C'est pourquoi il est bon de les connaître dès maintenant afin de les prévenir, autant que faire se peut.

Conseils

Pour soulager

Jambes lourdes, varices

• Dès que possible, mettez les jambes en position haute afin que le sang de retour ne stagne pas dans les veines et ne les dilate de plus en plus. Pour cela, allongez-vous sur le sol près d'un mur et levez vos jambes en les appuyant sur celui-ci.
• La nuit, essayez de dormir les jambes le plus relevées possible.
• Il est conseillé de se coucher sur le côté gauche pour dégager les gros vaisseaux de la compression exercée sur eux par l'utérus.

Prévention varices

Il faut éviter tout ce qui a tendance à freiner la circulation par dilatation des veines :
• pas de station debout prolongée ;
• pas de compression au niveau des jambes, par des chaussettes par exemple ;
• pas de bains chauds, de soleil, de chauffage par le sol, d'épilation à la cire ;
• marchez chaque jour pour tonifier vos muscles qui agissent sur le système veineux et aident le sang à remonter.

En cas de varices importantes, le médecin vous prescrira des bas à varices qui compensent le manque de tonus veineux et empêchent les dilatations de s'accentuer. Ils sont remboursés par la Sécurité sociale.

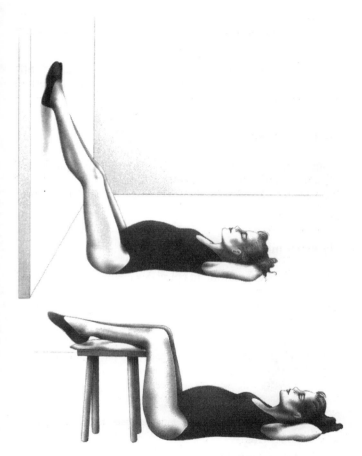

POUR SOULAGER JAMBES LOURDES ET VARICES

Les hémorroïdes

Ce sont des varices qui apparaissent autour de l'anus. Chez la femme enceinte, elles sont dues à une mauvaise circulation mais également à la compression du bassin par l'utérus.

Vous pourrez être soulagée par des pommades spécialisées et des toniques veineux à base de marron d'Inde, en solution buvable, prescrits par votre médecin.

Adaptez votre alimentation pour éviter la constipation (voir page 119). Si malgré tout vos selles sont dures, utilisez, avant de les évacuer, des suppositoires à la glycérine. Cela limitera vos efforts, cause d'irritations.

Les varices vulvaires

Moins fréquentes que les hémorroïdes, elles apparaissent sur une ou les deux grandes lèvres qui, gonflées, portent à leur surface des veines dilatées. Elles disparaîtront après l'accouchement.

Les petits malaises

Ils se manifestent surtout au cours des changements de position. Aussi, lorsque vous êtes allongée, ne vous levez pas brutalement. Passez d'abord par la position assise avant de vous lever doucement.

Etant allongée : tournez-vous sur le côté, puis aidez-vous des mains pour vous asseoir.

Pour votre information

> **La fonction endocrine du placenta**

Non seulement le placenta remplace tous les organes essentiels non encore fonctionnels du bébé, mais de plus c'est une énorme glande qui fabrique et sécrète des hormones indispensables au maintien et au développement de la grossesse. Depuis le 4ᵉ mois, le placenta a complètement remplacé le corps jaune de l'ovaire et sécrète la *gonadotrophine chorionique*, la *progestérone*, des *estrogènes* et la *prolactine* ou *hormone galactogène*.

La progestérone

Le taux de cholestérol maternel a beaucoup augmenté du fait de la grossesse. Il circule normalement dans le sang et est capté par des récepteurs spéciaux situés sur le placenta qui va l'utiliser comme matière première pour la production de grandes quantités d'hormone. Cette hormone est la progestérone qui influe sur le maintien de la grossesse, la modification des seins et le relâchement des muscles lisses.

Une partie de la progestérone est utilisée par le bébé pour la fabrication d'autres hormones, en particulier l'adrénaline, hormone du stress, et la testostérone, hormone sexuelle mâle.

Les estrogènes

Pour fabriquer les estrogènes, le placenta a besoin de l'aide directe et active du bébé.

Les glandes surrénales du bébé à naître, ces petites masses qui coiffent la partie supérieure des reins, fabriquent une hormone androgène, c'est-à-dire de type mâle. En circulant à travers le placenta pour aller vers la mère, cette hormone est changée en hormones de type femelle : les estrogènes.

Un estrogène particulier : l'*estriol*, provoque chez la mère la synthèse d'une hormone stimulant la fonction galactogène des seins. C'est la prolactine. 90 % de tout l'estriol fabriqué dérivent de ces précurseurs fœtaux que sont les estrogènes.

De cette façon indirecte, votre bébé assure lui-même ses futurs repas pour après sa naissance !

22ᵉ SEMAINE de grossesse

24ᵉ semaine depuis le premier jour de vos dernières règles

5ᵉ mois de grossesse

Si vous pouviez voir votre bébé : il est tout ridé !

Votre bébé à naître

Sa taille est de 17 cm de la tête au coccyx et de 26 cm de la tête aux talons. Son poids est de 500 g. Le diamètre de sa tête est maintenant aux environs de 6,1 cm. C'est encore la plus grande structure bien que le reste du corps continue à se développer. Dans l'ensemble, votre bébé est encore très maigre et tout en longueur.

Sa peau s'est épaissie et de ce fait est moins transparente. On ne voit plus tout le réseau veineux qui la parcourt. Elle est rouge et comme elle a grandi avant que n'apparaisse la graisse sous-cutanée, elle est toute fripée. Des glandes séba-cées se sont mises en place dans la peau et commencent à sécréter une substance claire et graisseuse qui va la recou-vrir peu à peu. C'est le *vernix caseosa*. Il a pour rôle de pro-téger la peau du bébé qui macère dans le liquide amniotique pendant plusieurs mois.

Les yeux de votre bébé sont toujours fermés, recouverts par les paupières qui possèdent à présent des cils. Au-dessus des yeux, les sourcils sont bien dessinés. Sous ses paupières baissées, les yeux de votre bébé poursuivent leur maturation. L'iris se pigmente et votre bébé a déjà des yeux en couleur. Marron, bleus ou verts ? Vous n'aurez la réponse que le jour de sa naissance. Et encore, ce n'est pas certain, car la couleur est toujours imprécise durant plusieurs semaines.

Vous, la future maman

Vos reins travaillent beaucoup plus pour éliminer les toxines qui circulent dans votre sang. Vos propres déchets sont plus importants qu'avant votre grossesse car ils résultent d'une élévation de votre métabolisme directement liée à la grossesse. Quant aux déchets de votre bébé, ils augmentent au fur et à mesure qu'il grandit.

En raison de cette recrudescence de travail jointe à l'accroissement du volume sanguin à filtrer, vos reins ont augmenté de taille. Et comme, de surcroît, le taux élevé de progestérone qui circule dans votre sang a tendance à freiner les fonctions rénales, il est tout à fait recommandé de surveiller de près le fonctionnement de vos reins et de boire beaucoup pour les aider à éliminer au mieux afin d'éviter des infections urinaires ou pire, une toxémie gravidique.

Conseils

Surveillez le fonctionnement de vos reins

Vous êtes la mieux placée pour surveiller le bon déroulement de votre grossesse. Ne laissez passer aucun événement pouvant survenir tel que fatigue inhabituelle ou fièvre. C'est peut-être le signal d'alarme indiquant une maladie liée à la grossesse pouvant entraîner une souffrance fœtale importante, voire une fausse couche, ce qui serait dramatique à ce stade de votre grossesse.

Contrôlez régulièrement vos urines

C'est indispensable pour détecter toute souffrance des reins dont une des conséquences peut être la *toxémie gravidique*, maladie grave surtout pour la mère mais pas anodine pour l'enfant.
• Vous devez contrôler l'absence d'albumine et de sucre tous les mois pendant les 6 premiers mois, puis tous les 15 jours le 7e et 8e mois et enfin toutes les semaines, le dernier mois. Si vous attendez des jumeaux, faites une analyse tous les 15 jours à partir de maintenant jusqu'au terme.
• Vous pouvez faire cette recherche vous-même à l'aide d'une bandelette-test vendue en pharmacie. Au moindre doute, **voyez votre médecin** qui vous fera faire un contrôle par un laboratoire. Ce contrôle est remboursé par la Sécurité sociale.
• Pour tout signe de grippe ou d'intoxication alimentaire, faites une vérification d'urine car les maladies infectieuses et les intoxications prédisposent à l'albuminurie.
• Evitez les causes prédisposant à l'albuminurie comme le froid humide, le surmenage et la fatigue.
• Si vous présentez des gonflements au niveau des extrémités : pieds, doigts, vos reins sont peut-être en cause. **Voyez votre médecin sans tarder.**

Pour votre information

La toxémie gravidique

C'est une maladie directement liée à la grossesse qui se manifeste par des œdèmes, c'est-à-dire des gonflements, des extrémités notamment, une prise de poids excessive, une augmentation de la pression artérielle et de l'albumine dans les urines. Ces symptômes traduisent une anomalie du fonctionnement des reins.

La toxémie gravidique atteint plus particulièrement les jeunes femmes aux alentours d'une vingtaine d'années et celles qui attendent leur premier enfant. La date d'apparition des troubles est tardive. Vous devez être particulièrement vigilante au 3e trimestre et surtout en fin de grossesse.

Si la toxémie n'est pas traitée, elle peut être à l'origine de graves complications comme l'*éclampsie* qui est un œdème du cerveau suivi de coma grave. Aujourd'hui, l'éclampsie a pratiquement disparu du fait de la surveillance médicale continue de la grossesse. Néanmoins, si vous éprouvez des maux de tête, des douleurs au niveau de l'estomac, des sensations de mouches volantes devant les yeux, **consultez votre médecin en urgence**.

Non traitée, la toxémie gravidique peut entraîner pour le bébé une *hypotrophie*, c'est-à-dire un mauvais développement plus ou moins important. Né à terme, il risque de peser moins de 2,500 kg, parfois à peine plus d'un kilo dans les cas graves. Il est à noter que ses besoins caloriques sont ceux de son âge et ne correspondent pas à son poids. Il faudra donc l'alimenter comme un enfant pesant 3 kg.

Le traitement de la toxémie gravidique

Il consiste en un traitement médicamenteux prescrit par votre médecin qui exigera en outre un repos absolu en position allongée. Votre tension sera particulièrement surveillée.

Les symptômes de la toxémie disparaissent progressivement avec le traitement et la grossesse peut se poursuivre sans problèmes pour la mère et l'enfant.

RÉCAPITULATIF DU CINQUIÈME MOIS DE VOTRE BÉBÉ

Age de votre bébé	18e semaine	19e semaine	20e semaine	21e semaine	22e semaine
Sa taille.	13 cm de la tête au coccyx. 20 cm de la tête aux talons.	14 cm de la tête au coccyx. 21,5 cm de la tête aux talons.	15 cm de la tête au coccyx. 22,5 cm de la tête aux talons.	16 cm de la tête au coccyx. 24 cm de la tête aux talons.	17 cm de la tête au coccyx. 26 cm de la tête aux talons.
Son poids.	240 g.	335 g.	385 g.	440 g.	500 g.
Son développement.	Les empreintes digitales sont visibles. Ongles en formation. Quelques cheveux apparaissent. La multiplication des cellules nerveuses est terminée. Il y en a 12 à 14 milliards. Les muscles prennent de la force.	Votre bébé dort 16 à 20 h sur 24 h. Il a des phases de sommeil profond et de sommeil léger. Entre 2 sommes, votre bébé est très actif.	Si votre bébé est une fille, le vagin se forme. Les ovaires contiennent 6 millions de cellules sexuelles primitives. Le pancréas commence à fabriquer de l'insuline.	Ongles, duvet et cheveux poussent. Votre bébé suce son pouce. Les mouvements respiratoires sont plus fréquents mais irréguliers.	La peau s'épaissit. Elle est frippée car votre bébé n'a pas encore de graisse. Des glandes sébacées sécrètent le vernix caseosa qui protège la peau du bébé. Les paupières, toujours fermées, ont des cils. Les sourcils sont bien dessinés. L'iris de l'œil se pigmente.
Observations générales.	Le cœur de votre bébé est assez gros pour être entendu avec un simple stéthoscope.	La cavité amniotique contient à présent 500 cm^3 de liquide.	A partir de cette semaine et jusqu'à sa naissance, le cerveau de votre bébé va grossir de 90 g par mois.	Le placenta est définitivement constitué.	Le sexe de votre bébé est visible à l'échographie.

RÉCAPITULATIF DU CINQUIÈME MOIS DE VOTRE GROSSESSE

Age de la grossesse	18e semaine	19e semaine	20e semaine	21e semaine	22e semaine
Observations générales.	Votre glande thyroïde est plus active, ce qui provoque une élévation de la température du corps.		Vous brûlez 500 à 600 calories supplémentaires chaque jour.	Accroissement important de votre masse sanguine. Votre utérus à la taille d'un melon HU = 20 cm	Vos reins ont augmenté de taille car ils ont un travail accru.
Symptômes possibles.	Chaleur excessive. Transpiration. Irritations de la peau.	Vous vous essoufflez rapidement. Vous êtes fatigable à l'effort. Quelques éblouissements possibles.		Dus à une mauvaise circulation sanguine : • petits saignements du nez et des gencives, • fourmillements dans les membres, • jambes lourdes, • varices, • hémorroïdes.	Dus à une diminution de la pression artérielle : • malaises, • sensations de faiblesse, • vertiges.
Précautions à prendre.	Bien choisir son lieu de vacances en fonction : • de la chaleur, • des vaccins, • des transports.	Commencer les exercices respiratoires.	Méfiez-vous de votre appétit. Commencez à préparer : • votre périnée, • votre musculature abdominale.	Prévention varices.	Contrôlez régulièrement vos urines. Voyez votre médecin si vos doigts ou vos pieds sont gonflés.
Examens.	Fœtoscopie s'il y a une maladie héréditaire grave dans la famille.		2e échographie.		
Démarches.					

6ᵉ MOIS

Vous promenez avec fierté votre ventre rond mais vous devez bien vous l'avouer, son poids commence à se faire sentir. Pour compenser ce déséquilibre vers l'avant, instinctivement vous creusez les reins et courbez les épaules. Votre silhouette en pâtit ! Votre démarche aussi, car vous avez l'air d'un petit canard.

Vite, remédiez à tout cela ! Pour votre bien-être, en supprimant le mal au dos par des exercices appropriés, et pour votre beauté.

Au cours de ce 6ᵉ mois, votre bébé va entrouvrir les yeux. Il ne peut distinguer le monde qui l'entoure dans la pénombre de sa bulle. Mais il l'entend. Un monde aquatique traversé par des bruits bizarres avec, au milieu d'eux, si loin qu'il est obligé de se concentrer pour bien l'écouter, un son mélodieux comme une musique : votre voix.

23ᵉ SEMAINE de grossesse

*25ᵉ semaine depuis le premier jour
de vos dernières règles*

Début du 6ᵉ mois de grossesse

*L'échographie peut maintenant révéler si votre bébé est une
fille ou un garçon.*

Votre bébé à naître

Sa taille est de 18 cm de la tête au coccyx et de 28 cm de la
tête aux pieds. Son poids est de 560 g. Le diamètre de sa tête
est de 6,4 cm.

Les bourgeons dentaires sécrètent déjà l'ivoire des
futures dents de lait.

Le lanugo continue à couvrir tout le corps tandis que le
vernix caseosa qui recouvre la peau s'épaissit.

La différenciation des organes sexuels est maintenant
complète. Si votre bébé est une fille, son vagin qui était une
structure solide est devenu un tube virtuellement creux. Si
votre bébé est un garçon, les testicules ne sont toujours pas
descendus dans le scrotum. Les cellules testiculaires responsables de la production de l'hormone testostérone augmentent en nombre.

Le sexe de votre bébé est visible à l'échographie à partir
de la 22ᵉ semaine d'aménorrhée, soit la 20ᵉ semaine de
grossesse, avec une marge d'erreur de 20 %.

Si vous préférez ne pas connaître le sexe de votre bébé et
en avoir la surprise le jour de sa naissance, faites-le savoir
clairement au médecin qui dirige l'échographie. Mais si

depuis le début de votre grossesse, vous suivez le développement hebdomadaire de votre bébé, vous serez sans doute impatiente de savoir si c'est une fille ou un garçon afin de parfaire la connaissance que vous avez de lui.

Votre bébé a un sang plus rouge que le vôtre ! Cela est dû au fait que ses globules rouges possèdent une hémoglobine plus riche en fer que ceux d'un adulte. Ils ont ainsi une affinité plus forte pour l'oxygène. Le transfert d'oxygène du sang maternel au sang fœtal est de ce fait grandement facilité.

La migration des cellules nerveuses, ou neurones, s'achève maintenant vers la 25ᵉ semaine d'aménorrhée. Leur nombre total est acquis et définitif. Elles vont à présent se différencier et perdre ainsi tout pouvoir de se diviser.

Chaque cellule nerveuse arrivée à destination dans les différentes parties du cerveau va émettre tout autour d'elle des ramifications appelées *dendrites* et pousser un prolongement plus ou moins long appelé *axone*. Les axones vont former les nerfs tandis que les dendrites vont rejoindre celles d'une autre cellule nerveuse. Et ainsi de suite pour la dizaine de milliards de neurones que compte le cerveau. Ainsi s'établissent des circuits neuronaux indispensables à la conduction de l'influx nerveux et donc des messages.

Vous, la future maman

Votre ventre est maintenant bien rond !

La croissance de votre bébé, et par conséquent de l'utérus, déplace les organes internes. En particulier, le diaphragme remonte, les côtes les plus basses s'écartent tandis que l'estomac est légèrement refoulé sur le côté.

Ces perturbations mécaniques s'ajoutent au fait que le taux élevé de progestérone ralentit la digestion. L'estomac se vide moins vite, la fermeture entre estomac et œsophage se fait également moins bien, ce qui provoque des remontées d'acidité de l'estomac vers l'œsophage. Rares sont les femmes qui n'ont pas de ces *régurgitations acides*. Autant de petits désagréments qui seront vite oubliés quand bébé sera là !

Conseils

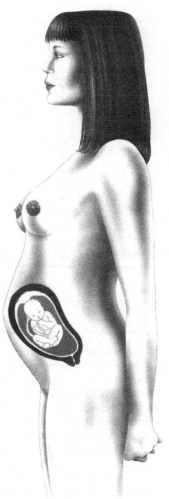

Attention à l'anémie

Votre bébé possède toutes ses structures et organes qui s'accroissent quotidiennement à un rythme rapide. Cette multiplication cellulaire requiert non seulement tous les nutriments de base nécessaires mais aussi de l'oxygène. L'oxygène est transporté par le fer qui entre dans la constitution de l'hémoglobine, pigment qui donne leur couleur rouge aux globules sanguins.

Votre bébé fabrique intensément des globules rouges ; il consomme donc beaucoup de fer. Une partie de ce fer lui est fournie par l'alimentation quotidienne de la mère, une autre est puisée dans les réserves maternelles. Si votre alimentation ne lui apporte pas suffisamment de fer, il s'approvisionnera entièrement sur vos réserves. Ce sont vos propres globules

Vous, 23 semaines après votre fécondation.

rouges qui lui fourniront le fer dont il a besoin. Le résultat pour vous sera une anémie plus ou moins sévère. Si cette anémie est importante, elle peut être la cause d'une hypotrophie, c'est-à-dire d'une croissance défectueuse de votre bébé.

Symptômes et remèdes de l'anémie

Si vous êtes fatiguée, anormalement essoufflée avec une pâleur excessive des muqueuses, une tendance aux vertiges et des bourdonnements d'oreille, consultez votre médecin. Il vous fera faire une numération globulaire. Un médicament à base de fer remettra les choses en ordre. Certains médecins prescrivent d'ailleurs du fer systématiquement, avec pour complément de l'acide folique, car la majorité des femmes enceintes sont plus ou moins anémiées.

Pour votre information

La drépanocytose

Il s'agit d'une maladie héréditaire du sang due à une forme anormale de l'hémoglobine. L'oxygène est moins bien transporté et il s'ensuit des troubles plus ou moins importants. Cette maladie touche surtout les populations noires d'Afrique, des Antilles et des Etats-Unis. Elle se révèle généralement au cours du 3e trimestre de la grossesse et se manifeste chez la mère par de l'anémie, des douleurs articulaires, des infections urinaires fréquentes. L'enfant présente un risque d'hypotrophie et de naissance prématurée.

Le médecin soignera l'anémie et conseillera un repos absolu. Dans la région parisienne, deux centres sont spécialisés dans la recherche de cette maladie : la maternité de Port-Royal et l'hôpital Henri-Mondor à Créteil.

L'herpès

L'herpès se manifeste de façon épisodique par une zone rouge de laquelle émergent des petites vésicules pleines d'eau. Quand les vésicules sont mûres, elles éclatent donnant un aspect tuméfié à l'ensemble puis sèchent au bout de quelques jours.

L'herpès est provoqué par un virus qui reste à l'état latent dans les cellules jusqu'à ce qu'une stimulation déclenche sa multiplication qui se manifeste par l'éruption. La crise d'herpès survient en général au moment des règles (ce qui ne peut être votre cas pour le moment !), en cas de fatigue particulière, de fièvre, aux sports d'hiver ou au bord de la mer car provoquée par une augmentation des rayons ultra-violets.

L'herpès se localise sur les muqueuses. Sur le visage, il tuméfie les lèvres. Quand il est génital, il se manifeste le plus généralement sur la vulve, dans le vagin, parfois sur le col. Il devient alors une maladie sexuellement transmissible mais sans grande gravité si on s'abstient de tout rapport sexuel pendant la période de crise contaminante qui dure environ une semaine.

L'herpès génital peut être dangereux pour l'enfant à naître car si l'accouchement a lieu en période de crise, il risque d'être contaminé au passage des voies génitales. Cette contamination peut entraîner une encéphalite extrêmement grave. Aussi, dans le cas d'une poussée d'herpès moins de 2 mois avant l'accouchement, une césarienne est-elle obligatoirement pratiquée.

Si l'herpès est uniquement buccal, l'accouchement se fera évidemment par les voies naturelles. Mais la mère devra prendre d'infinies précautions d'hygiène pour ne pas contaminer son bébé qui est bien fragile face aux infections virales.

24e SEMAINE de grossesse

*26e semaine depuis le premier jour
de vos dernières règles*

6e mois de grossesse

*Votre bébé bâille ! Il trouve peut-être, lui aussi, le temps
long !*

Votre bébé à naître

Sa taille est de 19 cm de la tête au coccyx et de 30 cm de la tête aux talons. Son poids est de 650 g. Le diamètre de sa tête est actuellement autour de 6,7 cm.

Le corps de votre bébé est encore maigre mais, comme un peu de graisse commence à se déposer sous la peau, il va grossir au fil des semaines qui suivent.

Les ongles sont maintenant tous présents, aux mains comme aux pieds, et peuvent se voir à l'échographie. Il leur reste à pousser.

Votre bébé bouge beaucoup. Il fait en moyenne entre 20 à 60 mouvements par demi-heure mais peut en faire beaucoup plus quand il est bien réveillé. Tout dépend si c'est un bébé calme ou agité, ce qui n'a pas de signification pour son caractère à venir. Il est normal de ne pas le sentir bouger en permanence car il dort. Quelquefois, il ne bouge qu'un bras qu'il monte vers sa tête pour mettre le pouce dans sa bouche !

Par moments, il pédale avec enthousiasme, se retourne et se déplace d'un point à l'autre de son habitacle. Il effleure la paroi utérine ou s'y cogne. Il la touche, la pousse avec ses pieds, ses mains, sa tête ou son dos. C'est ainsi qu'il découvre le *sens du toucher*. A chaque fois qu'une partie de

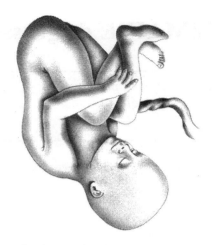

son corps touche la paroi utérine, il se déplace. Si vous caressez doucement votre ventre, là où il y a une bosse, il bouge pour vous montrer qu'il vous a perçue.

Votre bébé réagit également aux sons. En fait, il vit dans un monde très bruyant : les battements de votre cœur, votre respiration avec le flux de l'air qui entre et qui sort, les gargouillis de toutes sortes produits par votre système digestif. Autant de bruits qui sont bien sûr assourdis par le milieu aquatique dans lequel il vit mais qu'il perçoit quand même.

Il entend de la même façon les bruits extérieurs et manifeste son désagrément à certains sons, en s'agitant. Il est capable de reconnaître, une fois né, une musique entendue très souvent alors qu'il était dans votre ventre. D'où l'importance de vivre dans une ambiance calme, aux bruits non agressifs.

Parlez beaucoup à votre bébé. Chaque jour racontez-lui de jolies histoires en le caressant. Il saura que cette voix qu'il entend est la vôtre et qu'elle s'adresse à lui. A peine né, il reconnaîtra tout de suite votre voix et exprimera son intérêt et sa satisfaction.

Vous, la future maman

Au début de votre grossesse, vous aviez tendance à la somnolence mais à présent vous souffrez plutôt d'**insomnies** qui se manifestent surtout dans la 2ᵉ moitié de la nuit. Elles sont dues en grande partie à votre bébé qui, n'ayant pas sommeil à ce moment-là, fait des galipettes et ainsi vous réveille. Crampes, petites douleurs diverses dues à l'inconfort de vos positions, peut-être anxiété à la pensée de l'accouchement à venir, s'y ajoutent et concourent à vous faire passer une mauvaise nuit.

Pour vous aider à dormir

• Faites un repas léger le soir et évitez tout excitant : thé ou café.
• Au moment de vous mettre au lit, buvez un verre de lait ou un tilleul léger ou encore croquez une pomme.
• Faites quelques exercices de relaxation.
Si vraiment vous ne dormez pas et sentez la fatigue s'accumuler, parlez-en à votre médecin. Il vous prescrira un sédatif léger qui vous aidera à vous détendre.

Une des meilleures positions pour se reposer.

Conseils

Vérifiez la vitalité de votre bébé

Cette vérification est à faire seulement si vous avez un problème particulier de santé : diabète, mauvais fonctionnement rénal pouvant faire craindre une toxémie ou toute autre maladie survenant inopinément au cours de la grossesse.

Vous vérifierez la vitalité de votre bébé en comptant ses mouvements actifs. Vous les compterez 3 fois par jour pendant 30 mn couchée sur le côté gauche. En fin de journée, vous faites le total des mouvements comptés.

La diminution progressive des mouvements d'un jour à l'autre doit être signalée au médecin. Il faut savoir que les mouvements diminuent naturellement à partir du 8ᵉ mois.

Commencez les exercices de relaxation

La relaxation vous apportera une détente de l'esprit et du corps plus complète qu'au cours du sommeil où votre esprit toujours en activité commande encore à vos muscles.

Vous commencerez maintenant les exercices de relaxation et les poursuivrez jusqu'à l'accouchement.

L'idéal est bien sûr de vous inscrire à un cours de relaxation classique ou de sophrologie. Vous y apprendrez les exercices avec un professeur chevronné et, au bout de quelques séances, vous les ferez chez vous correctement.

Pour votre information

Les exercices de relaxation

Pour celles qui n'ont ni le temps ni les moyens de s'inscrire à un cours, voici quelques exercices simples que vous n'aurez aucune difficulté à faire.

Couchée sur le dos, sur le sol ou si vous préférez sur votre lit, glissez des coussins sous votre tête et vos pieds. Vos genoux sont maintenus surélevés par un gros oreiller plié en deux. Si votre ventre est trop volumineux et vous opprime lorsque vous êtes couchée sur le dos, allongez-vous sur le côté, le ventre reposant sur le lit.

Les rideaux sont tirés, vous êtes au calme, dans la pénombre ; vous êtes bien.

1er temps : prendre conscience de ses muscles

Vous allez prendre conscience de vos muscles en les contractant très lentement en *inspirant* puis en les relâchant progressivement tout en *expirant*.

Commencez par les membres :
• pour les bras : serrez les poings lentement, tenez quelques secondes puis relâchez la tension avant de contracter et relâcher les muscles du bras ;
• pour les jambes : contractez d'abord les muscles des pieds, relâchez puis passez de la même façon aux mollets et ensuite aux cuisses.

Poursuivez par le corps : fessiers, périnée, abdominaux, thorax et visage. A chaque fois, contractez les groupes de muscles concernés en inspirant, maintenez quelques secondes la tension puis relâchez-la en expirant.

Pour bien sentir tous vos muscles en contraction puis en décontraction : tendez, en même temps, un bras et une jambe opposés ; tenez la position quelques secondes avant de relâcher ; alternez les deux côtés.

2ᵉ temps : savoir contrôler tous ses muscles

Il s'agit de faire les exercices précédemment expliqués de façon à arriver à décontracter complètement tous ses muscles. Pour cela, vous ne travaillerez pas tous les muscles à la fois mais vous vous exercerez à décontracter localement un jour les bras, le lendemain les jambes, le 3ᵉ jour l'abdomen, etc.

Par exemple, votre bras sera complètement détendu si on peut le soulever sans aucune résistance et s'il retombe parfaitement inerte.

3ᵉ temps : relâcher en même temps tous les muscles de l'organisme

En inspirant, contractez tous les muscles à la fois. Restez sous tension pendant quelques secondes puis relâchez complètement en expirant.

Quand vous aurez parfaitement maîtrisé cet exercice, vous aurez l'impression que votre corps est mou et s'enfonce sous vous. Votre respiration est régulière.

Après être restée ainsi au repos une dizaine de minutes, vous ferez quelques respirations profondes, étirerez bras et jambes, vous vous assoierez lentement avant de vous lever.

Il vous faudra plusieurs séances avant d'arriver à vous concentrer parfaitement et donc réussir correctement ces exercices. Mais si vous êtes persévérante, vous en tirerez un bénéfice réel pour le temps de grossesse qui vous reste à vivre et pour le jour de votre accouchement.

DÉCONTRACTION DES JAMBES

Contractez les jambes, talons soulevés, orteils souples.
Tenez la position quelques secondes avant de relâcher.

Fléchissez une jambe en relâchant tous les muscles.
Tendez l'autre en la contractant le plus possible. Alternez.

25ᵉ SEMAINE de grossesse

*27ᵉ semaine depuis le premier jour
de vos dernières règles*

6ᵉ mois de grossesse

*Votre ventre est déjà volumineux et vous avez vraiment
l'impression de « porter » votre enfant.*

Votre bébé à naître

Sa taille est de 20,5 cm de la tête au coccyx et de 32 cm de
la tête aux talons. Son poids est de 750 g. Le diamètre de sa
tête est maintenant de 7 cm.

Le vernix qui recouvre sa peau continue à s'épaissir. Il se
renouvelle régulièrement par élimination progressive de
l'ancienne couche dans le liquide amniotique.

Les cellules adipeuses sont entrées en action et un peu de
graisse commence à se former sous la peau qui s'enrichit en
tissu conjonctif.

Les neurones continuent leur différenciation. Les ramifications dendritiques et leurs connexions forment un câblage
touffu. C'est de leur nombre et de leur qualité que dépend le
bon fonctionnement cérébral. Les axones, qui sont les longs
prolongements des neurones et dont le rôle est de conduire
l'influx nerveux, pénètrent au niveau de la moelle pour se
rassembler en fibres plus grosses et former des nerfs. Ils
vont conduire les influx moteurs de la moelle vers les
muscles, permettant ainsi le mouvement.

Vous, la future maman

Votre urine est riche en acides aminés qui sont les matériaux de base pour la fabrication des protéines ; en lactose, sucre émis normalement pendant la grossesse, et en vitamines.

L'aldostérone, une hormone dont un des effets est de retenir le sel, est dans le sang de la femme enceinte à un niveau 3 à 5 fois plus élevé que normalement. Cette augmentation est nécessaire pour compenser la tendance à la perte de sel causée par le taux élevé de progestérone. Le taux de sel dans l'organisme étant constant, si on en réduit l'apport par l'alimentation, le sang va se concentrer pour le maintenir à son taux fixe. Cela veut dire que le volume total de la masse sanguine va diminuer avec pour conséquence possible une oxygénation insuffisante pour le bébé.

Les médecins qui, dans les années 1970, prescrivaient un régime sans sel très strict dès que la future mère prenait un peu de poids, sont revenus sur cette pratique même pour des cas précis et graves comme la toxémie gravidique. Ils préfèrent utiliser des médicaments adéquats.

La raison conseille de manger normalement salé, c'est-à-dire légèrement, et d'éviter les aliments trop salés comme la charcuterie et les chips car le sel a tendance à retenir l'eau. En cette période où votre métabolisme hydrique est perturbé du fait de l'augmentation de la masse sanguine et du travail accru des reins, vous risqueriez l'apparition d'œdèmes. Comme toujours, c'est le bon sens qui doit l'emporter !

Conseils

La quatrième visite obligatoire

Cette 4ᵉ visite obligatoire permet de contrôler que la croissance du bébé et la santé de la future mère sont également bonnes. Elle se déroule comme les précédentes.

Un interrogatoire

On vous demandera, en particulier, la date d'apparition des premiers mouvements actifs de votre bébé ainsi que leur intensité.

C'est le moment pour vous de parler des petits malaises que vous pouvez ressentir : insomnie, constipation, hémorroïdes…

Un examen général

Avec pesée, prise de la tension artérielle et mesure de la hauteur utérine. La mesure de la hauteur utérine ne donne pas la taille du bébé mais indique le volume qu'il prend dans l'utérus. Il renseigne sur son développement à une période précise de la grossesse.

Un examen gynécologique et obstétrical

Le médecin appréciera la longueur de votre col utérin et sa fermeture par toucher vaginal.

Il écoutera les bruits du cœur de votre bébé avec un stéthoscope classique posé sur votre abdomen, à l'endroit où s'est placé le bébé au moment de l'examen. Les initiales BDC+ ou BDC++ que vous entendrez dire par le médecin ou la sage-femme signifient «bruits du cœur», le nombre de croix indiquant leur intensité. Ils doivent être réguliers et aux alentours de 120 battements par minute.

Des examens de laboratoire

Avec recherche de sucre et d'albumine dans les urines.

Dans le sang : recherche d'anticorps de la toxoplasmose dans le cas où vous n'êtes pas immunisée contre cette maladie et que vous n'en possédiez donc pas au premier examen afin de contrôler que vous n'avez pas été contaminée depuis (voir page 109). A partir de ce 6ᵉ mois, le contrôle sera fait chaque mois.

Recherche également d'agglutinines anti-D lorsque la mère est Rhésus (–) (voir page 72).

Pour votre information

Etiez-vous malade avant d'être enceinte ?

Si tel est le cas, vous faites partie des grossesses à risque et êtes particulièrement surveillée pendant tout le temps de votre grossesse. Vous n'avez donc pas de souci à vous faire.

Le diabète

Maladie due à un mauvais fonctionnement du pancréas, le diabète à un stade précoce se traduit par un taux anormal de sucre dans le sang et par la présence du sucre dans les urines. C'est le cas de 2 % de la population en général. La grossesse a tendance à accentuer le diabète et des femmes non diabétiques jusque-là peuvent voir apparaître du glucose dans leurs urines vers le 5ᵉ ou 6ᵉ mois de leur grossesse. C'est le cas de 2 à 3 % des femmes enceintes. Ce diabète, sans gravité, est réversible dans les jours qui suivent l'accouchement.

Dans le cas de diabète vrai, lorsque la grossesse n'est pas surveillée, il y a 80 % d'accidents contre seulement 10 % quand elle l'est. Sans précautions particulières, le diabète vrai de la mère peut être responsable d'avortement précoce, de toxémie, d'*hydramnios*, c'est-à-dire d'une quantité trop importante de liquide amniotique et surtout de souffrance fœtale débouchant très souvent sur la mort in utero au terme de la grossesse.

Si vous êtes diabétique, vous l'aurez dit au médecin lors de la première visite. Il se peut qu'il vous fasse hospitaliser à un moment donné de votre grossesse afin de réajuster médicaments et régime alimentaire dont l'équilibre s'est trouvé rompu par votre état de grossesse. On en profitera pour mesurer la vitesse du flux sanguin dans les vaisseaux du bébé, par le Doppler (voir page 140) (entre la 24e et la 28e semaine d'aménorrhée) et s'assurer ainsi qu'il ne souffre pas d'hypotrophie.

La future mère diabétique est généralement hospitalisée à nouveau pendant les 5 dernières semaines de la grossesse pour une meilleure surveillance de l'enfant. On lui fera une césarienne le moment venu pour éviter à son bébé, qui pèse le plus souvent 4 kg et qui est fragile, les risques d'une naissance difficile.

Si tout va bien, on peut le faire naître par les voies naturelles aux alentours de la 38e semaine, après avoir vérifié son poids par échographie. Il sera particulièrement surveillé dès sa naissance. On vérifiera notamment son taux de glycémie.

Si vous n'avez jamais été diabétique mais découvrez au cours de votre grossesse du sucre dans vos urines :
• ne vous inquiétez pas ; **signalez-le rapidement à votre médecin**. Il fera rechercher par le laboratoire de quel sucre il s'agit ainsi que sa quantité ;
• s'il s'agit de lactose, sa présence est normale au cours des derniers mois ;

• s'il s'agit de glucose, c'est le signe d'une petite perturbation au niveau de la filtration du rein. Liée à la grossesse et en particulier au taux élevé de progestérone qui diminue les fonctions rénales, elle n'a rien d'alarmant.

L'insuffisance rénale et l'hypertension artérielle

Vous faites également partie des grossesses à risque et devez être très surveillée en milieu spécialisé.

Avortement, souffrance fœtale in utero et accouchement prématuré sont des accidents encore fréquents mais la santé de la mère est maintenant rarement mise en péril.

L'hypertension artérielle apparaît brutalement dans la 2e moitié de la grossesse chez 6 % des femmes enceintes. Dans ce cas, il est généralement recommandé de limiter le sel, le sucre et les graisses et de respecter le repos complet.

Les maladies cardiaques

Le cœur fournit un travail supplémentaire du fait de la grossesse. Aussi, si vous avez une maladie cardiaque, devez-vous être fréquemment surveillée et surtout être au repos complet, sans stress avec un régime établi par votre médecin.

En cas d'urgence, une intervention chirurgicale est tout à fait possible.

Le sida

En plus des risques encourus par l'enfant (voir page 111), si vous êtes séropositive sans présenter les signes de la maladie, la grossesse, en modifiant l'immunité, peut déclencher l'apparition de la maladie. Elle peut également provoquer une poussée évolutive grave de la maladie dans le cas où vous en présentiez déjà les symptômes.

26ᵉ SEMAINE de grossesse

*28ᵉ semaine depuis le premier jour
de vos dernières règles*

6ᵉ mois de grossesse

*Votre bébé commence à avoir envie de voir ce qui se passe
autour de lui : il entrouvre les yeux !*

Votre bébé à naître

Sa taille est de 21 cm de la tête au coccyx et de 33 cm de la tête aux talons. Son poids est de 870 g. Le poids actuel de votre bébé représente environ le tiers de son poids de naissance. Le diamètre de sa tête est de 7,2 cm.

Sa peau est rouge et complètement recouverte par le film protecteur gras que l'on appelle le vernix. Sous elle, la graisse s'accumule doucement. Et si sa chevelure n'est pas encore vraiment un élément de séduction, elle est néanmoins déjà tout à fait acceptable.

L'ivoire des futures dents de lait se recouvre d'émail.

Votre bébé avale de plus en plus de liquide amniotique. Alors qu'une petite partie est rejetée par la peau, une grande quantité traverse les voies digestives et est excrétée sous forme d'urine après être passée par le filtre des reins. Par les mouvements de la respiration, votre bébé inspire du liquide amniotique dans ses poumons, puis l'expire. Il permet le développement des bronchioles en empêchant leurs parois de se coller.

Le liquide amniotique est constitué d'eau à 97 % contenant des sels minéraux et différentes substances trouvées dans le sang. On y trouve également des cellules détachées de la peau et des muqueuses du bébé, des poils et des cheveux ainsi que de la matière grasse éliminée du vernix en continuel renouvellement. Le liquide amniotique est entièrement changé toutes les 3 heures par absorption par l'intestin du bébé, passage dans sa circulation sanguine et retour à l'organisme maternel par l'intermédiaire du placenta. Les particules solides accumulées dans l'intestin du bébé forment le méconium.

Vous, la future maman

A partir de maintenant, vous allez prendre rapidement du poids : environ 350 à 400 g par semaine. Non seulement votre bébé grossit mais les annexes que sont le placenta et la poche des eaux se sont beaucoup développées. Quant à vous, vous êtes en train de vous constituer une *graisse de réserve*. Ce phénomène est tout à fait physiologique et vous ne pouvez y échapper. Aussi, limitez-en les effets en surveillant sévèrement votre alimentation. Soyez exigeante envers vous-même. Votre santé présente et à venir, ainsi que votre beauté, en dépendent. Ce n'est pas négligeable, n'est-ce pas ?

Conseils

Si vous avez « mal aux reins »

Il s'agit plutôt de douleurs de la colonne vertébrale. Le poids de votre ventre déplaçant votre centre de gravité, vous devez vous cambrer exagérément pour garder l'équilibre.

POSITIONS DE CONFORT

Utilisez oreillers et coussins à profusion pour soulager le mal au dos.

C'est cette tension permanente exercée dans la région lombaire qui vous cause ce « mal aux reins ».

Pour y remédier :

Portez des chaussures confortables. Ce n'est pas le moment de porter des talons hauts qui accentuent encore la cambrure et requièrent un certain équilibre. Or, l'équilibre devient de

POUR VOUS LEVER D'UNE CHAISE

Placez un pied devant l'autre et penchez-vous vers l'avant pour placer le centre de gravité devant les hanches. Gardez le cou et le dos droits, levez-vous en prenant appui sur les pieds.

plus en plus précaire au fur et à mesure que la grossesse avance. Vous choisirez des chaussures souples avec un talon un peu large et d'une hauteur raisonnable. Faites attention à la cambrure de la chaussure qui doit soutenir toute la voûte plantaire.

Faites des exercices physiques pour acquérir une bonne attitude et soulager ainsi vos reins.

Si votre ventre est vraiment très lourd et si cela peut vous soulager, **portez une ceinture de grossesse**.

En général, la ceinture de grossesse n'est pas utile. Il vaut mieux faire travailler ses muscles abdominaux qui constituent une ceinture naturelle. Mais si vous avez déjà eu plusieurs enfants et que votre paroi abdominale est distendue ou encore si vous attendez des jumeaux, peut-être éprouverez-vous le besoin de vous sentir soutenue. La ceinture de grossesse peut également fournir un bon support pour le dos.

Achetez votre ceinture de grossesse dans une maison spécialisée et surtout essayez-la. Elle doit vous soutenir sans vous comprimer. Elle est bien adaptée à votre silhouette si, en la portant, vous sentez un réel soulagement.

Vous mettrez votre ceinture couchée sur le dos : elle se placera mieux et sera donc plus efficace.

La ceinture de grossesse est remboursée à 100 % par la Sécurité sociale après entente préalable.

Pour votre information

Avoir une bonne posture

Les modifications du corps dues à la grossesse changent la position du centre de gravité. S'il se déplace trop, l'équilibre devient instable. Pour le rétablir, des tensions se créent, entraînant des douleurs. La posture est moins bonne et des déformations peuvent survenir : dos voûté, reins trop cambrés, démarche en canard.

Une femme enceinte doit savoir s'adapter à sa nouvelle forme et à son nouveau poids. Si sa statique se modifie progressivement, en même temps qu'évolue la grossesse, elle gardera un bon équilibre et pourra se déplacer normalement. Les femmes qui gardent une bonne attitude pendant leur grossesse souffrent beaucoup moins du dos que les autres.

Pour sentir et trouver votre bonne statique, faites-vous

aider par un kinésithérapeute. En quelques séances, il vous fera prendre conscience de l'attitude la mieux adaptée à votre forme et à votre poids. Vous aurez ainsi toutes les chances de garder votre démarche et d'éviter également la fameuse sciatique des femmes enceintes. Entre autres exercices, il vous apprendra à faire **la bascule du bassin**.

Par une série d'exercices faciles, vous arriverez à soulager vos reins qui se cambrent de plus en plus au fur et à mesure que votre utérus s'alourdit. En répétant le mouvement inverse, c'est-à-dire en basculant le bassin vers l'avant, vous assouplirez votre colonne vertébrale au niveau du bassin.

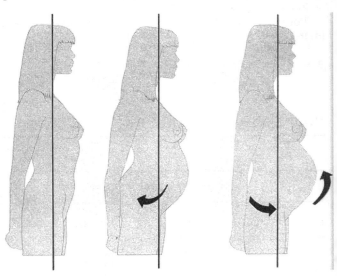

Bonne posture.

Au cours de la grossesse, le centre de gravité se déplace.

Rétablissement d'une bonne posture par la bascule du bassin.

La bascule du bassin

1er exercice

• Debout, jambes légèrement écartées, inspirez tout en creusant les reins, ventre en avant.
• En expirant, contractez les muscles abdominaux, serrez les fesses en les poussant vers l'avant et vers le bas. Vous devez sentir votre bassin basculer vers l'avant.
• Répétez 5 fois.

Pour vous aider, vous pouvez vous appuyer contre un mur.

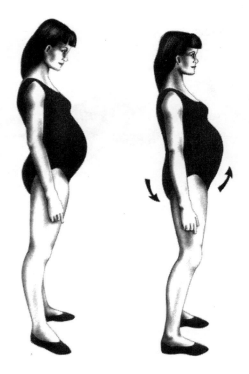

2ᵉ exercice

• Couchée sur le dos, les mains derrière la tête, inspirez.
• En expirant à fond, levez la tête avec l'aide de vos mains en même temps que vous monterez le bassin vers le haut comme si vous vouliez faire se toucher tête et coccyx.
• Répétez 5 fois.

3ᵉ exercice

• Placez une main sous les reins et l'autre sur une hanche.
• Poussez votre dos contre le sol à l'aide des muscles abdominaux situés au niveau de l'estomac. Vous devez sentir votre hanche se déplacer et tout votre bassin se lever doucement.
• Répétez 5 fois.

4ᵉ exercice : l'étirement en équilibre de la colonne vertébrale

• Debout, pieds parallèles écartés, levez doucement les bras en inspirant et en montant doucement sur la pointe des pieds.

La bascule du bassin est essentielle pour tenir l'équilibre.

• Expirez en abaissant les bras et en reposant la plante des pieds, lentement.

RÉCAPITULATIF DU SIXIÈME MOIS DE VOTRE BÉBÉ

Age de votre bébé	23e semaine	24e semaine	25e semaine	26e semaine
Sa taille.	18 cm de la tête au coccyx. 28 cm de la tête aux talons.	19 cm de la tête au coccyx. 30 cm de la tête aux talons.	20 cm de la tête au coccyx. 32 cm de la tête aux talons.	21 cm de la tête au coccyx. 33 cm de la tête aux talons.
Son poids.	560 g.	650 g.	750 g.	870 g.
Son développement.	Les bourgeons dentaires sécrètent l'ivoire des futures dents de lait. Le lanugo recouvre tout le corps. Le vernix caseosa qui recouvre la peau s'épaissit. La différenciation sexuelle est complète. Câblage du cerveau par l'établissement de circuits neuronaux.	Formation de graisse sous la peau. Les ongles sont présents aux mains et aux pieds. Votre bébé réagit au toucher et aux sons.	Le câblage du cerveau se poursuit. Formation des nerfs. Epaississement du vernix.	La peau de votre bébé est rouge. La graisse commence à s'accumuler sous la peau. L'ivoire des futures dents de lait se recouvre d'émail. Votre bébé urine.
Observations générales.	Votre bébé fait en moyenne 20 à 60 mouvements par demi-heure.		Le liquide amniotique est renouvelé entièrement toutes les 3 heures.	

RÉCAPITULATIF DU SIXIÈME MOIS DE VOTRE GROSSESSE

Age de la grossesse	23e semaine	24e semaine	25e semaine	26e semaine
Observations générales.	L'utérus qui grossit déplace vos organes internes. Le diaphragme remonte. Les côtes les plus basses s'écartent. L'estomac est légèrement déplacé sur le côté.	Si c'est votre premier bébé, vous le sentez nettement bouger à présent. La HU est autour de 24 cm.	Votre urine est riche en lactose, sucre normalement émis pendant la grossesse.	Vous allez prendre 350 à 400 g par semaine pour constituer une graisse de réserve.
Symptômes possibles.	Le taux accru de progestérone ralentit la digestion, d'où des régurgitations d'acidité vers l'œsophage.	• Insomnies, • crampes, • petites douleurs dues à une mauvaise position.		Mal au dos. Mauvaise posture.
Précautions à prendre.	Si vous avez une crise d'herpès, avertissez votre médecin. Attention à l'anémie.	Faire un repas léger le soir. Faire des exercices de relaxation.	Mangez normalement salé. Ni trop, ni trop peu. Vérifiez vous-même vos urines régulièrement pour le sucre et l'albumine. En cas de doute, voyez votre médecin.	Faire des exercices physiques pour garder une bonne attitude. Porter des chaussures confortables.
Examens.	Numération globulaire.		Quatrième visite médicale obligatoire : • examen gynécologique et obstétrical, • examens de laboratoire.	
Démarches.			Ne pas oublier de coller sur votre feuille maladie l'étiquette correspondante. Envoi à la S.S. Duplicata aux Allocations familiales.	

7ᵉ MOIS

Votre bébé est viable ! Mais ne soyez pas trop pressée de le voir. Laissez-le encore un peu à l'abri, bien au chaud. S'il naissait maintenant, il serait un grand prématuré avec tous les risques que cela comporte. Alors, ce mois-ci, ne vous agitez pas trop, laissez-le encore grandir et prendre des forces, tout doucement, sans se presser.

Votre bébé a déjà une perception aiguisée. Perception des sons mais aussi des sensations. Quand il bouge en réponse à une stimulation qui le sollicite, c'est pour marquer son agrément ou son désagrément. Il le fait de façon spontanée, réflexe, sans processus intellectuel qui lui permettrait d'interpréter ce qui se passe. Il perçoit ainsi les émotions intenses que vous pouvez ressentir. Il les ressent indirectement par l'adrénaline que vous sécrétez soudain et qui traverse le placenta. Ne vous inquiétez pas, il n'en est pas affecté durablement pour autant.

Il va de soi que la mère ne peut passer 9 mois complets sans émotions ou stress d'aucune sorte. Aussi, comme la nature ne laisse rien au hasard, ce surplus d'adrénaline que reçoit de temps en temps le bébé, ne serait-il pas nécessaire à la maturation de certains processus physiologiques ? C'est une hypothèse et, tant qu'elle ne sera pas démontrée, il n'est pas superflu de vous recommander de vivre au calme et de vous reposer le plus possible.

27ᵉ SEMAINE de grossesse

29ᵉ semaine depuis le premier jour
de vos dernières règles

Début du 7ᵉ mois de grossesse

Votre bébé est viable! Mais s'il naissait maintenant, ses chances de survie seraient très minces. Alors, attention!

Votre bébé à naître

Sa taille est de 22 cm de la tête au coccyx et de 34 cm de la tête aux talons. Son poids est de 1 kg! Le diamètre de sa tête est aux environs de 7,5 cm.

Au cours du développement pulmonaire, les bronches ont subi une série de divisions. Chacune s'est divisée en deux et ainsi de suite, ce qui aboutit à la fin du 6ᵉ mois à des bronches de 17ᵉ ordre.

L'arbre bronchique est entièrement rempli de liquide amniotique qui se résorbera rapidement au moment de la naissance.

Au niveau du cerveau, l'ensemble des neurones accrochés les uns aux autres par l'intermédiaire de leurs dendrites forme un réseau câblé, support nécessaire à la conduction de l'influx nerveux. Pour que la propagation du message soit rapide et de bonne qualité, il faut que se forme autour des fibres nerveuses une gaine d'une substance appelée *myéline* dont le rôle isolant est semblable à la gaine isolante des fils électriques. Cette myélinisation des nerfs est la dernière étape de la maturation du cerveau. Elle va durer près de 20 ans!

La myélinisation débute à la fin du 2ᵉ trimestre de la grossesse et est très active pendant tout le 3e trimestre. Elle est cependant encore très rudimentaire à la naissance, ce qui explique pourquoi le nouveau-né ne marche pas. Il faut attendre la myélinisation progressive des différentes zones du cerveau pour voir s'accomplir les progrès moteurs, sensoriels, psychiques de l'enfant. Cette myélinisation va être intense de la naissance à l'âge de 3 ans, période de grand apprentissage pendant laquelle l'enfant va acquérir la marche, la propreté, le langage et manifester les signes d'une pensée cohérente. Elle se poursuivra plus graduellement pendant toute l'enfance puis l'adolescence.

Vous, la future maman

La plupart des mères prennent environ 400 g cette semaine. Près de 60 % vont au bébé et ses annexes tandis que 40 % restent à la mère.

Tous vos organes ont grossi pour assumer une surcharge de travail. Le foie, lui, n'a pas bougé. Sous l'effet de la progestérone, la vésicule biliaire ne se vide pas aussi bien et le risque de calcul biliaire augmente pour celles qui sont prédisposées.

Conseils

Attention à l'accouchement prématuré

Votre bébé est théoriquement viable mais s'il venait au monde maintenant, il aurait beaucoup de mal à passer ce premier handicap d'une naissance très prématurée. Faites attention car le

7e mois est un cap parfois délicat à franchir. Une cause bénigne les mois précédents peut devenir critique à ce moment de la grossesse et déclencher prématurément l'accouchement. Aussi, devez-vous être attentive à ce que vous ressentez et **signaler toute anomalie à votre médecin**.

Si vous avez du sang dans votre slip

Consultez sans tarder. Vous avez probablement le placenta inséré dans la partie basse de l'utérus, assez près du col. C'est ce que l'on appelle un *placenta praevia*.

A cette étape de votre grossesse, de légères contractions utérines peuvent décoller partiellement le placenta, provoquant des hémorragies plus ou moins importantes. Le médecin consulté vous prescrira le repos absolu, en position couchée jusqu'au terme de la grossesse.

Si vous attendez des jumeaux

La surveillance médicale est très stricte car les grossesses gémellaires arrivent difficilement à terme. 75 à 80 % des pri-

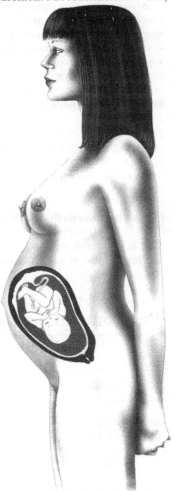

Vous, 27 semaines après votre fécondation.

mipares et 45 % des multipares accouchent avant terme. Ceci est dû au fait que l'utérus plus distendu que normalement se contracte plus facilement.

A partir de ce 7e mois :
• on vous fera une analyse d'urine tous les 15 jours car les risques d'albuminurie sont plus grands ;
• vous verrez le médecin tous les 15 jours ;
• reposez-vous le plus possible.

D'une façon générale : reposez-vous

Ne vous agitez pas trop. Ce n'est plus le moment de partir en voyage, de déménager ou d'entreprendre une activité fatigante. Ménagez-vous le plus possible. Votre bébé est bien petit, il a encore besoin de vous.

Cessez toute activité sportive

Sauf la gymnastique spécifique à la grossesse que vous pouvez poursuivre, si vous vous sentez bien.

Pour votre information

Les causes de l'accouchement prématuré

On appelle prématuré un enfant né entre 35 et 37 semaines comptées à partir du 1er jour des dernières règles.
Parmi eux, 20 à 30 % sont des jumeaux.
Un enfant né à moins de 35 semaines est un grand prématuré.

L'accouchement prématuré a des causes diverses :
• l'insertion anormale du placenta ou placenta praevia ;

• une insuffisance de fermeture du col utérin ;
• une distension trop grande de l'utérus. C'est le cas des grossesses gémellaires ;
• une maladie de la mère comme le diabète, l'herpès, le sida, la toxémie gravidique, une hypertension artérielle ;
• une maladie infectieuse contractée par la mère au cours de la grossesse comme la toxoplasmose, la listériose ou l'hépatite virale.

En fait, il arrive souvent, dans les cas de maladie, que le médecin décide de provoquer l'accouchement pour éviter à l'enfant les risques encourus par la maladie maternelle ;
• un choc, un traumatisme. Le cas le plus fréquent étant naturellement l'accident de voiture ;
• la fatigue due aux conditions de travail et de transport.
L'accouchement prématuré est plus fréquent chez les femmes dont le niveau socio-économique est bas.

La menace d'accouchement prématuré se manifeste par des contractions qui deviennent de plus en plus rapprochées et douloureuses. Elles peuvent s'accompagner de pertes légères roses ou brunâtres. Le mieux est de vous rendre à la maternité, sans affolement ni précipitation. Vous y resterez quelques jours, sous surveillance, avec des antispasmodiques et un traitement destiné à arrêter les contractions. Une fois rentrée chez vous, le repos le plus souvent possible, en position allongée, est recommandé.

S'il y a eu perte des eaux, même sans contractions, vous devez **partir d'urgence à la maternité**.

L'enfant prématuré

Malgré l'amélioration des techniques qui permettent de suppléer aux besoins du bébé né trop tôt, la prématurité reste une situation difficile à vivre pour l'enfant et les parents. Il demande de la part du personnel soignant une disponibilité totale car c'est de lui que tout dépend.

A poids égal, le prématuré est différent d'un bébé de

faible poids né à terme car ses organes n'ont pas terminé leur maturation. Né à 7 mois, il mettra 2 mois pour arriver à la maturité du terme et gardera assez longtemps ce retard de poids et de taille. Un prématuré né à moins de 35 semaines pèse moins de 2 kg.

Son aspect extérieur est caractéristique. Sa peau est rouge et recouverte de lanugo, ce duvet spécial au fœtus. Très fine, elle laisse apparaître les vaisseaux sanguins les plus gros.

Les soins à donner à ce bébé sont nombreux car :
• le lanugo empêche la transpiration et oblige à le maintenir dans une atmosphère constamment humide ;
• il faut lui fournir de l'oxygène car sa capacité respiratoire est réduite ;
• l'autorégulation de sa température interne est encore déficiente, aussi faut-il lui assurer une température ambiante de 36° C ;
• les muscles sont flasques ;
• les parois des vaisseaux sanguins sont fragiles et le sang qui y circule manque de globules rouges et se coagule mal ;
• la résistance aux infections est faible ;
• le système nerveux est très immature. C'est la stimulation des sens qui développera le cerveau. Or, le bébé bien que prématuré a déjà ses sens en éveil. En particulier, il réagit aux sons. C'est pourquoi il est primordial pour son évolution de le considérer comme un enfant né à terme et de lui accorder énormément d'attention. C'est pour cette raison et pour ne pas créer de rupture entre la grossesse et la présence de l'enfant que le contact avec les parents doit se faire le plus tôt possible. Le père ira le voir tous les jours et, dès que la mère sera sortie de la maternité, elle ira également tous les jours.

L'enfant prématuré est nourri dès le premier jour. Or, son estomac a une toute petite capacité de 5 à 6 cm^3 et ses réflexes de succion et de déglutition sont encore très primitifs. On lui donne donc des solutions lactées par l'intermédiaire d'une sonde gastrique passant par le nez et pour compléter, on lui administre, par une sonde placée dans une veine de la tête, du sérum glucosé. Dès que ses réflexes sont suffisamment évolués, on le débranche pour lui donner de petits biberons de lait de femme. On demande à la mère de tirer son lait artificiellement et de l'apporter à l'hôpital pour nourrir son enfant, car le lait de femme est vital pour le bébé prématuré. En outre, le lait est le lien affectif entre la mère et l'enfant. Quand la mère n'a pas de lait, l'hôpital s'adresse à un lactarium.

Dès que possible, on sort le bébé de son incubateur pour grand prématuré pour le mettre dans une couveuse moins sophistiquée. On le rend à ses parents quand il pèse 2,5 kg.

28e SEMAINE de grossesse

*30e semaine depuis le premier jour
de vos dernières règles*

7e mois de grossesse

*Sentez-vous ce léger tressaillement ? C'est votre bébé qui a
le hoquet !*

Votre bébé à naître

Sa taille est de 23 cm de la tête au coccyx et de 35 cm de la
tête aux talons. Son poids est de 1,15 kg. Le diamètre de sa
tête est de 7,8 cm.

Un peu de graisse s'est déposée sous la peau de votre
bébé, ce qui lui donne un aspect un peu moins fripé. Tout
son corps commence à s'arrondir légèrement.

Si c'est un garçon, les testicules descendent maintenant
jusque dans l'aine.

Votre bébé ne fait plus de mouvements respiratoires
désordonnés mais effectue à présent des mouvements rythmiques coordonnés. Ils commencent à devenir moins fréquents et apparaissent généralement au cours de périodes
d'activité des paupières associées au sommeil ou à la veille.

L'autorégulation de la température interne se met en
place.

Votre bébé vit à l'intérieur de sa bulle de façon autonome. Il n'est cependant pas coupé complètement du monde
extérieur : il perçoit les bruits, les voix et, d'une façon plus
subtile, vos propres émotions.

Vous, la future maman

Votre **cœur** bat plus rapidement qu'avant votre grossesse : environ 12 battements de plus à la minute. Votre masse sanguine augmentée circule plus vite et environ 185 millilitres de votre sang traversent le placenta chaque minute.

La **pigmentation de la peau** continue d'évoluer et, durant les trois derniers mois de la grossesse, beaucoup de femmes remarquent une ligne verticale sombre située en plein milieu de l'abdomen, du nombril au pubis. Cette ligne redeviendra claire peu de temps après la délivrance.

Le changement de pigmentation est dû à l'accroissement d'une hormone sécrétée par l'hypophyse.

Conseils

Préparez-vous à l'accouchement

Quelle que soit la méthode choisie, vous avez tout intérêt à suivre une préparation à l'accouchement. Par une préparation psychique et physique liée surtout à l'apprentissage d'une méthode de respiration, vous aborderez le moment venu sans panique et serez ainsi capable de participer activement à la naissance de votre enfant.

Toute femme enceinte devrait commencer sa préparation à l'accouchement le plus tôt possible car c'est par une pratique régulière que se créent des réflexes qui apparaîtront automatiquement au moment voulu. Malheureusement, certaines ne se sentent pas prêtes à commencer avant la date classique, d'autres n'ont pas le temps.

Quant à celles qui ne peuvent se déplacer pour aller dans

un cours car devant observer un repos allongé absolu, elles peuvent quand même travailler la respiration (voir page 236), le périnée (voir page 242) et la relaxation (voir page 273). Si elles consacrent chaque jour un peu de temps à la répétition de ces exercices, elles pourront aborder l'accouchement avec confiance.

Pour votre information

Près de 80 % des futures mères suivent des cours de préparation à l'accouchement. La majorité d'entre elles se contentent des cours d'accouchement sans douleur classiques.

La préparation classique

La psychoprophylaxie obstétricale, autrefois appelée l'Accouchement Sans Douleur ou ASD, n'a pas pour ambition de supprimer toute douleur. Néanmoins, en connaissant les mécanismes qui en sont la cause, la femme qui accouche peut mieux les contrôler. Malgré de nombreuses faiblesses, l'ASD a eu le grand mérite de permettre aux femmes, qui jusqu'alors ignoraient tout d'elles-mêmes et a fortiori du développement de l'enfant qu'elles portaient ainsi que des modalités de l'accouchement, d'accéder à une certaine compréhension de tous ces phénomènes physiologiques.

Par la possibilité d'une participation active à son accouchement, la future mère l'aborde avec une certaine sérénité. Elle est d'autant plus détendue que sa connaissance des principales étapes du déroulement de l'accouchement la débarrasse de la peur, due à l'ignorance, qui a prévalu au cours des siècles. Et **ne pas avoir peur**, cela veut dire avoir des muscles non contractés capables de répondre à la stimulation et qui accompagnent les phénomènes naturels au lieu de les freiner par des tensions inverses. **Cela veut dire : moins souffrir**.

La préparation classique à l'accouchement est indispensable, même si vous envisagez d'accoucher sous péridurale. Elle est assurée par des sages-femmes, pendant 8 séances, remboursées par la Sécurité sociale. Elle commence vers le 7e mois de la grossesse et le futur père est généralement cordialement invité à y participer.

Comme la préparation à l'accouchement est fondé sur l'idée que la douleur est moindre si la femme comprend ce qui se passe et a les moyens d'y faire face, les cours sont orientés à la fois sur l'information et la préparation physique.

La première séance est une prise de contact avec des explications théoriques sur la grossesse, de la conception jusqu'au déroulement de l'accouchement. Des informations pratiques sur l'hygiène de la grossesse, l'allaitement, les démarches à effectuer, ce qu'il faut prévoir pour soi et le bébé lors du séjour à la maternité complètent les cours. On répondra à toutes vos questions.

Les autres séances sont réservées à l'apprentissage d'exercices physiques qui sont à répéter quotidiennement chez soi. Vous apprendrez :
• à vous relaxer pour profiter au maximum du repos entre les contractions ;
• à respirer selon les différentes méthodes de respiration utilisées au cours de l'accouchement ;
• à entraîner les muscles qui auront à fournir un effort particulier, notamment au moment de l'expulsion.

En fait, ces exercices, qui sont faits plus ou moins consciencieusement par les futures mères, visent surtout à leur donner confiance en elles. Et c'est déjà très important.

La préparation à l'accouchement devrait commencer plus tôt car l'entraînement physique va de pair avec toute une évolution intérieure dont le but est l'accueil progressif du bébé à naître. La femme qui se prépare globalement à la naissance de son enfant ne subit plus la grossesse. Elle n'est plus seulement enceinte, elle est déjà mère.

Les autres préparations à l'accouchement

A côté de la préparation à l'accouchement classique dont les séances commencent trop tard, sont trop peu nombreuses et ne proposent souvent que quelques exercices de gymnastique, de nouvelles méthodes de préparation se sont développées ces dernières années. La plupart d'entre elles sont basées sur des techniques de relaxation.

Votre médecin pourra vous conseiller, suivant vos propres désirs et vous indiquer quelques adresses utiles.

Le yoga

C'est un ensemble de techniques visant à la maîtrise du corps et de l'esprit. Le travail musculaire tout en douceur, bien qu'en profondeur, est lié à une recherche de relaxation optimale.

La pratique du yoga au cours de la grossesse permet une adaptation progressive aux transformations du corps et une excellente préparation en vue de l'accouchement.

Des cours conçus spécialement pour femmes enceintes n'ayant jamais fait de yoga auparavant existent maintenant un peu partout. Les exercices restent doux pour ne pas déclencher un accouchement prématuré.

La sophrologie

C'est l'obtention de la maîtrise de soi par la relaxation et la suggestion. La préparation comporte 8 séances réparties pendant la grossesse mais nécessite en fait des exercices quotidiens commencés le plus tôt possible.

Pour que les bienfaits de la sophrologie soient ressentis lors de la grossesse et pour que se mettent en place des mécanismes neurophysiologiques, l'entraînement doit être d'une vingtaine de minutes chaque jour. Les exercices musculaires, articulaires et respiratoires destinés à renforcer la concentration permettent une meilleure adaptation aux événements qui sont alors vécus avec un certain recul.

Pendant la grossesse, la préparation sophrologique est un remède à l'angoisse et au stress générateurs de fatigues et d'insomnies. Au cours de l'accouchement, la femme enceinte bien préparée vit et contrôle ce moment inoubliable de son existence.

La préparation en piscine

La préparation dans l'eau permet d'obtenir une bonne relaxation et un excellent entraînement musculaire car les mouvements sont plus faciles à réaliser, les problèmes de poids étant supprimés. Tout le corps travaille harmonieusement et en souplesse.

L'haptonomie

Cette préparation, qui n'est pas une méthode d'accouchement à proprement parler, a pour but de développer une communication directe avec le bébé par un contact affectif et émotionnel. La communication avec le bébé s'établit par le toucher, chargé d'affection, de la paroi abdominale de la mère. Le bébé, qui sent les mains de la mère ou du père qui le cherchent et le caressent, manifeste sa présence. C'est l'occasion pour le futur père de participer activement à la grossesse. Avec les mains posées sur l'abdomen de la maman, il sollicite son enfant tout en lui parlant. Peu à peu, le bébé répond par des mouvements.

Cette méthode tend à créer les conditions optimales pour développer un attachement parent-enfant et réciproquement, pendant la grossesse, ce qui est, bien sûr, le départ d'un attachement tout court.

En plus du contact étroit qui se noue avec le bébé, l'attouchement des mains permet la libération de toutes les contractures et tensions internes et modifie donc le tonus corporel. Au moment de l'accouchement, grâce au contact des mains, les muscles abdominaux et le périnée seront détendus et répondront à la demande.

Les bons gestes ne s'improvisent pas. Ils sont à apprendre avec des médecins compétents dans cette technique.

La psychophonie ou chant prénatal

C'est la création d'une relation privilégiée entre la mère et son enfant par l'intermédiaire du chant. Le bébé dans l'utérus est sensible aux sons et tout spécialement aux fréquences graves. Il réagit au chant de la mère qui perçoit les réactions du bébé suivant que les sons sont aigus ou graves. La pratique du chant favorise en outre, pour la mère, la respiration et fait travailler, par alternance de contraction et de détente, les muscles abdominaux et le périnée.

La musicothérapie

Associe des exercices de relaxation à un conditionnement musical pour une meilleure prise de conscience du corps et donc une meilleure détente.

Quelle que soit la méthode choisie, en dehors des séances de préparation, vous avez intérêt à faire chez vous, **tous les jours**, des exercices de respiration, de travail du périnée et de relaxation.

29ᵉ SEMAINE de grossesse

*31ᵉ semaine depuis le premier jour
de vos dernières règles*

7ᵉ mois de grossesse

Votre bébé découvre une nouvelle sensation : le goût !

Votre bébé à naître

Sa taille est de 24 cm de la tête au coccyx et de 36 cm de la tête aux talons. Son poids est de 1,3 kg. Le diamètre de sa tête est de 8 cm.

Son corps s'arrondit doucement par le dépôt progressif de tissu adipeux sous-cutané. Votre bébé prend d'ailleurs de plus en plus de place dans l'utérus et ses mouvements commencent à être moins amples, faute d'espace.

Les yeux de votre bébé sont maintenant complètement ouverts mais comme la rétine ne reçoit aucune lumière, elle reste inactive. Les cils sont déjà très longs.

L'estomac, l'intestin, les reins fonctionnent. Ils assimilent le liquide amniotique que votre bébé avale en quantité. Il semblerait que le liquide ait une saveur qui varie en fonction de l'alimentation de la mère, tout comme le lait maternel après la naissance. Ainsi, déjà en vous, votre bébé découvre et commence à développer un sens qu'il affinera tout au long de sa vie : celui du goût.

Vous, la future maman

Vos glandes mammaires se sont hypertrophiées au cours du 1er trimestre et maintenant tout est prêt en vue de la lactation.

Il se peut que vous découvriez sur vos vêtements des taches au niveau des seins. Il s'agit de colostrum, liquide épais et jaunâtre, qui s'écoule spontanément. Pressez vos seins et vous le verrez poindre. Le colostrum est le premier lait qu'absorbera votre bébé si vous le faites téter. Il est purgatif et contient de nombreux anticorps.

La production du colostrum dépend de la stimulation des seins par la prolactine. Cette hormone d'origine placentaire est responsable, non seulement du colostrum pendant la grossesse puis de sa libération au moment de l'accouchement, mais aussi de la synthèse du lait au cours de l'allaitement.

Votre utérus a encore augmenté de volume : il dépasse actuellement votre nombril de 4 à 5 cm. Cela accentue évidemment tous les inconvénients déjà cités : sensation de pesanteur, tendance à l'essoufflement, aigreurs d'estomac.

Conseils

Attention aux maladies infectieuses

Une maladie infectieuse de la mère à cette époque de la grossesse peut être grave de conséquences car de nombreux virus et bactéries sont capables de franchir le placenta. Ils pénètrent dans la circulation sanguine du bébé en traversant la membrane des villosités devenue très mince pour laisser filtrer un maximum d'éléments nutritifs.

Ces virus ou bactéries qui provoquent une maladie de la mère sont pour elle d'une gravité variable puisque cela peut aller d'une simple grippe à une hépatite virale. Pour l'enfant au 7e mois de gestation, c'est toujours très sérieux car le passage du microbe dans son organisme peut, suivant les cas, déclencher sa naissance prématurée ou pire, être fatal.

Plus la maladie sera dépistée précocement et plus le traitement, mis en route aussitôt, sera efficace. C'est pourquoi vous devez être vigilante à votre santé et **signaler à votre médecin le moindre signe anormal**, comme : l'apparition inexpliquée de fièvre qui peut être légère et qui dure sans motif apparent ou au contraire se manifeste par de fortes poussées ; la congestion du visage ; des maux de tête ; un mal de gorge ; une infection urinaire ou génitale ; des troubles intestinaux.

Pour votre information

La listériose

Environ 1 femme enceinte sur 1 000 est concernée par la listériose, maladie infectieuse due à une bactérie, le *listeria monocytose*. Elle se transmet en priorité par voie digestive par la consommation d'aliments contaminés, en particulier la viande mal cuite et les produits laitiers non pasteurisés comme les fromages au lait cru. La contamination par voie respiratoire au contact d'animaux domestiques ou d'élevage ne doit pas être négligée.

La maladie est bénigne pour la mère et se déclare le plus souvent autour du 7e mois, époque à laquelle le listeria est capable de franchir la barrière placentaire. L'infection qui en résulte provoque chez la mère une fièvre subite qui peut être élevée, autour de 38-39° C, avec une forte congestion du visage. Quand elle est légère, dans le quart des cas seulement, elle dure plus longtemps que pour un simple rhume et récidive sans raisons. Elle s'accompagne souvent de courbatures, de maux de tête, de maux de gorge. Des troubles intestinaux ou une infection urinaire peuvent compléter le tableau clinique.

Pour l'enfant, la situation est critique : pour les cas non traités, deux tiers des fœtus contaminés meurent in utero ou dans les 48 heures qui suivent la naissance alors qu'un autre tiers souffre d'hypotrophie grave. Dans la majorité des cas, la maladie provoque un accouchement prématuré.

Tout dépend de la **rapidité d'action** dans le diagnostic et dans la mise en route du traitement. **Pour tout accès de fièvre, vous devez absolument consulter un médecin.** Il vous enverra dans un laboratoire pour un test de dépistage mais avant même d'en connaître le résultat, il vous prescrira un traitement à base d'antibiotiques. La bactérie est très sensible aux dérivés de la pénicilline et n'y résiste pas plus de 48 heures. Par sécurité, le traitement sera poursuivi pendant 3 semaines.

Avec un traitement déclenché suffisamment tôt, votre enfant a toutes les chances d'être indemne.

Ne vivez pas avec la phobie de la listériose. Soyez simplement vigilante et prudente.

Précautions

• Evitez pendant tout le temps de votre grossesse un contact étroit avec chiens et chats.
• Lavez très scrupuleusement légumes et fruits.
• Faites bien cuire la viande.
• Supprimez les produits laitiers non pasteurisés.
• Consultez votre médecin au moindre accès de fièvre, tout en sachant qu'une poussée de fièvre ne signifie pas forcément que vous êtes atteinte de listériose.

Ces conseils sont les mêmes que ceux préconisés pour se protéger de la toxoplasmose (voir page 109). Ce qui signifie qu'avec une hygiène de vie correcte qui allie bon sens et prudence, la grossesse a toutes les chances de se dérouler sans problèmes majeurs.

30ᵉ SEMAINE de grossesse

*32ᵉ semaine depuis le premier jour
de vos dernières règles*

7ᵉ mois de grossesse

Avez-vous déjà choisi le prénom de votre bébé ?

Votre bébé à naître

Sa taille est de 25 cm de la tête au coccyx et de 37 cm de la tête aux talons. Son poids est de 1,5 kg. Le diamètre de sa tête est de 8,2 cm.

Votre bébé continue à sucer son pouce. Certains bébés, peut-être plus gourmands que d'autres, ont le pouce irrité à la naissance de l'avoir trop sucé.

Si votre bébé est un garçon, ses testicules quittent la région de l'aine pour descendre dans les bourses. Si c'est une fille, les ovogonies, qui sont les cellules sexuelles primitives, sont transformées en ovocytes de 1ᵉʳ ordre. Ces ovocytes de 1ᵉʳ ordre sont entourés de cellules folliculaires et forment ainsi les *follicules primordiaux*. Ce sont eux qui effectueront à partir de la puberté un cycle de maturation dont le but est la libération d'un ovocyte apte à la fécondation.

Vous, la future maman

A ce moment de la grossesse, il ne faut pas confondre anémie vraie et anémie apparente. Le plasma sanguin de la mère s'accroît en effet plus vite que ne se forment les globules rouges et par conséquent les dilue, donnant l'impression d'une pauvreté en globules. A partir de maintenant et pour le reste de la grossesse, la fabrication de globules rouges va s'accélérer afin de reconstituer l'équilibre quantitatif plasma-globules.

• Buvez beaucoup pour alimenter tout ce volume sanguin.
• Consommez des aliments riches en fer, nécessaires à la fabrication des globules rouges.

Conseils

Partagez votre grossesse

La plupart des femmes partagent heureusement leur grossesse avec le père de leur enfant à naître. Dans les moments de fatigue ou d'angoisse, de doute et d'inquiétude, elles trouvent en lui un soutien à qui parler, une aide morale et souvent matérielle pour les tâches de la vie quotidienne.

Future maman qui n'avez ni mari ni compagnon, ne restez pas seule pour autant. Comme toutes les femmes enceintes, et plus qu'une autre, vous avez besoin d'être écoutée, soutenue dans les moments difficiles qui se manifestent au cours de la grossesse. Si vous n'avez pas de famille ou d'amis auprès de qui vous rapprocher, sachez qu'il existe des réseaux d'amitié qui vous apporteront réconfort et solidarité. Des associations ainsi que des organismes officiels pourront vous aider matériellement, vous conseiller et vous renseigner utilement pour vous permettre d'affronter au mieux n'importe quelle situation.

Organismes officiels

Mouvement Français pour le Planning Familial
Direction Départementale de l'Action Sanitaire et Sociale (ddass)
Centre National d'Information sur les Droits de la Femme
Le cnidf vous donnera les coordonnées des centres régionaux (cridf) et des centres départementaux.

Associations

Vous pourrez vous procurer sur le Minitel la liste des associations venant en aide aux mères seules.

Pour votre information

Attendre seule un enfant

Les femmes seules, qu'elles soient célibataires, séparées, divorcées ou veuves, bénéficient des avantages donnés à toutes les femmes enceintes. Si leurs ressources sont réellement insuffisantes, elles peuvent obtenir des aides supplémentaires.

L'Assurance-maternité

Toutes les femmes seules qui bénéficient des prestations de la Sécurité sociale sont habilitées à toucher l'Assurance-maternité. Ce sont :
• la mère célibataire qui a une activité professionnelle salariée ;
• la jeune mère qui est encore à la charge d'un assuré social ;
• les étudiantes qui dépendent du régime de la Sécurité sociale des étudiants ;
• les femmes divorcées ou veuves qui continuent à recevoir les prestations de l'Assurance-maternité pendant l'année qui suit le divorce ou le décès de leur conjoint, à condition que le dernier enfant n'ait pas plus de 3 ans.

(Voir en fin de livre en quoi l'Assurance-maternité consiste.)

La protection sociale des femmes seules

Les futures mères disposant de ressources insuffisantes ou totalement **dépourvues de ressources** peuvent bénéficier d'allocations diverses d'aide sociale.

L'Allocation de parent isolé

L'allocation est versée par la Caisse d'allocations familiales. Elle est destinée à garantir un revenu familial minimum à :
• toute femme enceinte ;
• toute personne seule, célibataire, veuve, séparée, divorcée ayant la charge d'un ou de plusieurs enfants.

Le montant de l'allocation est égal à la différence entre les ressources mensuelles personnelles et un minimum garanti. Il est donc variable.
    L'allocation est versée pendant 12 mois maximum mais, pour des cas exceptionnels, elle peut être prolongée jusqu'à ce que le dernier enfant ait atteint l'âge de 3 ans.
    Son montant est révisé tous les 3 mois en fonction des revenus du trimestre écoulé.

L'Allocation d'aide sociale

Une allocation mensuelle peut être accordée par le bureau d'aide sociale de la mairie pendant les 6 semaines qui précèdent la naissance. Son montant varie en fonction des ressources de la future mère.

Dans le cas de manque total de ressources, cette allocation peut être encore perçue après l'accouchement. Elle peut se cumuler avec les allocations familiales.

Les maisons maternelles

Pour les mères seules, sans logement ni ressources.

• Dans la section prénatale : la femme enceinte est reçue gratuitement avec une prise en charge de la DDASS. L'accouchement est gratuit.

• Dans la section postnatale : une participation aux frais est demandée à la mère en fonction de ses ressources, après le congé de maternité.

Pour connaître les adresses des maisons maternelles de votre région, adressez-vous au service social de votre mairie.

Dans les départements où il n'y a pas de maisons maternelles, les hôpitaux doivent obligatoirement recevoir les femmes enceintes sans ressources qui en font la demande, pendant le mois qui précède l'accouchement et celui qui le suit. Et ceci gratuitement.

Les avantages des mères célibataires

• Le 1ᵉʳ enfant d'une mère célibataire, veuve ou divorcée, compte pour une part entière dans la déclaration des revenus. Les enfants suivants ne donnent droit qu'à une demi-part par enfant.
• La mère célibataire, veuve ou divorcée, peut inscrire les frais de garde de l'enfant sur sa déclaration de revenus. Il faut que l'enfant soit âgé de moins de 7 ans au 31 décembre de l'année pour laquelle on déclare les revenus.

• Si vous n'avez pas de couverture maladie et que vous manquiez totalement de ressources, renseignez-vous auprès de votre Caisse primaire d'Assurance-maladie, il y a des solutions.
• Si vous êtes mère célibataire et que vous vouliez améliorer votre formation professionnelle, votre candidature à un stage de formation agréé par l'Etat sera retenue en priorité. Vous bénéficierez en outre d'une rémunération égale à 120 % du SMIC.
• Vous pouvez obtenir un livret de famille en le demandant à la mairie du lieu de naissance de l'enfant.
• Vous exercerez seule l'autorité parentale même si l'enfant a été reconnu par son père. Elle peut être accordée conjointement à la mère et au père après demande auprès du juge des tutelles au tribunal d'instance.
• Quand le père reconnaît l'enfant, cela l'engage à contribuer à son entretien. S'il ne le fait pas, vous pouvez vous adresser au tribunal d'instance dont dépend votre domicile pour l'obliger à vous verser une pension alimentaire.

Le nom de l'enfant

• L'enfant a le nom de celui qui le reconnaît en premier : soit le père, soit la mère.
• Si les parents le reconnaissent ensemble, il prend le nom du père à moins que les parents ne décident de donner celui de la mère ou les 2 noms accolés.
• Si l'enfant a le nom de la mère, il pourra prendre ensuite celui de son père à condition que ses parents le demandent ensemble au juge des tutelles, avant que l'enfant ait atteint sa majorité.
• Dans le cas de parents non mariés, il est toujours plus simple pour les deux parents d'aller ensemble à la mairie pendant la grossesse afin d'effectuer une reconnaissance anticipée de l'enfant par le père.

Pour vous informer et vous aider

Tous les **Bureaux d'Aide Sociale des Mairies**, les **Caisses d'Allocations Familiales** et les **Centres de Sécurité Sociale**, ainsi que les **Centres de Protection Maternelle et Infantile** (PMI).

RÉCAPITULATIF DU SEPTIÈME MOIS DE VOTRE BÉBÉ

Age de votre bébé	27e semaine	28e semaine	29e semaine	30e semaine
Sa taille.	22 cm de la tête au coccyx. 34 cm de la tête aux talons.	23 cm de la tête au coccyx. 35 cm de la tête aux talons.	24 cm de la tête au coccyx. 36 cm de la tête aux talons.	25 cm de la tête au coccyx. 37 cm de la tête aux talons.
Son poids.	1 kg.	1 kg 150.	1 kg 300.	1 kg 500.
Son développement.	La myélinisation des nerfs commence. C'est la dernière étape de la maturation du cerveau. Elle va durer près de 20 ans.	Le corps de votre bébé commence à s'arrondir légèrement. Si votre bébé est un garçon, ses testicules descendent dans l'aine. Les mouvements respiratoires sont maintenant coordonnés. Autorégulation de la température interne.	Les mouvements de votre bébé se réduisent par manque de place. Les yeux sont ouverts. Les cils sont déjà longs. Votre bébé découvre le sens du goût.	Les testicules du garçon descendent dans le scrotum. Chez la fille, formation des follicules primordiaux dans l'ovaire.
Observations générales.	Le poids actuel de votre bébé est à peu près le tiers de son poids de naissance.			Votre bébé occupe presque tout le volume de l'utérus.

RÉCAPITULATIF DU SEPTIÈME MOIS DE VOTRE GROSSESSE

Age de la grossesse	27e semaine	28e semaine	29e semaine	30e semaine
Observations générales.	Tous vos organes ont grossi sauf le foie.	Votre cœur bat plus vite. Environ 12 battements de plus à la minute.	Vos seins peuvent sécréter un peu de colostrum. L'utérus dépasse le nombril de 4 à 5 cm.	Une ligne verticale sombre peut apparaître au milieu de l'abdomen.
Symptômes possibles.			Sensation de pesanteur, aigreurs d'estomac, tendance à l'essoufflement.	
Précautions à prendre.	Attention à l'accouchement prématuré : • reposez-vous • cessez toute activité sportive.	Commencez une préparation à l'accouchement.	Attention aux maladies infectieuses : • éviter chiens et chats, • laver légumes et fruits, • cuire très bien la viande, • supprimer laitages et fromages au lait cru. **Au moindre signe de fièvre : consulter immédiatement.**	Consommez des aliments riches en fer. Buvez beaucoup pour alimenter le volume sanguin.
Examens.	Si vous a.tendez des jumeaux : • analyse d'urine tous les 15 jours, • visite médicale tous les 15 jours.			3e échographie.
Démarches.			Droits et avantages des mères célibataires : informez-vous auprès de votre caisse de Sécurité sociale et de la Caisse d'Allocations familiales.	

8ᵉ MOIS

Depuis une quinzaine de jours, votre bébé a commencé à grossir. Il ne va plus s'arrêter pour devenir un petit poupon bien rond le jour de sa naissance.

Pendant ses deux derniers mois et demi de vie intra-utérine, il prend 50 % du poids total qu'il aura à terme. C'est pourquoi votre alimentation est d'importance capitale. Ne l'oubliez pas. C'est ce que vous mangez qui construit votre bébé.

Ce mois-ci, s'il ne l'a déjà fait, votre bébé va se retourner pour s'orienter dans la bonne direction. Tête en bas, il prend dès maintenant ses dispositions pour sortir avant d'être trop gros et de ne plus pouvoir le faire.

31ᵉ SEMAINE de grossesse

---

*33ᵉ semaine depuis le premier jour
de vos dernières règles*

8ᵉ mois de grossesse

Votre bébé est maintenant un grand : finies les cabrioles !

Votre bébé à naître

Sa taille est de 26 cm de la tête au coccyx et de 39 cm de la tête aux talons. Son poids est de 1,7 kg. Le diamètre de sa tête est de 8,5 cm.

A ce stade de son développement, votre bébé occupe pratiquement tout le volume de l'utérus. Il n'a plus assez de place pour jouer à l'alpiniste, se balancer au bout de son cordon et se déplacer d'un point à l'autre. Il va encore grandir et grossir. L'utérus aussi, parallèlement, mais l'espace est définitivement restreint. Avant de bouger plus discrètement, il fera une dernière galipette et se retourner complètement, prenant ainsi la position définitive qu'il aura au moment de l'accouchement. Grâce à l'échographie, on pourra savoir comment votre bébé fera son entrée dans le monde : tête la première ou par le siège. C'est ce que l'on appelle la *présentation*.

Des stimulations sonores comme la musique ou la voix des parents, notamment celle du père car à fréquence plus basse, déclenchent des mouvements chez votre bébé ainsi qu'une accélération du cœur, visibles à l'échographie.

Vous, la future maman

L'utérus est un organe remarquable. Au cours de la grossesse, il multiplie son poids au moins par dix et augmente d'environ 500 fois en volume. La progestérone joue probablement un rôle dans cet incroyable étirement.

En augmentant de volume, l'utérus appuie sur le diaphragme qui remonte et porte sur le bord de la cage thoracique. C'est en position assise que vous sentez surtout cette gêne qui peut finir par être douloureuse. Si c'est le cas, levez-vous et étirez-vous en levant les bras tout en inspirant. Baissez les bras en expirant.

Comme la peau de votre abdomen est très tendue, votre nombril est lui aussi tiré et aplati. Chez certaines femmes, il est si tiré qu'il se retourne et apparaît alors en relief.

Conseils

Faire une troisième échographie

Entre la 32e et la 34e semaine d'aménorrhée, c'est le moment de faire une troisième échographie, la meilleure date étant la 32e semaine d'aménorrhée, soit la 30e semaine de grossesse.

Cette 3e échographie a sa raison d'être dans le cas :

• où l'on craint un retard du développement. Par exemple, quand la mère a contracté une maladie infectieuse. On vérifie alors la taille du bébé, ses mouvements cardiaques, ses mouvements réflexes au bruit et à la lumière ;

• où l'on soupçonne une anomalie curable. L'échographie permet de voir et ensuite d'agir vite, dès la naissance. C'est le cas pour la sténose du pylore ou une malformation cardiaque, par exemple ;

• où le placenta est situé très près de l'orifice interne du col. Dans ce cas, on mesure la distance définitive qui les sépare. Certains placentas praevia descendent très bas, jusqu'à recouvrir l'orifice interne du col de l'utérus, obligeant à procéder le moment venu à une césarienne ;

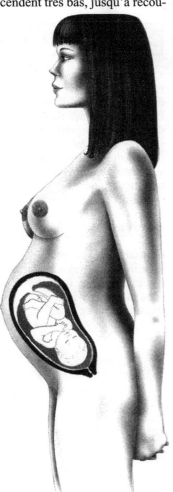

• où l'on craint une mauvaise présentation. Le bébé à naître amorce sa descente vers l'entrée du bassin maternel aux alentours de la 31ᵉ semaine d'aménorrhée dans le cas d'une première grossesse. Il est en place définitive aux alentours de la 34ᵉ semaine. Chez les multipares, le positionnement du bébé peut avoir lieu plus près du terme.

En vue de l'accouchement, on mesure le BIP ou bipariétal, c'est-à-dire le diamètre de la tête du bébé. On mesure aussi son diamètre abdominal, au niveau de l'ombilic. Ces deux mesures doivent être en harmonie.

Certaines anomalies fœtales peuvent aujourd'hui être opérées in utero. C'est l'échographie qui guidera la main du chirurgien.

Vous, 31 semaines après votre fécondation.

Pour votre information

La présentation

La présentation est la façon dont le bébé se place dans l'utérus vers la fin du 7ᵉ mois. Elle est dès à présent pratiquement définitive et son diagnostic est fait vers 7 $^1/_2$ mois-8 mois. Elle est appréciée par palpation de l'abdomen et, s'il y a un doute, par échographie ou radiographie.

Il est essentiel que la **présentation soit verticale** pour le déroulement normal de l'accouchement. Cette présentation verticale peut être tête en bas, cas de loin le plus fréquent, ou tête en haut.

La présentation céphalique

L'enfant qui occupe tout l'espace de son habitacle s'adapte au mieux à la forme de celui-ci. C'est pourquoi, dans 95 % des cas, il place la partie la plus volumineuse de son corps dans la zone de l'utérus la plus large. Il se retrouve donc la tête en bas avec le dos le plus souvent orienté à gauche.

La présentation du sommet

C'est la présentation la plus fréquente, près de 95 % des cas. C'est le sommet du crâne qui se présente à l'entrée du bassin. La tête s'engagera dans le bassin, au moment de l'accouchement, le menton sur le thorax.

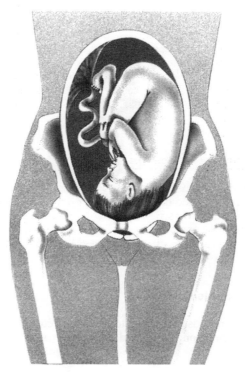

Présentation du sommet : 95 % des cas.

La présentation de la face

Dans ce cas, la tête est complètement rejetée en arrière. L'accouchement est souvent difficile et peut nécessiter une césarienne.

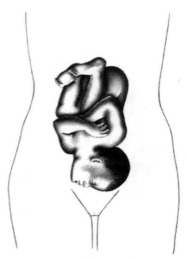

Présentation de la face.

La présentation du front

La césarienne est ici obligatoire car la tête de l'enfant se présente dans son plus grand diamètre et rend l'accouchement impossible.

La présentation du siège

L'enfant est en position verticale mais dans le mauvais sens : il présente les fesses au lieu de la tête. Cette disposition peut être due à un utérus trop petit ou mal formé.

Au moment de l'accouchement, l'expulsion peut être difficile et nécessiter une anesthésie générale.

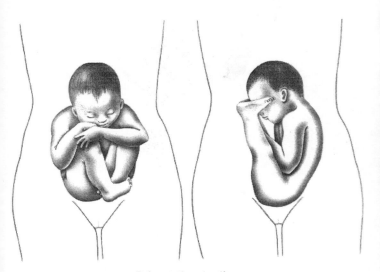

Présentation du siège.

La présentation transverse

L'enfant est placé en travers de l'entrée du bassin. Il en ferme le passage avec son dos. C'est alors l'épaule qui se présente en premier. Une césarienne est nécessaire.

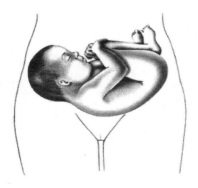

32ᵉ SEMAINE de grossesse

*34ᵉ semaine depuis le premier jour
de vos dernières règles*

8ᵉ mois de grossesse

*Connaissez-vous le menu favori de votre bébé ?
Calcium et fer !*

Votre bébé à naître

Sa taille est de 27 cm de la tête au coccyx et de 40,5 cm de la tête aux talons. Son poids est de 1,9 kg. Le diamètre de sa tête est de 8,7 cm.

Les ongles de votre bébé atteignent à présent le bout des doigts mais pas encore l'extrémité des orteils.

Il continue à accumuler de la graisse mais néanmoins son corps a encore une apparence fripée. Sa peau est un peu moins rouge, plutôt rose et son revêtement protecteur, le vernix, est à présent très épais.

Le niveau du calcium dans le sang du bébé est actuellement plus haut que dans celui de la mère. Le placenta est quelquefois surnommé « la pompe à calcium » car il distribue le minéral de la mère au bébé, en énorme quantité, pour l'élongation des os.

Les glandes surrénales situées au sommet des reins sont, chez votre bébé, de la taille de celles d'un adolescent. Elles produisent chaque jour près de 10 fois plus d'hormone stéroïde que celles d'un adulte normal ! Une partie est transformée en une hormone estrogène (voir page 253) qui est à l'origine du colostrum qui s'écoule actuellement de vos seins. Après la naissance, les glandes surrénales vont régres-

ser de manière incroyable puisqu'elles seront, cette fois, pro-
portionnelles à la taille de votre bébé.

Vous, la future maman

Les os de votre bébé continuent de s'allonger et de s'épaissir. Il ne faut pas que ce soit au détriment de votre propre
squelette ou de votre dentition. Consommez lait et fromages
pasteurisés quotidiennement pour lui apporter la quantité de
calcium dont il a besoin.

Par ailleurs, ne négligez pas :
• votre poids. Continuez à vous peser régulièrement ;
• le contrôle de vos urines.

Conseils

Vous êtes à 7 semaines du terme. A la fin de cette semaine,
votre congé de maternité va commencer.

Le congé de maternité n'est pas un luxe. Vous êtes alour-
die par un utérus très gros, fatiguée par une circulation sanguine et une respiration difficiles car tous les organes sont
comprimés. Mettez ce temps à profit pour vous reposer et
continuer à vous préparer matériellement et psychiquement
à la venue de votre bébé.

A la fin de cette semaine, vous pourrez saluer vos collègues
et votre patron. Ils ne vous verront pas avant un certain
temps. Quand vous les reverrez dans 4 mois, ils ne vous
reconnaîtront pas. Vous les quittez un peu lasse de porter
vos formes épanouies et ils retrouveront une jeune mère
alerte et heureuse.

Pendant votre congé de maternité

Reposez-vous le plus possible. Evitez toute activité ou imprudence qui pourrait déclencher un accouchement prématuré. Si la nature a décidé que la gestation est de 9 mois, c'est qu'il faut 9 mois à votre bébé pour une maturation complète de ses organes. Plus il naîtra tardivement et plus il aura de chances de son côté pour réussir une bonne entrée dans la vie.

Faites vos exercices de relaxation, de respiration, d'assouplissement du périnée.

Terminez de préparer la chambre de bébé. Il est préférable qu'il ne dorme pas dans votre chambre mais dans la sienne. Si vous êtes angoissée à la pensée de ne pas l'entendre, pendant quelque temps, mettez son berceau tout à côté de votre chambre et laissez la porte ouverte. Sachez qu'il existe des babyphones, petits interphones qui vous permettront d'entendre votre bébé où que vous soyez dans la maison.

Le retour à la maison avec le bébé n'est pas toujours facile et il est préférable d'avoir prévu une bonne organisation.
   Organisez la garde de vos autres enfants pendant votre séjour à la maternité.

Pensez à être aidée pendant les premiers jours de votre retour de la maternité. Si vous n'avez ni mère, ni belle-mère disponibles, vous pouvez vous adresser à votre mairie qui vous indiquera une aide familiale. Au retour de la maternité, vous devrez vous reposer et avoir du temps pour suivre les cours de gymnastique ou de rééducation du périnée. Pour cela, vous devez être déchargée de temps en temps de la garde de votre bébé.

Le Minitel vous fournira des listes d'associations d'aide familiale.

Pour votre information

> ## Les congés de maternité : modalités légales

• Pour les futures mères qui travaillent, le congé de maternité commence officiellement 6 semaines avant l'accouchement. C'est le **repos prénatal**. Il se continue par un **repos postnatal** de 10 semaines après l'accouchement. Le congé de maternité classique comprend donc 16 semaines de repos.

	Vous attendez	Congé prénatal	Congé postanal
Vous n'avez pas d'enfant	• votre 1er enfant • des jumeaux • des triplés et plus	6 semaines 12 semaines 24 semaines	10 semaines 22 semaines 22 semaines
Vous avez déjà un enfant	• un 2e enfant • des jumeaux • des triplés et plus	6 semaines 12 semaines 24 semaines	10 semaines 22 semaines 24 semaines
Vous avez déjà deux enfants et plus	• un nouvel enfant • des jumeaux, des triplés et plus	8 semaines 12 semaines	18 semaines 24 semaines

• Si l'accouchement est prématuré, les semaines qui n'ont pas été prises avant peuvent être reportées après, de façon à faire les 16 semaines légales.
• Si l'accouchement a lieu avant que le congé n'ait commencé, les 16 semaines seront toutes reportées en congé postnatal.
• La durée totale du congé de maternité peut varier suivant les conventions de votre entreprise ou si vous travaillez dans la fonction publique.

• Si la future mère est malade à partir du 6e mois de la grossesse, elle peut bénéficier d'un repos prénatal de 2 semaines supplémentaires aux 6 semaines légales, indemnisées au tarif du congé de maternité, c'est-à-dire à 84 %. Les autres congés de maladie pris au cours de la grossesse sont indemnisés au tarif maladie.

• Si le bébé est hospitalisé, la mère peut reprendre son travail durant cette période. Les semaines de congé non prises pourront l'être plus tard, quand l'enfant aura quitté l'hôpital.

• Toute femme a le droit de prendre un congé plus court, à condition toutefois de s'arrêter au moins 2 semaines avant l'accouchement et 6 semaines après, sous peine de perdre ses droits aux indemnités journalières.

• Tout père salarié, marié ou non, a droit à 2 jours de congés payés. Ils doivent être pris, de manière consécutive ou non, dans les 15 jours qui précèdent ou suivent l'accouchement. Une nouvelle loi, applicable à partir de 2002, prévoit un congé de 15 jours.

**Fin du congé de maternité :
vous ne désirez pas reprendre le travail**

Si vous travaillez dans le secteur public

• Vous avez droit à un **congé sans solde** pendant 3 ans. A la fin de ce congé, vous serez réintégrée dans votre emploi.

• Les fonctionnaires peuvent demander à travailler à mi-temps, mais ce droit n'est pas systématiquement accordé.

Si vous travaillez dans le secteur privé

Vous avez une possibilité légale.

Le congé parental d'éducation

C'est un congé sans solde qui est accordé pour un an et peut être renouvelé 2 fois. Il peut être pris à mi-temps ou à plein temps. A condition toutefois que l'employeur ne l'estime pas préjudiciable à l'entreprise. Auquel cas, il peut s'y opposer, notamment s'il dirige une entreprise de moins de 100 salariés.

Pour demander un congé parental d'éducation, il faut :
• avoir travaillé au moins 1 an dans l'entreprise ;
• prévenir son employeur par lettre recommandée avec accusé de réception, de l'intention de prendre un congé parental. Il faut le faire au moins 1 mois avant l'expiration du congé de maternité et 2 mois avant de s'arrêter dans le cas d'une reprise de travail entre-temps.

Le parent n'est pas obligé de prendre le congé parental à la suite du congé de maternité mais dans les 2 ans qui le suivent. Dans ce cas, si la mère a repris son travail avant de demander le congé, celui-ci sera diminué de la période pendant laquelle elle a travaillé.

Si c'est le père qui demande le congé parental d'éducation, la mère doit envoyer à l'employeur de celui-ci une lettre recommandée avec accusé de réception, précisant qu'elle ne peut pas ou ne veut pas prendre ce congé. Théoriquement, à l'expiration du congé, le parent retrouve son emploi ou un emploi similaire.

33ᵉ SEMAINE de grossesse

*35ᵉ semaine depuis le premier jour
de vos dernières règles*

8ᵉ mois de grossesse

*« Je ne veux pas sortir ! », se dit votre bébé bien au chaud
dans sa bulle. Alors, pensant tourner le dos au monde… il
se retourne !*

Votre bébé à naître

Sa taille est de 28 cm de la tête au coccyx et de 42 cm de la
tête aux talons. Son poids est de 2,1 kg. Le diamètre de sa
tête est d'environ 8,8 cm.

Votre bébé avale beaucoup de liquide amniotique et urine
beaucoup. Le méconium constitué à partir des débris cellulaires et graisseux contenus dans le liquide amniotique, de
mucus et de bile qui se déverse de la vésicule, s'accumule
dans ses intestins. Il s'agit d'une matière verdâtre ou noirâtre, épaisse et visqueuse que le bébé éliminera naturellement à la naissance. Il le rejettera d'autant mieux s'il tête au
sein maternel le colostrum qui est un léger purgatif.

A partir de ce 8ᵉ mois et jusqu'à la naissance, la détection
de méconium dans le liquide amniotique, normalement clair,
est un signe de détresse fœtale. La première manifestation de
souffrance fœtale est en effet la contraction de l'intestin.
Des dispositions doivent alors être prises. Généralement, le
médecin décide de provoquer l'accouchement.

Le méconium est repéré dans le liquide amniotique par
amnioscopie. Cet examen est pratiqué près du terme, uniquement en cas de suspicion de souffrance fœtale par suite

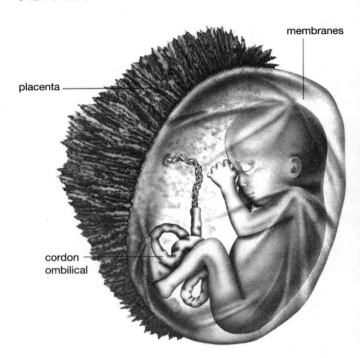

membranes

placenta

cordon
ombilical

d'une maladie infectieuse contractée par la mère, par exemple. Il consiste à regarder l'aspect du liquide à travers les membranes formant la cavité amniotique, en introduisant un tube fin dans le col de l'utérus.

Votre bébé se retourne, s'il ne l'a pas déjà fait, pour placer sa tête dans la partie la plus étroite de l'utérus. 95 % des bébés ont ainsi la tête en bas, le dos orienté vers la gauche.

Vous, la future maman

Il y a eu un accroissement continuel de l'utérus tout au long de la grossesse. Ce développement s'est fait sur plusieurs paramètres : volume et poids. Le poids actuel de l'utérus, indépendamment du bébé qu'il contient, est supérieur à celui d'un utérus non gravide de 1 kg environ.

Conseils

La sixième visite médicale obligatoire

Elle doit avoir lieu impérativement au cours des 2 premières semaines du 8ᵉ mois.

Comme à la visite précédente, elle a pour but :
• de **contrôler** si la croissance du bébé est normale, si le col est encore correctement fermé et si la santé de la mère est satisfaisante ;
• d'**apprécier** si la présentation est bonne car le bébé a maintenant pris sa position presque définitive ;
• de **juger**, au cours de l'examen obstétrical, de la forme et des dimensions du bassin. S'il est inférieur aux normes, on pourra compléter l'examen par une **radiopelvimétrie**, c'est-à-dire un examen radiologique du bassin osseux qui en donne les mensurations exactes.

Pour votre information

```
Les aides financières
```

Les femmes enceintes bénéficient de différents avantages regroupés sous les termes d'**Assurance-maternité et de prestations familiales**.

L'Assurance-maternité

En cas de maternité, l'assurance-maladie se complète automatiquement, pour toute assurée sociale ou ayant-droit d'un assuré social, de l'Assurance-maternité. Ce terme désigne l'ensemble des avantages accordés par la Caisse de la Sécurité sociale. Il s'agit :
• du **remboursement** des frais médicaux occasionnés par la grossesse et l'accouchement ;
• de **prestations familiales** accordées aux femmes qui se soumettent aux visites médicales et aux examens prénataux et postnataux ;
• des **indemnités journalières** de repos versées aux futures mères qui arrêtent leur travail avant et après l'accouchement.
    La condition de durée de travail nécessaire pour bénéficier de l'Assurance-maternité est la même que celle requise pour l'assurance-maladie.

Tous les renseignements concernant l'Assurance-maternité sont reportés en fin d'ouvrage. (Voir Annexe page 416.)

34ᵉ SEMAINE de grossesse

*36ᵉ semaine depuis le premier jour
de vos dernières règles*

8ᵉ mois de grossesse

Votre bébé commence à être tout dodu !

Votre bébé à naître

Sa taille est de 29 cm de la tête au coccyx et de 43 cm de la tête aux talons. Son poids est de 2,2 kg. Le diamètre de sa tête est de 9 cm.

Votre bébé a maintenant des contours tout ronds et son visage est lisse. La plupart de ses rides ont disparu au fur et à mesure que les couches de graisse se déposaient sous la peau.

Si c'est une fille, les ovaires ne sont toujours pas descendus dans l'abdomen. Ils migreront seulement après la naissance.

Au cours du développement peuvent survenir des défauts mineurs visibles à la naissance. Par exemple une tache que l'on appelle une **marque de naissance** ou encore une **envie**. L'appellation est mauvaise car ces taches n'ont aucun rapport avec le mécanisme de la naissance et ne résultent d'aucun traumatisme, pas plus qu'elles ne proviennent d'une envie non satisfaite de la future mère.

La marque de naissance n'est pas une tumeur et pousse à peu près à la même vitesse que les tissus qui l'entourent. N'importe quelle partie du corps peut être touchée mais plus de la moitié des marques apparaissent sur la peau du visage, de la tête ou du cou.

Quelques marques persistent toute la vie, d'autres régressent de façon appréciable ou disparaissent complètement pendant l'enfance. Le laser est utilisé avec succès dans leur suppression.

Vous, la future maman

A ce stade de la grossesse, beaucoup de femmes ont des contractions utérines périodiques. Elles ressentent habituellement au sommet de l'utérus comme une raideur ou une tension qui s'étend vers le bas puis se relâche.

Quelques contractions peuvent être quelquefois fortes mais elles ne sont pas fréquentes et surtout elles sont à intervalles irréguliers. Aussi, les distingue-t-on facilement des contractions qui signalent le commencement du travail de l'accouchement.

Conseils

> **Préparez votre valise et celle de votre bébé**

Vous n'êtes plus tellement loin du terme et bébé peut arriver à tout moment. Aussi, vaut-il mieux prévoir un départ anticipé à la maternité et tout préparer à l'avance.

N'oubliez surtout pas vos papiers

Rassemblez-les dans une grande enveloppe pour être sûre d'avoir tout sous la main : étiquettes auto-collantes, livret de famille et pièce d'identité, carte de groupe sanguin, derniers résultats d'analyses ainsi que votre fiche d'inscription à la maternité avec le reçu de la somme déjà versée au moment de l'inscription, s'il s'agit d'une clinique agréée.

Si vous accouchez dans un hôpital

Vous n'avez théoriquement besoin de rien puisque tout le linge vous est fourni pour vous et votre bébé. Vous pouvez donc vous contenter d'apporter votre nécessaire de toilette, c'est-à-dire vos objets personnels, sans oublier naturellement robe de chambre et pantoufles.

Toutefois, ce sera plus agréable pour vous de recevoir votre famille et vos amis avec une jolie chemise de nuit. Tout comme on ne vous empêchera pas de mettre à votre bébé ce que vous aurez apporté pour lui.

Si vous accouchez dans une clinique privée

Vous devez apporter votre linge et celui de votre bébé.

Votre valise

Pour l'accouchement :
• un tee-shirt ample dans lequel vous êtes à l'aise ;
• des chaussettes.

Pour le séjour :
• 2 chemises de nuit courtes qui s'ouvrent facilement devant, surtout si vous allaitez ;
• une robe de chambre et des pantoufles ;
• 2 soutiens-gorge qui s'ouvrent devant si vous allaitez ;
• des serviettes hygiéniques et des slips ;
• linge et nécessaire de toilette.

La valise de votre bébé

Lors des cours d'accouchement préparé, la sage-femme vous dira ce qu'il faut emporter pour bébé. En gros, il faut prévoir :
• 6 chemises en coton ;
• 3 brassières de laine ;
• 4 grenouillères en tissu-éponge ;
• 4 paires de chaussettes ou de chaussons ;
• 1 rouleau de filet élastique, acheté en pharmacie, pour le nombril ;
• 1 bonnet et un burnous pour la sortie.
Renseignez-vous quant aux couches : la maternité les fournit-elle ou pas ?

Pour votre information

┌───┐
│ **Peut-on encore faire l'amour**   │
│ **à cette période de la grossesse ?**   │
└───┘

Sauf contre-indication majeure, une femme enceinte peut faire l'amour jusqu'à son accouchement. Elle devra néanmoins prendre quelques précautions :
• prendre des positions adaptées pour éviter tout faux mouvement douloureux ;
• éviter les pénétrations trop longues ou trop fortes qui pourraient déclencher des contractions.

Des contre-indications à la pénétration existent cependant, dans le cas :
• de grossesse gémellaire ou multiple ;
• d'un accouchement prématuré précédent ;
• d'hypertension artérielle ;
• de placenta implanté trop bas (placenta praevia).

Il faut savoir que le sperme contient des prostaglandines, hormones qui agissent directement sur les fibres musculaires de l'utérus et déclenchent des contractions. C'est pourquoi les rapports sexuels à un stade avancé de la grossesse provoquent souvent l'accouchement.

L'absence de pénétration momentanée n'empêche nullement les caresses et donc le plaisir que peut avoir un couple.

Les contractions utérines

L'utérus est un muscle constitué de plusieurs types de fibres qui, en se contractant, vont jouer un rôle précis au cours de l'accouchement.

Les fibres musculaires longitudinales qui constituent extérieurement l'utérus permettent, en se contractant, l'effacement du col. La conjugaison des contractions simultanées de fibres circulaires et de fibres longitudinales internes font descendre l'enfant vers la partie inférieure de l'utérus pour en être expulsé.

Le déclenchement des contractions

La cause précise du déclenchement de l'accouchement est encore ignorée. On connaît bien sûr un certain nombre de facteurs déclenchants mais on ne sait pas ce qui soudain décide du moment.

Les facteurs hormonaux

• Par sécrétion d'une hormone hypophysaire du bébé, le taux de progestérone de la mère, jusqu'alors très élevé, chute brutalement. Cela va entraîner la sécrétion par l'hypophyse de la mère d'une nouvelle hormone : l'**ocytocine** dont la présence est essentielle pour l'accouchement puisqu'elle déclenche les contractions de l'utérus. On en administre d'ailleurs aux femmes dont les contractions ne sont pas assez efficaces ou pour déclencher le travail lors d'un accouchement provoqué.

• Le taux de **prostaglandines**, hormones sécrétées par le muscle utérin lui-même, augmente, entraînant des contractions.

Les facteurs mécaniques

• La distension de l'utérus, à un certain moment, déclenche la sécrétion des prostaglandines.

• La tête de l'enfant engagée dans le bassin et qui, par la pression exercée, tire sur le col. Par réflexe nerveux, dont le point de départ est le col, des contractions peuvent être amorcées et entretenues. Il n'est d'ailleurs pas rare qu'un examen de fin de grossesse déclenche l'accouchement dans les 24 heures.

Résultat des contractions

L'effacement du col

Les contractions exercent leur force du fond de l'utérus vers le col. A chaque contraction, les parois de l'utérus tirent le col vers le haut. Il se raccourcit ainsi progressivement jus-

Effacement et

qu'à disparaître complètement. Il finit par se confondre avec le reste de l'utérus mais reste cependant toujours fermé par le bouchon muqueux.

Dans certaines grossesses à risque, l'effacement du col peut avoir lieu plusieurs semaines avant l'accouchement.

Chez les primipares, la dilatation commence une fois le col effacé. Il peut mettre plusieurs heures à s'effacer.

La dilatation du col

Toujours sous l'effet des contractions, le col s'ouvre peu à peu. La dilatation complète du col correspond à une ouverture de 10 cm de diamètre. Le corps de l'utérus se trouve alors en continuité avec le vagin.

L'enfant ne peut sortir de l'utérus tant que la dilatation du col est incomplète. La mère sent la tête de l'enfant appuyer en bas de l'utérus et a tendance à vouloir pousser. Cela ne sert à rien. Il faut attendre que le médecin ou la sage-femme qui dirige l'accouchement le dise.

Chez les multipares, l'effacement et la dilatation ont lieu plus ou moins en même temps.

dilatation du col.

La poussée de l'enfant en avant

Les contractions agissent sur l'enfant en le poussant peu à peu en avant. Elles l'aident à se tourner légèrement pour s'orienter selon le meilleur axe de passage à travers le bassin.

Au moment de l'expulsion, les contractions utérines ont pour rôle de pousser le bébé vers l'extérieur.

La délivrance

Après la naissance du bébé et un temps d'arrêt des contractions, celles-ci reprennent mais de façon beaucoup moins douloureuse. Elles ont pour but le décollement et l'expulsion du placenta par rétraction de l'utérus ainsi que la ligature naturelle des vaisseaux sanguins qui les reliaient.

L'espèce humaine est la seule espèce qui perde une forte quantité de sang, environ 1/2 litre, au moment de la délivrance.

RÉCAPITULATIF DU HUITIÈME MOIS DE VOTRE BÉBÉ

Âge de votre bébé	31ᵉ semaine	32ᵉ semaine	33ᵉ semaine	34ᵉ semaine
Sa taille.	26 cm de la tête au coccyx. 39 cm de la tête aux talons.	27 cm de la tête au coccyx. 40,5 cm de la tête aux talons.	28 cm de la tête au coccyx. 42 cm de la tête aux talons.	29 cm de la tête au coccyx. 43 cm de la tête aux talons.
Son poids.	1 kg 700.	1 kg 900.	2 kg 100.	2 kg 200.
Son développement.	Les stimulations sonores provoquent des mouvements du bébé et une accélération cardiaque visible à l'échographie.	Les ongles de votre bébé atteignent le bout des doigts mais pas celui des orteils. La peau est à présent rose. Elle a encore une apparence fripée.	Votre bébé avale beaucoup de liquide amniotique et urine beaucoup. Le méconium s'accumule dans son intestin.	Votre bébé excrète environ deux cuillères à soupe d'urine par heure. Si c'est une fille, les ovaires ne sont toujours pas descendus dans l'abdomen.
Observations générales.	Mesure du diamètre de la tête possible par échographie.	Votre bébé absorbe énormément de calcium pour l'élongation de ses os.	Il se retourne, tête en bas.	La détection de méconium dans le liquide amniotique est un signe de détresse fœtale.

RÉCAPITULATIF DU HUITIÈME MOIS DE VOTRE GROSSESSE

Âge de la grossesse	31e semaine	32e semaine	33e semaine	34e semaine
Observations générales.		Votre bébé consomme énormément de calcium et de fer. Si votre alimentation est trop pauvre, ce sera à votre détriment.	Du fait de son accroissement, votre utérus pèse 1 kg de plus qu'avant votre grossesse.	
Symptômes possibles.	Gêne de l'utérus en position assise.			Vous pouvez avoir quelques contractions utérines. Pas d'affolement.
Précautions à prendre.		Pour la sauvegarde de vos dents, consommez quotidiennement lait et fromages pasteurisés, riches en calcium.		
Examens.	Troisième échographie si elle n'a pas eu lieu à la 30e semaine.	Sixième visite médicale obligatoire. Si besoin est : mesures exactes du bassin osseux par radio-pelvimétrie.	Amnioscopie en cas de suspicion de souffrance fœtale (maladie infectieuse de la mère).	
Démarches.		Envoyer à la Sécurité sociale une attestation d'arrêt de travail remplie et signée par votre employeur.	Renseignements sur les aides financières auprès de votre caisse de Sécurité sociale et de la Caisse d'Allocations familiales.	

9e MOIS

Ça y est, c'est bientôt la fin de votre long parcours !
Vous n'êtes pas la seule à vouloir que cette gestation
se termine : votre bébé aussi ! Il a hâte de sortir de son
habitacle de plus en plus étroit pour voir enfin ce monde
qui l'entoure et dont il entend les bruits.

Il est surtout pressé de vous rencontrer. Il connaît
votre voix, le bruit de votre cœur ; il sait si vous dormez,
mangez ou marchez. Il aime d'ailleurs beaucoup quand
vous marchez. C'est pour lui un réel plaisir car il est
bercé au rythme de vos pas. Un plaisir qu'il réclamera à
grands cris quand il sera né !

Vous vivez ensemble depuis bientôt 9 mois et enfin
vous allez vous découvrir. Vous vous aimez déjà mais ce
n'est que le début.

35ᵉ SEMAINE de grossesse

*37ᵉ semaine depuis le premier jour
de vos dernières règles*

début du 9ᵉ mois de grossesse

Si votre bébé naît maintenant, c'est pratiquement sans aucun risque.

Votre bébé à naître

Sa taille est de 30 cm de la tête au coccyx et de 45 cm de la tête aux talons. Son poids est de 2,4 kg. Le diamètre de sa tête est de 9,2 cm.

Votre bébé excrète environ 25 à 30 millilitres d'urine par heure. Environ 2 cuillères à soupe. Cette urine est rejetée dans le liquide amniotique dans lequel il baigne.

Le liquide amniotique se trouve à l'intérieur de 2 sacs : un sac externe, le chorion qui entoure le sac interne, l'amnios. Ces deux sacs sont si étroitement accolés qu'ils donnent l'apparence de n'être qu'un seul. Ils forment ce que l'on appelle les membranes. Le tout forme la poche des eaux.

Quand les *membranes* sont rompues, habituellement pendant le travail de l'accouchement, le liquide s'écoule par le col en cours de dilatation et le vagin. Il sert alors de lubrifiant pour le passage de l'enfant.

Le placenta a maintenant un diamètre de 20 cm pour une épaisseur de 3 cm. Son poids est d'environ 500 grammes. Cette augmentation phénoménale en taille tient au besoin énorme d'échanges de nutriments et de déchets entre mère et enfant.

Le lanugo, ce fin duvet qui recouvre tout le corps de votre bébé, commence à disparaître.

Vous, la future maman

Vous ressentez probablement dans le bas du ventre un **poids**, des **tiraillements et des douleurs diffuses**.

Les douleurs sont dues au **relâchement des articulations**. Les articulations du bassin commencent à s'écarter un peu en vue du passage du bébé. Cet écartement tire sur les ligaments et est douloureusement ressenti par la mère.

Vos hanches se sont donc un peu élargies. Elles reprendront la position qui était la leur avant la grossesse après environ une année.

Le poids qui appuie parfois fortement dans le bas-ventre est celui du bébé qui a commencé à **descendre dans le bassin**. Cet engagement peut se produire à la fin de la grossesse, dans les semaines qui précèdent l'accouchement, notamment pour un premier enfant. Il peut avoir lieu seulement quelques jours ou parfois quelques heures avant que ne débutent les contractions.

Plus de la moitié des accouchements prématurés commencent à cette période, sans raison précise. A ce stade de la grossesse, un enfant né prématurément a 99 % de chances de survie. Parmi les autres, le problème n'est pas tant d'être né trop tôt, mais la raison qui les a fait naître trop tôt.

Conseils

Bien accoucher

Accoucher dans les meilleures conditions, sans complications et sans souffrance excessive, est bien sûr le rêve de chacune. C'est ce qui se passe effectivement dans 90 % des cas. Parmi les autres, il y a celles qui ont un problème, toujours détecté à l'avance quand il est lié à une pathologie ou à une malformation. Il y en a certaines, enfin, pour lesquelles tout devrait bien se passer et qui ont un accouchement long et difficile qui ne leur laissera pas un bon souvenir.

Pour arriver détendue, alors que le bébé s'annonce, et accoucher dans des conditions optimum :

Ne vous laissez pas envahir par l'appréhension de l'accouchement qui approche. Continuez à faire régulièrement vos exercices de relaxation et de respiration. Ils vous apportent détente

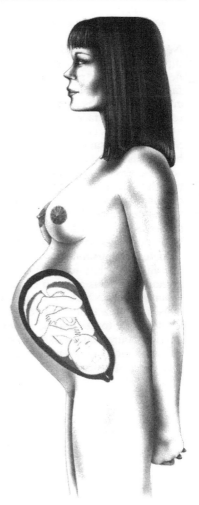

Vous, 35 semaines après votre fécondation.

et confiance en vous. Le moment venu, ils seront une aide précieuse pour vous empêcher de paniquer face à la douleur. Ceci est essentiel car la peur joue un rôle extrêmement négatif dans le travail de la naissance.

Ne pensez pas à vous, à ce qui va vous arriver car automatiquement, vous allez être très pessimiste. Vous allez avoir peur de souffrir, peur que cela se passe mal, peur de mal faire, peur que votre bébé ait un problème, etc. Toutes vos craintes refoulées pendant les 9 mois de grossesse vont rejaillir à la surface.

Soyez décontractée. Pour cela, souriez en pensant à votre bébé dans la petite grenouillère rigolote que vous lui avez achetée. Essayez d'imaginer ses cheveux : sont-ils bruns ou blonds ? Pensez à ses yeux : sont-ils bleus comme les vôtres ou marron comme ceux de son père ? Aura-t-il votre nez, votre bouche ? En un mot, à qui ressemblera-t-il ? Autant de surprises qu'il vous réserve, bien que vous sachiez déjà beaucoup de choses sur lui. En particulier, vous savez déjà, si toutefois vous avez voulu le savoir, si c'est un garçon ou une fille. Alors, parlez-lui doucement en l'appelant par le prénom que vous avez dû choisir depuis longtemps.

Soyez bien. Ne vous contrariez pas pour de petites choses. Evitez toutes les tensions inutiles, les crispations, les stress de toutes sortes. Ils vous agitent et vous contractent intérieurement, tout à fait inutilement. Vous allez vivre un grand moment, prenez-en pleinement conscience dans la sérénité, l'optimisme et la joie.

Pour votre information

Le bassin osseux est le gros obstacle à franchir pour votre bébé. C'est un véritable tunnel au bout duquel est la lumière et la découverte de la vie dans un monde nouveau pour lui.

Le bassin osseux est formé de 4 os : le sacrum situé en bas de la colonne vertébrale avec, à son extrémité, le coccyx et les os iliaques entourant, à droite et à gauche, la symphyse pubienne.

Pendant tout le temps de la grossesse, l'enfant est situé au-dessus du bassin. C'est vers la fin du 7e mois, ou au cours du 8e, qu'il se présente, tête en bas, vers l'orifice d'entrée du bassin.

Au cours de l'accouchement, le bébé va entrer complètement dans le bassin par l'orifice d'entrée appelé détroit supérieur, le traverser et finalement en sortir par l'orifice de sortie appelé détroit inférieur. Le détroit inférieur est fermé de surcroît par les muscles du périnée et la vulve.

Pour franchir ces différents obstacles, votre bébé devra effectuer différents mouvements afin de s'adapter, au cours de sa progression, à la forme du passage. En même temps que la tête s'engage, fléchie sur la poitrine, dans le détroit supérieur, elle se tourne légèrement vers le côté droit ou gauche pour entrer plus facilement dans le bassin. Ce premier détroit franchi, la tête du bébé descend ensuite doucement dans le bassin puis effectue une deuxième rotation afin de se trouver au niveau d'ouverture maximum de l'orifice de sortie. Ce qui veut dire qu'au cours de la traversée du bassin, l'enfant change 2 fois l'orientation de sa tête. Schématiquement, on peut dire qu'il entre dans le bassin en regardant une de ses épaules et qu'il en sort en regardant le sol (voir dessins page 389).

La tête est la partie la plus volumineuse de l'enfant. Lorsqu'elle a franchi un obstacle, le reste du corps suit sans difficulté. Plusieurs éléments interviennent simultanément dans la traversée du bassin :

• la malléabilité du crâne du bébé dont les os ne sont pas encore complètement soudés et qui peut ainsi épouser la forme du passage ;
• le relâchement des articulations du bassin maternel ;
• les contractions de l'utérus qui poussent l'enfant en avant et lui font effectuer les 2 mouvements essentiels de la tête.

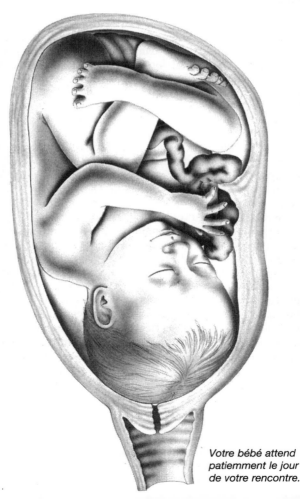

Votre bébé attend patiemment le jour de votre rencontre.

36e SEMAINE de grossesse

---

*38e semaine depuis le premier jour
de vos dernières règles*

9e mois de grossesse

C'est la dernière ligne droite pour vous et votre bébé !

Votre bébé à naître

Sa taille est de 32 cm de la tête au coccyx et de 46,5 cm de la tête aux talons. Son poids est de 2,65 kg. Le diamètre de sa tête est de 9,3 cm.

Le lanugo a maintenant disparu. La peau de votre bébé n'est pratiquement plus ridée car la graisse s'est beaucoup épaissie sur toute la surface du corps. Votre bébé est maintenant tout dodu.

Tout de suite après la naissance, la circulation sanguine du nouveau-né est totalement différente de ce qu'elle était alors qu'il se trouvait dans l'utérus. La raison est qu'avant la naissance, le placenta fait le travail des poumons, ce qui permet à la presque totalité du sang fœtal de les éviter. Après la naissance, l'enfant est totalement autonome et tout son sang doit traverser ses poumons pour les échanges d'oxygène et de gaz carbonique.

Vous, la future maman

Depuis que vous êtes enceinte, vous voyez le monde sous un angle différent ! En effet, l'augmentation importante du poids sur le devant de votre corps est compensée par un accroissement de la courbure de la colonne vertébrale et par un déplacement des épaules vers l'arrière. Ceci a pour effet de rejeter la tête en arrière, ce qui, par conséquent, change la ligne de vision.

Vous le voyez, c'est simple : c'est parce que votre centre de gravité a changé que vous êtes sujette à vous cogner un peu partout et que vous avez tendance à faire tomber ce que vous avez dans les mains !

Conseils

Le dernier examen prénatal obligatoire

Cette dernière visite médicale obligatoire comporte :

Un examen obstétrical qui permet de :
• constater si l'enfant continue de se développer normalement par l'appréciation du volume de l'utérus ;
• prévoir la manière dont se déroulera l'accouchement :
par le positionnement du corps de l'enfant On peut savoir ainsi s'il se présente bien par la tête ou s'il faut s'attendre à quelque difficulté ;
par les dimensions du bassin maternel. Le bassin qui s'est sensiblement élargi au cours des derniers mois atteint seulement maintenant ses dimensions définitives.

Suivant ses observations, le médecin peut demander une **radiopelvimétrie** (voir page 365).

Des examens de surveillance générale
Il s'agit du contrôle du poids de la mère et de sa pression artérielle.

Une analyse d'urine sera effectuée chaque semaine à partir de maintenant afin de dépister toute éventualité de toxémie gravidique.

Pour votre information

La radiopelvimétrie

La radiopelvimétrie est un examen d'une innocuité totale qui concerne 3 à 4 % des futures mères aujourd'hui. Elle est demandée par le médecin dans le cas :
— d'un doute sur la présentation de l'enfant ;
— d'un bassin trop étroit de la future mère ;
— d'un bassin ayant subi un traumatisme grave au cours d'un accident.

Cet examen permet de mesurer au millimètre près les dimensions du bassin de la mère et de les comparer avec celle du tour de tête du bébé, calculées par échographie.

La radiopelvimétrie ne nécessite aucune préparation particulière. Elle peut être réalisée par la radiologie classique ou le scanner.

Si l'examen révèle que votre bassin est trop étroit pour accoucher par voie basse, votre médecin sera amené à pratiquer une césarienne.

S'il estime que votre bébé a une petite chance de naître par les voies naturelles, il la lui laissera. C'est ce que l'on appelle « l'épreuve du travail ». Mais tout sera prêt pour intervenir et faire la césarienne si besoin est.

L'accouchement avec interventions

L'accouchement se déroule tout à fait normalement dans la très grande majorité des cas. Des complications, prévues ou non, peuvent cependant apparaître quelquefois et une intervention instrumentale ou chirurgicale doit alors avoir lieu.

Les interventions instrumentales

L'accouchement se déroulant normalement, il peut arriver que le bébé ne puisse sortir tout seul pour différentes raisons. Dans ce cas, le médecin ou la sage-femme vont s'aider d'instruments.

Les forceps

Il s'agit d'une grande pince dont l'extrémité en forme de cuillères s'adapte à la tête de l'enfant. Les forceps sont destinés à le tirer hors de sa mère lors de difficultés au moment de l'expulsion.

Autrefois appelés « les fers », les forceps ne présentent plus de danger pour la mère et l'enfant puisqu'en cas de difficulté majeure, une césarienne est pratiquée.

Les forceps sont utilisés :
• quand le bébé est trop gros ;
• quand il s'agit d'un bébé prématuré trop petit et faible, afin que sa tête ne souffre pas des efforts de la poussée et qu'il ne se fatigue pas au moment de l'expulsion ;
• quand il y a eu anesthésie par péridurale. Ce n'est pas systématique mais, suivant la sensibilité à l'anesthésique, le besoin de pousser peut être diminué ;
• quand on veut tout simplement éviter une expulsion longue et fatigante.

Les forceps peuvent être de simples petites pinces appelées **spatules**. Certains accoucheurs préfèrent encore utiliser une

ventouse appelée *vacuum extractor*. La ventouse permet de maintenir la tête de l'enfant entre deux contractions et de profiter de la force de la contraction pour le tirer vers l'extérieur.

Les interventions chirurgicales

Il y en a essentiellement deux, couramment pratiquées, dont la technique est parfaitement maîtrisée et sans danger.

La césarienne

La césarienne consiste à inciser la peau de l'abdomen, les muscles et enfin l'utérus afin de sortir l'enfant qui ne peut le faire par les voies naturelles. Environ 11 % des accouchements se font par césarienne dont une forte proportion parmi les grossesses à risque qui doivent être souvent interrompues avant le terme sous peine d'être dangereuses pour l'enfant. C'est le cas en particulier lorsque la mère présente un diabète grave, de l'herpès génital, une hypertension artérielle ou une insuffisance rénale. Cela peut être également le cas quand la future mère a développé une maladie au cours de sa grossesse comme la toxémie gravidique, la toxoplasmose ou la listériose.

Certaines causes de la césarienne sont purement physiques : quand le bassin de la mère est trop étroit et l'enfant trop gros ou encore s'il présente une malformation ; lorsque le placenta recouvre en partie ou en totalité l'ouverture du col ; quand il y a *procidence du cordon*, c'est-à-dire que le cordon ombilical sort en premier et se trouve comprimé par la tête du bébé qui subitement est mal alimenté en sang et donc en oxygène. Le cordon peut être également trop court et empêcher l'enfant de descendre ; quand la présentation de l'enfant est transverse ou lorsqu'elle est par la face ou le front.

Dans tous ces cas, le problème a été observé au cours des examens de surveillance de la grossesse et la césarienne a été décidée à l'avance.

Il se peut que la césarienne soit décidée en cours de travail. C'est ce qui se passe quand l'accouchement traîne en longueur parce que l'enfant ne peut pas descendre ou parce que le col se dilate mal. Dans ces conditions, dès que le médecin détecte, en particulier grâce au monitoring (voir page 375), une souffrance fœtale, la décision de faire une césarienne est prise.

On pratique de plus en plus rarement une **anesthésie générale**. Celle-ci est faite au dernier moment, quand tout est prêt, pour éviter à l'enfant d'être soumis trop longtemps à l'anesthésique. L'utérus est incisé dans sa partie la plus mince, horizontalement, juste au-dessus du pubis, ce qui a l'avantage de laisser une cicatrice invisible puisqu'elle sera cachée par les poils. Dans les cas d'urgence cependant, il peut arriver que l'incision soit pratiquée sur toute la longueur de l'abdomen pour donner au médecin accoucheur une plus grande facilité de mouvements.

La césarienne est réalisée de plus en plus sous **anesthésie péridurale**. La mère aura ainsi le bonheur d'assister à la venue au monde de son enfant, d'entendre son premier cri et peut-être de pouvoir le tenir contre elle quelques instants. Elle ne connaîtra pas la frustration des mères qui ne voient pas la naissance de leur enfant. Cette frustration peut d'ailleurs être diminuée en cas d'anesthésie générale par le rôle actif du père au cours de la naissance. Il doit y participer au maximum car ensuite, témoin privilégié, il pourra raconter à la mère comment leur enfant est né et comment il l'a accueilli.

Les suites de césarienne ne sont guère plus longues que celles d'un accouchement normal. La jeune mère peut se lever dès le lendemain, aller et venir dès le 2ᵉ ou 3ᵉ jour. Les fils sont retirés le 7ᵉ jour.

Après une césarienne, il est possible d'accoucher ultérieurement par les voies naturelles. C'est le cas pour 50 % des femmes césarisées. Il est coutumier de dire que l'on ne peut pas avoir plus de 3 césariennes, mais c'est davantage par excès de prudence que par contre-indication absolue.

L'épisiotomie

C'est l'incision de la paroi vaginale et surtout des muscles sous-jacents du périnée pratiquée par le médecin au moment de l'expulsion pour éviter une déchirure.

C'est une intervention tout à fait bénigne qui est pratiquée par certains médecins systématiquement alors que d'autres ne la font qu'en cas d'absolue nécessité. Elle est particulièrement indiquée dans le cas d'un bébé dont le périmètre crânien est important, dans le cas de souffrance fœtale ou s'il y a nécessité d'utiliser les forceps. Elle est automatiquement faite lorsque le bébé est prématuré afin que sa tête n'ait pas à forcer.

L'épisiotomie est pratiquée quand la tête est visible, au moment d'une poussée. La distension du périnée insensibilise provisoirement la région et ne nécessite pas de piqûre d'anesthésique. Celle-ci sera cependant faite après l'accouchement pour recoudre l'incision.

Les 2-3 jours qui suivent l'épisiotomie sont assez pénibles car la position assise est douloureuse. Il faut compter 3 à 4 semaines pour que la cicatrice soit tout à fait insensible. Une hygiène rigoureuse de cette région est évidemment indispensable et l'abstention de rapports sexuels est souhaitable tant que la cicatrice est un peu douloureuse.

L'épisiotomie est une intervention importante car, en évitant la déchirure des muscles du périnée, elle préserve une bonne continence urinaire et anale, une bonne tonicité des parois vaginales et donc le maintien d'une vie sexuelle satisfaisante.

Et si, malgré une bonne préparation du périnée, vous vous trouvez dans le cas d'une épisiotomie obligatoire, sachez que vous n'aurez quand même pas perdu votre temps : la récupération de la tonicité de toute cette région génitale en sera grandement facilitée.

La rééducation périnéale se fait chez un kinésithérapeute. Vous avez droit à 10 séances remboursées à 100 % par la sécurité sociale.

27 au 02 juillet

37ᵉ SEMAINE de grossesse

*39ᵉ semaine depuis le premier jour
de vos dernières règles*

9ᵉ mois de grossesse

Votre bébé attend le moment propice pour s'annoncer !

Votre bébé à naître

Sa taille est de 33 cm de la tête au coccyx et de 48 cm de la tête aux talons. Son poids est d'environ 2,9 kg. Le diamètre de sa tête est aux alentours de 9,4 cm.

La peau de votre bébé est à présent bien lisse. Le lanugo qui recouvrait tout le corps est tombé tandis que le vernix qui tapissait la peau en une couche épaisse s'est en partie détaché et flotte sous forme de gros flocons dans le liquide amniotique.

Votre bébé ne fait plus de galipettes car il est maintenant trop grand et trop gros. Il n'a plus l'espace nécessaire pour remuer beaucoup. Malgré tout, il donne encore de petits coups de pied, de coude ou de tête pour vous montrer qu'il est toujours là. Il se tient la tête en bas, les bras croisés sur la poitrine, les jambes relevées et pliées pour tenir le moins de place possible. Finalement, il va être très content de sortir pour se dégourdir un peu !

Vous, la future maman

Vous risquez à tout moment de partir pour la maternité. En effet, si l'accouchement se situe normalement à la 40ᵉ semaine d'aménorrhée, il peut avoir lieu entre la 38ᵉ et la 41ᵉ semaine.

Il se peut que votre médecin décide de vous faire accoucher avant terme. Dans ce cas, l'accouchement est déclenché artificiellement.

L'accouchement provoqué peut l'être pour des *raisons médicales*. Lorsque la mère est diabétique ou qu'elle souffre d'hypertension ou d'une maladie de cœur. Lorsqu'il y a incompatibilité Rhésus entre la mère et son bébé ou encore si la poche des eaux est rompue.

Elle peut l'être également pour des *raisons personnelles*. Soit que la future mère tienne expressément à être accouchée par le médecin qui l'a suivie au cours de sa grossesse, alors que l'emploi du temps de celui-ci ne le permettrait pas. Soit pour des questions d'organisation du service de la maternité.

Dans tous les cas, le médecin veille à ce que l'enfant soit assez descendu et examine si le col de l'utérus est suffisamment mûr pour se prêter à la dilatation. En ce qui concerne l'enfant, il ne s'agit pas de faire naître un prématuré. Aussi, si l'accouchement est déclenché un peu tôt pour des raisons médicales, on s'assurera, par la recherche dans le liquide amniotique prélevé par amniocentèse, de la présence des éléments caractéristiques du surfactant qui empêche les alvéoles pulmonaires de se rétracter. La condition essentielle à la naissance du bébé est qu'il puisse respirer.

L'accouchement est provoqué par l'injection d'ocytocine et de prostaglandines qui déclenchent les contractions. Comme elles sont très fortes dès le début du travail, tout en étant moins efficaces, une péridurale est généralement pratiquée. Le travail est plus long et plus pénible pour la mère et l'enfant que lors d'un accouchement naturellement déclenché. En règle générale, la nature n'aime pas beaucoup être contrariée.

Conseils

La présence du père à l'accouchement

Si certaines femmes n'imaginent pas de mettre leur enfant au monde sans la présence du père, d'autres se trouvent au contraire partagées entre deux sentiments : avoir quelqu'un près d'elles pour les soutenir mais aussi être seules pour vivre leur accouchement sans contraintes. Crier si elles en ont envie, ne pas être contractées par l'angoisse de ne pas être à la hauteur ou la peur de montrer d'elles une image qu'elles estiment peu flatteuse.

Si, pour certains pères, leur présence près de leur femme qui accouche est tout à fait naturelle, pour d'autres, il s'agit plutôt d'un devoir, d'une contrainte imposée par la pression sociale du moment et par l'entourage. Mal à l'aise et gauches, impressionnés par une situation trop riche en émotions, ils se sentent inutiles et n'apportent pas une grande aide à leur femme.

Il y a donc matière à réfléchir sur la présence du père à l'accouchement.

Il est essentiel pour l'harmonie future du couple qu'il n'y ait ni frustrations ni obligations pour l'un ou pour l'autre à ce sujet. La future mère doit comprendre les réticences du futur père à assister à son accouchement, tout comme il doit comprendre le besoin qu'elle a d'un environnement psychologique affectif et sécurisant dans ce moment de stress intense pour elle.

Dans ce climat de respect réciproque, une décision satisfaisante pour l'un et pour l'autre peut être prise. Chacun saura à l'avance ce qu'il peut attendre de l'autre et quelles seront les limites. Il faut que la mère prenne bien conscience que la présence du père n'est pas un acte anodin et qu'elle peut avoir des ramifications psychologiques et affectives profondes pouvant avoir un retentissement sur leurs futures relations sexuelles.

La présence du père à l'accouchement doit donc être entièrement consentie et souhaitée par lui, comme revient à la mère seule de décider du mode d'allaitement de son enfant.

Pour que le père vive bien cet instant, il ne doit à aucun moment se sentir un témoin gênant et gêné. Aussi, ne faut-il lui demander plus qu'il ne peut donner.

Il peut éventuellement assister sa femme uniquement pendant le travail de la dilatation. C'est déjà environ 7 heures pour une primipare, qu'il passera auprès d'elle à lui tenir compagnie, à lui parler pour éviter qu'elle ne s'angoisse. En attendant les passages de la sage-femme qui vient voir seulement de temps en temps comment avance le travail, le père pourra aider sa femme en suivant le tracé des contractions sur le monitoring. Il lui annoncera la fin de la contraction afin qu'elle sache qu'une phase de repos est là, toute proche. Par contre, il évitera de lui annoncer l'approche de la contraction suivante, car elle aurait pour réflexe immédiat de se crisper, ce qui est contraire à la relaxation préconisée. S'il a suivi les cours d'accouchement sans douleur, il peut également aider sa femme à respirer au moment des contractions.

Lorsque la dilatation est terminée et que la mère est installée sur la table d'accouchement, le père peut ne pas avoir particulièrement envie d'assister à la phase finale. La mère ne doit pas insister pour qu'il regarde naître son enfant. Voir sa femme en train de souffrir, voir du sang, c'est autre chose que de regarder un documentaire sur la naissance. Cette vision peut le traumatiser plus profondément qu'on ne le pense. Aussi, quand arrive le moment de l'expulsion, il doit être libre d'aller dans le couloir où on ira le chercher dès la sortie de l'enfant qu'il accueillera.

S'il veut continuer à soutenir sa femme et entendre le premier cri de son enfant sans pour autant tout voir, il restera dans ce cas sur le côté, près de la tête de sa femme, à qui il parlera doucement. Il pourra se rendre utile en lui passant, à sa demande, le masque à oxygène ou en l'aidant dans la mise en pratique de ses exercices de respiration. Le père joue ainsi son rôle de soutien auprès de la mère qui se sent en confiance.

Le dialogue avant l'accouchement entre les futurs parents

apparaît donc comme essentiel. C'est lui qui permettra de définir l'attente et le rôle de chacun. Cette capacité de dialogue est synonyme de la réussite du couple, car elle est sans cesse mise à l'épreuve.

Pour votre information

> ## La médicalisation de l'accouchement

La surveillance médicale accrue depuis ces vingt dernières années concerne non seulement la grossesse mais également l'accouchement. Accoucher n'est plus une entreprise périlleuse. A chaque étape, la technologie est là pour informer et la compétence médicale pour décider.

Le monitoring

Ce nom recouvre tout un appareillage de surveillance électronique du travail de l'accouchement. Il permet de dépister à tout moment de l'accouchement une souffrance de l'enfant. Le déroulement de l'accouchement est estimé d'après l'enregistrement des contractions tandis que la bonne santé du bébé est appréciée par celui des bruits de son cœur.

Il faut quand même signaler qu'à côté de la sécurité qu'apporte le monitoring par la surveillance constante de l'enfant, il y a une certaine servitude en retour. En effet, le plus souvent dès le début du travail, la mère est reliée à l'appareil, par des capteurs posés sur son ventre, et n'a plus sa liberté de mouvements.

Il faut savoir que le rythme cardiaque du bébé est normalement de 120 à 160 battements par minute et qu'au cours des contractions, il s'accélère jusqu'à atteindre 180 battements. Le monitoring permet de surveiller ces changements de rythme. Si le cœur a un rythme élevé de 200 battements par minute ou s'il faiblit au point de n'en avoir plus que 60 à la minute, l'équipe médicale fait en sorte d'accélérer l'accouchement. Si la dilatation est complètement terminée, l'enfant sera aidé par les forceps pour naître plus rapidement. Si la dilatation est incomplète, le médecin pratiquera une césarienne.

La perfusion

La majorité des maternités mettent systématiquement les femmes qui accouchent sous perfusion. Même dans le cas d'un accouchement qui se déroule parfaitement bien car c'est une sécurité supplémentaire.

La perfusion permet d'injecter en cas de besoin :
• un tranquillisant si le stress de la mère est important au point de contrarier l'efficacité des contractions par sécrétion d'adrénaline ;
• un analgésique pour diminuer l'intensité de la douleur ;
• éventuellement du calcium et du magnésium en cas de tétanisation, c'est-à-dire de crispation intense des muscles ;
• du sérum enrichi en glucose pour hydrater la mère tout en lui apportant quelques calories dans le cas d'un travail très long.

En fait, l'intérêt de la mise en place d'une perfusion est de ne pas perdre de temps à chercher une veine en cas de complications :
• injection d'un anesthésique pour une césarienne urgente ou des forceps ;
• injection d'ocytociques, hormones de synthèse semblables aux hormones naturelles, qui accélèrent la dilatation quand les contractions sont inefficaces ou irrégulières en intensité et en durée ;
• injection d'un régularisateur de la pression artérielle qui a tendance à baisser lorsqu'une péridurale a été pratiquée.

La perfusion est posée dans une veine de l'avant-bras pour ne pas gêner l'articulation du coude. Elle est généralement mise en place quand le travail est déjà bien commencé.

La médecine au secours de la douleur

Accoucher sans douleur, est-ce possible ? A priori non, sauf dans quelques cas exceptionnels. Généralement, la douleur est tout à fait supportable sauf pour 25 % des femmes qui la trouvent intolérable. Cela dépend beaucoup de l'état psychologique de la future mère au moment de l'accouchement.

Si vous arrivez confiante en vous et en la préparation que vous avez suivie, vous possédez quelques techniques qui vous rassurent en vous donnant l'impression de pouvoir faire face à la situation. Et c'est vrai. Pour un accouchement normal, où tout se déroule sans problèmes, ce qui est *la majorité des cas*, les techniques de respiration et de relaxation bien menées vous aident efficacement tout au long du travail.

A l'inverse, une femme mal préparée, et surtout trop anxieuse pour prendre un peu de recul par rapport à l'événement qu'elle vit, n'arrive pas à contrôler sa douleur. Elle la vit si intensément qu'elle la crée elle-même. Et ceci n'est pas purement suggestif comme on pourrait le croire mais un phénomène tout à fait physiologique. Sous l'effet de la douleur, le cerveau sécrète en effet des substances proches de la morphine qui ont pour rôle de l'atténuer. Ce sont les *endorphines*. Or, sous l'effet d'un stress comme l'angoisse ou carrément la peur, les glandes surrénales sécrètent de l'adrénaline qui inhibe la production des endorphines. Le résultat est une perception de la douleur aiguisée, jointe à une accélération des rythmes cardiaque et respiratoire, ainsi qu'une augmentation de la tension artérielle. La conséquence est que le muscle utérin, d'une part stimulé par l'ocytocine et d'autre part freiné par l'adrénaline, travaille de façon incohérente, sans efficacité. Il se charge de toxines résultant de la fatigue musculaire engendrée par les contractions et devient, de ce fait, de plus en plus douloureux. Le travail traîne en longueur, la dilatation se ralentit, parfois même s'arrête complètement. La douleur devient insupportable.

La tendance actuelle du milieu médical est de ne plus considérer la douleur comme nécessaire à l'enfantement. Il propose volontiers des solutions médicales à la douleur, comme la péridurale. Cependant, beaucoup de femmes préfèrent encore vivre pleinement leur accouchement. Sorte de défi lancé à elles-mêmes, expérience physique et émotionnelle. Elles veulent repousser leurs propres limites et, surtout, aller jusqu'au bout de leur expérience. Elles se sentent néanmoins sécurisées par le fait de savoir qu'en dernière extrémité, si la douleur devient trop forte, une médication pourra être donnée ou la péridurale être pratiquée tout en sachant qu'elle ne fera effet que 10 à 20 minutes plus tard. Cette confiance dans le déroulement de l'action permet à la femme qui accouche d'être plus détendue et par là même de mieux supporter la douleur. La péridurale devient alors superflue.

Quoi qu'il en soit, la douleur doit être supportable. Et une préparation à l'accouchement bien faite est d'un réel secours. Il n'en reste pas moins vrai que, dans certains cas, elle ne suffit pas. Soulager la douleur quand elle atteint une certaine intensité évite de faire de l'accouchement un cauchemar qu'on ne voudra plus revivre à aucun prix.

Quant à l'appréciation de savoir si la douleur est supportable ou non, elle doit revenir à la femme et à elle seule. La capacité à supporter la douleur n'étant pas la même pour toutes, une thérapeutique analgésique doit pouvoir être envisagée quand la femme en exprime le besoin.

La suppression ou du moins l'atténuation de la douleur relève de techniques maintenant bien contrôlées. Mais il faut néanmoins savoir que, quelle que soit la méthode employée, elle ne peut être envisagée dès le commencement du travail.

L'accouchement sous anesthésie

L'anesthésie générale

Elle est pratiquée quand la future mère souffre trop et que son état d'épuisement ou de panique compromet la bonne venue de l'enfant. Elle ne dépasse pas généralement une heure. Par conséquent, elle est commencée seulement lorsque la dilatation du col est déjà bien avancée, c'est-à-dire en fin d'accouchement quand les contractions sont trop fortes et surtout dans le cas de difficultés à sortir l'enfant.

L'anesthésie générale est beaucoup moins utilisée depuis que la péridurale a pris le relais. On la pratique désormais quand celle-ci ne peut avoir lieu pour diverses raisons :
• urgence à pratiquer une césarienne ;
• nécessité d'utiliser les forceps dans certaines conditions au moment de l'expulsion ;
• pour décoller manuellement le placenta, si le décollement ne se fait pas naturellement ;
• parce que la femme présente un empêchement physique, comme une malformation de la colonne vertébrale par exemple.

L'anesthésie péridurale

La péridurale est pratiquée à présent de façon courante. Elle présente l'énorme avantage sur l'anesthésie générale d'insensibiliser seulement la partie inférieure du corps tout en laissant la conscience en éveil. Selon le dosage, on perçoit encore des sensations ou plus rien du tout.

La péridurale est pratiquée quand la dilatation du col est déjà avancée : autour de 3 cm environ. L'anesthésiste injecte entre la 3ᵉ et la 4ᵉ vertèbre lombaire un produit anesthésique qui agit sur les nerfs qui partent de la moelle épinière. Un cathéter, fin tube en plastique, est laissé en place pour une éventuelle réinjection. En effet, la première dose est faible pour ne pas insensibiliser complètement le petit bassin et ne pas frustrer la mère de toutes les sensations. Pour ne pas lui « voler », en quelque sorte, son accouchement.

La péridurale nécessite la présence d'un anesthésiste en permanence. Aussi devez-vous poser la question lorsque vous vous inscrivez dans une maternité : pratique-t-on la péridurale de façon courante ou pas ?

Les indications de la péridurale
• Elle évite l'anesthésie générale dans tous les cas où celle-ci était pratiquée : forceps et même césarienne. La césarienne sous péridurale permet à la mère d'assister à la naissance de son enfant, d'entendre son premier cri et de le toucher. Les suites d'une césarienne sous péridurale sont moins pénibles que sous anesthésie générale car il n'y a pas les inconvénients du réveil.
• Pour les accouchements trop longs et trop douloureux.
• Quand la dilatation n'avance pas. Par son effet antispasmodique sur le col, elle le rend plus souple et accélère ainsi la dilatation.
• Elle permet de faire accoucher normalement des femmes à risques, diabétiques ou cardiaques, qui auraient dû subir une césarienne.

Les inconvénients de la péridurale sont peu nombreux en regard de ce qu'elle apporte :
• une augmentation du nombre des forceps chez les femmes primipares car du fait de l'insensibilisation du petit bassin, l'envie de pousser est diminuée ;
• des douleurs lombaires peuvent se faire sentir 24 à 36 heures après ;
• des maux de tête importants pendant les 2 à 3 jours qui suivent peuvent également se manifester.

L'acupuncture

Très peu répandue en France, l'acupuncture reste une méthode un peu marginale. Son intérêt réside dans le fait qu'elle ne nécessite pas la présence d'un anesthésiste et qu'elle peut être pratiquée par une sage-femme spéciale-ment formée.

L'acupuncture est utilisée pour :
• déclencher l'accouchement ;
• soulager la douleur. En particulier, les douleurs lombaires de ce que l'on appelle « l'accouchement par les reins » sont rapidement atténuées ;
• permettre de diminuer les doses de médicaments associés lors d'une complication.

Il existe d'autres méthodes de soulagement de la douleur pendant l'accouchement dont la base est une relaxation maximale liée à une décontraction musculaire. Il s'agit de la **sophrologie** et de l'**haptonomie**, technique manuelle qui semble faciliter la descente et l'engagement de l'enfant ainsi que le relâchement musculaire de la mère. Il faut, dans ce cas, avoir suivi les cours de préparation pendant la grossesse (voir page 310).

38ᵉ SEMAINE de grossesse

*40ᵉ semaine depuis le premier jour
de vos dernières règles*

9ᵉ mois

*Vous arrivez au terme de votre grossesse. D'ici à la fin de
cette semaine, vous allez enfin voir ce bébé avec qui vous
vivez depuis 9 mois.*

Votre bébé à naître

Sa taille est de 50 cm de la tête aux talons et son poids de
3,3 kg. Le diamètre de la tête est de 9,5 cm. C'est la plus
grande circonférence de toutes les parties du corps.

Dès sa naissance, un certain nombre de changements vont
intervenir dans le fonctionnement des organes de votre
bébé. Tout d'abord, sa circulation sanguine va se modifier.
Une fois le cordon ombilical coupé, le bébé est autonome. Il
va devoir assumer tout seul ses fonctions de nutrition et
d'oxygénation. Son sang chargé de gaz carbonique résultant
du métabolisme de ses cellules ne va plus s'en débarrasser
dans le sang de sa mère mais au contact de ses propres
alvéoles pulmonaires. De même, l'oxygène ne lui est plus
fourni par le sang de sa mère mais par l'air qu'il respire. Un
circuit cœur-poumons s'établit donc.

L'arbre pulmonaire va subir, après la naissance, 6 nouvelles divisions avant d'atteindre sa forme définitive. Lors
des premières inspirations d'air qui ont lieu au moment de
la naissance, le liquide amniotique qui le remplit se résorbe
rapidement tandis que l'extrémité des bronches se déploie

pour former les alvéoles pulmonaires. Toutes les alvéoles sont dilatées vers le 3ᵉ jour qui suit la naissance.

Le foie abandonne définitivement le pouvoir qu'il avait de fabriquer les globules rouges et blancs du sang. C'est désormais la moelle qui assure cette fonction.

Par rapport à tous les autres organes, le moins développé à la naissance est le cerveau. Il va poursuivre lentement sa maturation biologique jusqu'à ce que l'enfant ait atteint l'âge de 18-20 ans.
- A la naissance, le poids du cerveau est de 300 à 350 g.
- A 1 an, il est de 800 g, soit 60 % de celui d'un adulte.
- A 3 ans, il pèse 1,3 kg. Sa croissance est alors presque complète.
- De la naissance à 6 mois de vie postnatale, le cerveau grossit de 2 g par jour, soit 60 g par mois.
- Du 6ᵉ au 36ᵉ mois, la croissance est de 0,35 g par jour, soit 11 g par mois.
- De 3 à 6 ans, elle est de 0,15 g par jour, soit 5 g par mois.
- De 6 à 20 ans, elle est de 0,027 g par jour, soit 0,80 g par mois.

Il est à noter que le degré d'intelligence n'est pas systématiquement lié à la taille du cerveau.

Le cerveau à la naissance est une puissance potentielle. Sa destinée est de s'auto-construire à partir des expériences de la vie. Il va donc poursuivre son développement en accroissant et en compliquant ses connexions nerveuses. Sous l'influence de stimulations motrices, sensorielles, affectives, psycho-sociales, les cellules cérébrales nobles que sont les neurones vont développer, en réponse à ces stimulations, des dendrites en nombre considérable : plusieurs milliers par cellule. Elles vont se rejoindre de cellule à cellule et établir ainsi d'innombrables connexions comme autant de circuits électriques qui permettent la transmission et la circulation de l'influx nerveux. Les montages et les circuits se construisent comme ceux d'un ordinateur, au fur et à mesure de la perception des informations. Cela aboutit à un type de câblage qui sera différent pour chaque individu, donc à des facultés d'adaptation et de compréhension propres à chacun, aboutissant à l'élaboration de la pensée individuelle.

Vous, la future maman

L'approche de l'accouchement

Vous allez savoir que vous êtes bientôt près de l'accouchement par différents petits signes :
• vous pouvez ressentir soudain une grande fatigue, un état nauséeux alors que jusqu'à présent tout allait bien. Le responsable est le changement hormonal qui survient en fin de grossesse en vue du déclenchement de l'accouchement ;
• vous allez perdre le bouchon muqueux. L'expulsion de la glaire qui a bouché le col de l'utérus pendant tout le temps de la grossesse a lieu généralement 3 jours avant l'accouchement, quelquefois plus tôt ;
• il se peut que vous vous surpreniez à faire du ménage, à astiquer pour que tout brille. Vous avez à cœur que tout soit impeccable, rangé, propre. Cette frénésie de rangement annonce l'imminence de l'arrivée du bébé. Ce comportement instinctif est commun à tous les mammifères. Les femelles de toutes les espèces s'affairent le moment venu pour que le nid soit accueillant. L'espèce humaine n'échappe pas à cette règle.

Conseils

Pas d'affolement : ne partez pas trop tôt à la maternité

Votre départ à la maternité va être conditionné par deux événements principaux pouvant survenir ensemble ou séparément : l'apparition de contractions régulières et la perte des eaux.

Les contractions

Surtout s'il s'agit de votre premier enfant, c'est inutile de vous précipiter sur votre valise à la première contraction. Vous avez grandement le temps puisque, entre les premières contractions et la dilatation complète du col, plusieurs heures vont s'écouler.

Assurez-vous qu'il ne s'agit pas d'une fausse alerte. Il n'est pas rare qu'au cours des dernières semaines de la grossesse, votre utérus se contracte. Ces contractions indolores et sans rythme précis n'indiquent pas le début de l'accouchement.

L'accouchement débute réellement à la perception de **contractions douloureuses** ressenties dans le ventre ou au niveau des reins. Posez la main sur votre ventre, vous le sentez durcir en même temps que vous ressentez la douleur. Si ces contractions ne cèdent pas à la prise d'analgésiques, c'est qu'il s'agit de vraies contractions annonçant le début du travail.

L'accouchement se caractérise par des contractions régulières, de plus en plus rapprochées, de plus en plus longues, de plus en plus fortes.

Vous sentez monter la contraction qui devient de plus en plus douloureuse au fur et à mesure que votre utérus se durcit. Elle atteint un sommet puis redescend. Vous n'avez alors plus mal. C'est le repos. Avant qu'une autre contraction n'apparaisse.

Notez le temps de repos entre 2 contractions. Quand elles apparaîtront de façon régulière toutes les 10 minutes, vous pourrez partir pour la maternité. Dès cet instant, ne buvez et ne mangez plus rien car il vaut mieux avoir l'estomac vide pour le cas où une anesthésie serait nécessaire.

S'il s'agit de votre 2ᵉ et a fortiori de votre 3ᵉ enfant, partez à la maternité dès que les contractions deviendront régulières car la dilatation se fait généralement plus rapidement.

La perte des eaux

A présent, vous le savez, votre bébé baigne dans le liquide amniotique, que l'on appelle *les eaux*, contenu dans les membranes qui constituent ainsi *la poche des eaux*.

Lorsque le col est effacé et le bouchon muqueux évacué, seules les membranes protègent l'enfant et ses annexes. A ce moment, les membranes peuvent se fissurer ou se rompre et le liquide s'écouler. La perte des eaux est un **signe de départ immédiat** pour la maternité, même si vous n'avez pas de contractions.

En effet, la rupture de la poche des eaux peut entraîner :
• un risque d'infection de l'enfant et de ses annexes par les germes qui remontent du vagin ;
• le risque pour le cordon ombilical d'être entraîné vers le bas, ce qui va provoquer son dessèchement ou sa compression au moment de l'accouchement. C'est ce que l'on appelle la *procidence du cordon*.

Si vous perdez les eaux, partez tout de suite à la maternité. Effectuez si possible le trajet allongée ou semi-assise.

Si vous êtes seule, prenez un taxi ou une ambulance pour vous conduire à la maternité. Pensez à demander une facture pour vous faire rembourser par la Sécurité sociale. En cas d'extrême urgence, appelez le SAMU ou les pompiers qui vous transporteront.

Pour votre information

Le jour de l'accouchement

Le jour de votre accouchement est une journée formidable pour votre bébé puisque c'est celle de son entrée dans le monde. Il va enfin faire connaissance avec vous qui l'avez conçu, car si vous savez déjà beaucoup de choses sur lui, lui, ne sait pas grand chose sur vous !

L'arrivée à la maternité

Sachez qu'à votre arrivée à la maternité, on ne se précipitera pas sur vous pour vous examiner. Rien ne presse. La première chose à laquelle vous avez à vous soumettre, ce sont les **formalités administratives**.

Naturellement vous êtes un peu angoissée. Vous commencez à ressentir les contractions plus fortement. Ne les contrariez pas par une inquiétude mal fondée. Détendez-vous, tout va bien se passer. L'accouchement est un acte naturel pour lequel vous avez la chance d'être assistée médicalement. Pensez à votre bébé dans vos bras, aux vacances avec lui. C'est pour bientôt.

Une fois les formalités administratives terminées, on s'occupe de vous sur le **plan médical**.
• On contrôle votre tension artérielle, votre température, vos urines.
• On mesure la dilatation du col. Si elle n'en est qu'à son début, on vous installe dans une chambre pour la durée de ce travail de dilatation.
• On vous rase pour rendre visible et net le périnée.
• On vous fait un lavement car l'enfant ne peut sortir qu'une fois le rectum vidé. Si ce n'est pas prévu par la maternité, prévoyez de mettre un suppositoire de glycérine pour aller à la selle. Cette précaution vous évitera une surprise très désagréable au moment de l'expulsion.

La dilatation

C'est la partie la plus longue de l'accouchement. Elle dure en moyenne 7 à 8 heures pour un premier enfant et 4 à 5 heures pour un deuxième. Ces chiffres sont des moyennes statistiques et votre cas peut être légèrement différent, mais quoi qu'il en soit, on ne laisse plus traîner en longueur les

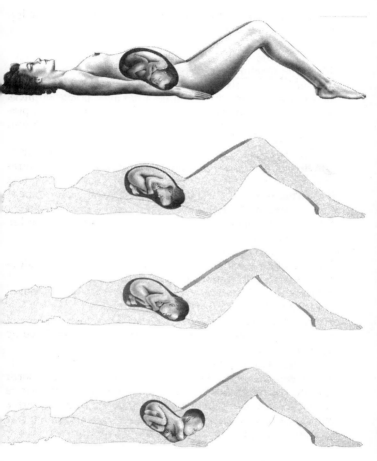

Les positions du bébé au cours de la naissance.

accouchements. On possède maintenant les moyens médicaux pour accélérer les choses.

Ce sont les 3 premiers centimètres de dilatation qui sont
les plus longs à atteindre. Ils représentent près de la moitié
de la durée totale de la dilatation. A partir de ces 3 cm, on

accélère un peu le processus par les ocytociques. C'est en général à ce moment de la dilatation que l'on vous met sous monitoring et sous perfusion.

La poche des eaux se rompt en général entre 2 et 5 cm de dilatation. Quelquefois, elle se rompt tout au début du travail, et quelquefois pas du tout. Dans ce dernier cas, le médecin attend une dilatation de 5 cm avec la tête du bébé bien engagée pour la percer avec une petite pince. C'est totalement indolore.

Quelle position avoir pendant la dilatation ?

Il n'y a pas de règle. C'est une question de confort personnel. Certaines femmes préfèrent rester allongées et sommeillent entre les contractions. D'autres préfèrent rester debout et marcher, du moins au début. C'est tout à fait possible à condition que la poche des eaux ne soit pas rompue.

La position verticale aurait l'avantage de faciliter la descente de l'enfant, tandis que la pression de la tête sur le col favoriserait la dilatation.

Les positions peuvent donc être variables : debout, en marchant ou pas, assise, semi-assise ou encore accroupie. Le choix de la position est cependant limité par la présence du monitoring.

Pendant la dilatation, bien que surveillée régulièrement, vous êtes seule la plupart du temps. Ne pensez pas que vous êtes délaissée, sachez que cette première étape de votre accouchement ne demande pas une présence constante de la part du corps médical. Lorsque la sage-femme passera vous voir, elle constatera :
• l'efficacité des contractions et la bonne condition de l'enfant par l'observation des tracés du monitoring ;
• la progression de la dilatation du col par un toucher vaginal.

C'est un moment éprouvant pour la future maman car à la douleur ressentie se greffe l'inquiétude de savoir si tout va bien se passer. Le rôle du futur père est à ce moment-là très important, même s'il ne tient pas à assister à l'accouchement proprement dit. Il va pouvoir réconforter sa femme, l'aider à se souvenir de ses mouvements de respiration, lui tenir la main pendant qu'elle se repose entre deux contractions et par sa présence rassurante, apaiser la future maman.

La mise en pratique de vos cours d'accouchement préparé

La douleur n'est pas constante. Elle survient quand l'utérus se contracte pour dilater le col. Pendant le relâchement de la contraction, elle cesse. Chaque contraction a pour but de dilater le col davantage et plus il se dilate, plus l'intensité des contractions augmente.

La contraction est un travail musculaire qui, comme tout travail musculaire, consomme de l'oxygène et rejette du gaz carbonique. Une bonne respiration est donc essentielle.

Quand la contraction arrive : vous devez vous concentrer et respirer calmement en soufflant profondément et longuement pendant le temps de la contraction. Il faut qu'un maximum d'oxygène circule dans votre sang pour alimenter votre utérus qui travaille et votre bébé qui en consomme également beaucoup.

Quand la contraction est là : évitez de vous raidir comme on a envie de le faire instinctivement quand monte une douleur. Au contraire, décontractez-vous en relâchant tous vos muscles. Ils consommeront ainsi moins d'oxygène qui sera disponible pour le muscle utérin. En restant détendue, vous n'opposerez pas de résistance à la contraction et la dilatation se fera mieux.

Tout en vous détendant, continuez à respirer et expirer lentement ou bien faites la respiration superficielle (voir page 237). Ainsi votre diaphragme bouge très peu et n'appuie pas sur l'utérus, ce qui le gênerait dans sa contraction.

	CONTRACTION UTÉRINE	REPOS	DURÉE TOTALE
COMMENCE-MENT DU TRAVAIL	15 secondes	15 à 20 minutes	environ 7 à 8 heures pour un 1er enfant
DILATATION à 1 cm	30 secondes	10 à 12 minutes	
DILATATION à 5 cm	45 secondes	4 à 5 minutes	
EXPULSION	60 secondes	2 à 3 minutes	environ 30 minutes

Quand la contraction est passée : faites une respiration complète (voir page 237).

En attendant la contraction suivante, respirez normalement.

Quand la dilatation est à 5 cm, si les contractions sont trop douloureuses, on vous donnera un analgésique ou on vous fera une péridurale, si le service est équipé pour cela et si vous le souhaitez.

L'expulsion

C'est la phase terminale de votre accouchement, la naissance de votre bébé.

L'expulsion dure environ 30 minutes pour un premier enfant et moins de 20 minutes pour un second.

Quand la dilatation est presque terminée, les contractions sont très fortes et très rapprochées. En moyenne 1 minute de contraction pour 2 minutes de repos.

A ce moment, vous vous dirigez vers la salle d'accouchement et vous vous installez sur la table gynécologique car la venue au monde de votre bébé ne saurait tarder. Vous allez être à présent très entourée par l'équipe médicale qui est là au grand complet.

Quelle position avoir pendant l'expulsion ?

La question se discute.

En France, les femmes accouchent sur une table gynéco-logique, couchées sur le dos, les jambes relevées dans des étriers. Cette position est surtout commode pour le médecin ou la sage-femme qui voient parfaitement ce qui se passe et qui peuvent manœuvrer sans être gênés. Ce n'est pas forcé-ment la position la plus appropriée pour faciliter l'accou-chement lui-même.

La position accroupie serait physiquement la plus appro-priée mais elle ne fait pas partie de notre culture médica-lisée.

La mise en pratique
de vos cours d'accouchement préparé

En fin de dilatation, la tête du bébé, qui vient de franchir l'orifice de sortie du bassin osseux, appuie sur les muscles du périnée, déclenchant un réflexe de poussée. L'envie de pousser est si intense qu'elle domine toutes les autres sensa-tions, même la douleur des contractions. A cette étape de votre accouchement, vous devrez suivre les indications du médecin ou de la sage-femme qui vous accouchent. S'ils vous disent de ne pas pousser malgré une impérieuse envie, c'est que le col n'est pas complètement dilaté et dans ce cas, vous gêneriez votre bébé dans sa progression.

Cette envie de pousser qui devient tout à fait irrépressible quand la tête du bébé appuie sur l'ensemble du vagin et du périnée est très difficile à contrôler. La respiration sera votre aide précieuse et un bon entraînement lors de la préparation à l'accouchement trouve ici toute sa justification.

A l'arrivée de la contraction, inspirez longuement par le nez et soufflez très lentement par la bouche légèrement entrouverte.

Et puis soudain, vous allez entendre la sage-femme crier : « **Poussez !** » Le moment est venu de libérer votre bébé.

La poussée n'est pas douloureuse. C'est une force qui,

avec l'aide de vos muscles abdominaux, sort votre enfant hors de vous. Pour vous aider, la respiration est, là encore, essentielle.

Quand la contraction commence : faites une respiration complète tout en relâchant bien le périnée.

Quand la contraction est là : inspirez par le nez, bouche fermée.

Bloquez votre respiration et poussez en contractant vos muscles abdominaux, le plus longtemps possible. L'air des poumons appuie sur le diaphragme qui lui-même pousse en avant l'utérus.

Une technique différente basée non plus sur le blocage de la respiration mais sur l'expiration forcée, c'est-à-dire en expirant très lentement, en ouvrant le périnée, serait préférable. (Voir page 238). Elle requiert une très bonne préparation.

Quand la contraction est passée : inspirez et expirez profondément.

Entre deux contractions, vous relâcherez tous vos muscles et vous respirerez normalement.

Vous recommencerez à chaque contraction, tant que la sage-femme vous le dira. Elle vous guidera d'ailleurs tout du long et vous dira au fur et à mesure ce que vous devez faire.

Quand la tête sera à la vulve, la sage-femme vous demandera de ne plus pousser afin que le périnée et la vulve aient le temps de se détendre. Relâchez au maximum tous vos muscles abdominaux et votre périnée. Inspirez, soufflez lentement. La sage-femme va dégager lentement la tête de l'enfant qui apparaît afin d'éviter tout risque de déchirure.

Une fois la tête sortie, vous pousserez encore un peu à la demande de la sage-femme pour la sortie du corps tout entier. Puis vous vous reposerez.

Le cordon ombilical est ligaturé puis coupé. Votre bébé est dès cet instant un être physiologiquement autonome. Une nouvelle vie commence pour lui.

La délivrance

Une vingtaine de minutes après la naissance de votre bébé, vous ressentirez à nouveau des contractions, mais beaucoup plus légères que pendant l'accouchement. Elles ont pour but de décoller le placenta qui adhérait à l'utérus. Pour le détacher complètement, la sage-femme appuie sur l'utérus puis tire sur le cordon pour le faire sortir. Votre accouchement est alors complètement terminé. Vous allez rester encore une heure ou deux dans la salle d'accouchement sous surveillance, puis retournerez dans votre chambre où votre bébé vous rejoindra.

Accoucher de jumeaux

L'accouchement de jumeaux ne présente pas de complications particulières. Il est simplement un peu plus long qu'un accouchement normal puisqu'il s'écoule un temps de repos de 15 à 30 minutes avant que de nouvelles contractions ne commencent en vue de la deuxième naissance.

L'expulsion est généralement simple car les jumeaux sont souvent de petite taille. S'il y a 2 poches distinctes, on perce la deuxième poche après la naissance du 1ᵉʳ enfant et on attend la reprise des contractions pour la deuxième expulsion.

La délivrance a lieu après la naissance du deuxième bébé, qu'il y ait un seul œuf ou deux. La perte de sang est beaucoup plus abondante que pour un seul enfant et les risques d'hémorragie aussi. C'est pourquoi il est nécessaire d'accoucher dans une maternité très bien équipée lorsqu'on attend plusieurs enfants.

L'aîné des enfants est celui qui naît le premier.

39ᵉ SEMAINE de grossesse

*41ᵉ semaine depuis le premier jour
de vos dernières règles*

fin du 9ᵉ mois

Votre bébé est là. Bonjour bébé !

Votre bébé

Dès que votre bébé est sorti de vous, on l'a posé sur votre ventre quelques instants. Vous avez pu sentir, sur vous, cette petite masse chaude qui poussait des cris. Sa première sensation de douceur après l'épreuve de sa naissance est votre corps doux et chaud dans lequel il s'enfonce. Ses cris vont cesser très vite à votre contact et, si on lui en laisse le temps, il va peut-être exercer le *réflexe de fouissement* ou réflexe de succion qui fait que le nouveau-né tète instinctivement le sein de sa mère.

Le cri que le bébé pousse à sa naissance peut être plus ou moins fort. Ce n'est pas un signe de détresse devant sa nouvelle vie mais tout simplement un besoin vital. La cage thoracique comprimée pendant l'accouchement décompresse dès sa sortie de la mère, provoquant une brutale entrée d'air dans la bouche qui s'ouvre. Les alvéoles pulmonaires se déplissent rapidement tandis que le liquide amniotique qui remplissait l'arbre pulmonaire se résorbe. Le sang venant du cœur se précipite dans les vaisseaux pulmonaires pour se charger de l'oxygène qui vient d'arriver par cette première inspiration et se décharger du gaz carbonique au cours de l'expiration. La circulation cœur-poumons est ainsi établie.

Après avoir reçu un petit bracelet de coton portant son nom, votre bébé va recevoir les **premiers soins**.

• Tout d'abord, on va *désobstruer* ses voies respiratoires, c'est-à-dire aspirer les mucosités qui peuvent plus ou moins encombrer la bouche et le nez. Le médecin s'assure ainsi que les voies respiratoires sont bien dégagées.

• Environ 5 minutes après la naissance, on serre le *cordon ombilical* par 2 pinces. On coupe entre les pinces, à quelques centimètres du ventre du bébé. Avant de faire un léger pansement maintenu par une bande de gaze ou un sparadrap, on prélève un peu de sang au cordon pour différents examens. La partie restante du cordon va se sécher et tomber après une petite semaine, laissant sur l'abdomen du bébé une plaie légère qui se cicatrise rapidement.

• On verse 2 gouttes de *collyre* dans chacun des yeux.

• On le *pèse*. S'il pèse moins de 2,7 kg, c'est un petit bébé. S'il pèse plus de 3,7 kg, c'est un gros bébé. On *mesure* sa taille ainsi que la circonférence de sa tête, qui se situe entre 33 et 35 cm, et celle de sa cage thoracique.

Dans les jours qui suivent sa naissance, votre bébé perd environ le dixième de son poids de naissance. Cette perte de poids, tout à fait physiologique, est due à l'évacuation du méconium qui remplit son intestin et au fait qu'il est peu nourri. Il reprendra du poids dès le 3ᵉ jour pour retrouver son poids de naissance autour du 10ᵉ jour.

Tous les soins sont donnés sur une table chauffante ou sous un cône de chaleur, car le bébé se refroidit très vite. Il ne faut pas oublier qu'il vient de vivre de longs mois à la température toujours égale de 37° C, et que soudain il se retrouve à 22° C. Il n'est pas encore capable d'adapter sa température interne qui baisse de 1 à 2,5° C. Ce n'est que 2, 3 jours plus tard qu'il retrouvera une température de 37° C.

De plus en plus fréquemment, les premiers soins étant donnés, on fait prendre un *bain* chaud au bébé pour lui rappeler le milieu d'où il vient. Il manifeste son bien-être en retrouvant immédiatement son calme. On le trempe environ 5 minutes, sans le laver pour ne pas lui retirer son vernix qui protège sa peau fragile.

Après les premiers soins et le bain, votre bébé va subir toute une série de tests qui ont pour but de vérifier sa respiration, ses battements cardiaques qui sont aux alentours de 100 à 120 par minute, son tonus musculaire ainsi que ses réflexes. Ceux-ci ont pour but de renseigner le médecin sur le bon fonctionnement du système nerveux central.

A quoi ressemble votre bébé ?

Lorsque votre bébé a été posé sur vous, vous l'avez regardé et malgré votre joie n'avez pas osé vous avouer une légère déception. Vous ne le trouvez pas beau ! Vous imaginiez un bébé rose et joufflu et le bébé que vous avez là n'est pas du tout comme cela ! C'est parfaitement normal. Tous les bébés sont ainsi le jour de leur naissance. Attendez deux à trois semaines et vous aurez un bébé qui répond à votre attente.

Tout d'abord, vous êtes surprise par le volume de sa tête. C'est vrai, votre bébé a une grosse tête ! Elle représente le quart de sa taille totale alors que, chez l'adulte, la tête ne représente que le 1/7ᵉ. Le front est très grand par rapport au reste du visage puisqu'il en représente les trois quarts au lieu de la moitié. Par suite de l'accouchement, la tête de votre bébé peut être allongée en pain de sucre ou bosselée d'un côté ou de l'autre. Dans une quinzaine de jours, il n'y paraîtra plus et il aura une belle petite tête ronde.

Les os de son crâne ne sont pas encore soudés. Ils sont séparés par des espaces de tissus fibreux. Ces espaces sont très larges en deux endroits : sur le dessus du front et à l'arrière du crâne. Ce sont les *fontanelles*. Elles se réduiront lentement, au fur et à mesure que le crâne grandira, et se fermeront complètement vers 8 mois pour celle de l'arrière et vers 18 mois pour celle du front.

La tête de votre bébé est trop lourde pour les muscles de son cou. C'est pourquoi il n'arrive pas à la redresser. Vous devrez bien la soutenir en mettant une main sous sa nùque lorsque vous le porterez.

Ses yeux paraissent très grands. C'est normal puisque leur taille est de 2/3 de ceux de l'adulte alors que la tête est plus petite. Ils paraissent souvent bleus à la naissance mais ils vont changer de teinte et auront leur couleur définitive vers 1 mois. Les paupières sont épaisses avec des cils apparents. Son nez peut avoir été très aplati pendant l'accouchement, mais lui aussi va se redresser. Quant à sa bouche, elle paraît immense.

Votre bébé est né sans cheveux ou au contraire avec une abondante chevelure. Dans ce cas, elle va tomber progressivement pendant plusieurs semaines pour être ultérieurement remplacée par d'autres cheveux plus fins et généralement plus clairs. Et si, au moment de sa naissance, votre bébé avait encore le corps couvert de duvet, celui-ci va tomber.

La peau recouverte à la naissance du vernix, enduit blanchâtre, pèle dans les premiers jours et devient plus fine et plus claire. Il se peut qu'elle prenne une belle couleur orangée le 2e ou le 3e jour après la naissance. C'est le signe que votre bébé fait une petite jaunisse : *l'ictère physiologique du nouveau-né*, comme font 80 % des nouveau-nés.

Les ongles de votre bébé peuvent être très longs. Même s'il se griffe légèrement avec, il ne faut pas les lui couper avant une ou deux semaines pour éviter une éventuelle infection.

Les organes génitaux de votre bébé sont très développés, surtout si c'est un garçon. Si c'est une fille, quelques gouttes de sang peuvent apparaître dans les couches. Cela n'a rien d'alarmant car tout à fait physiologique. De même, les seins des bébés, qu'ils soient filles ou garçons, sont gonflés et sécrètent une substance blanchâtre. C'est la conséquence du passage à travers le placenta d'une petite quantité d'hormone devant provoquer la montée laiteuse chez la mère. Dans quelques jours, les seins de votre bébé seront normaux. En attendant, vous n'y toucherez pas. Tous ces signes caractérisent ce que l'on appelle la *crise génitale du nouveau-né*.

Ses sens

Votre bébé n'est pas un simple tube digestif comme on le disait volontiers autrefois. Loin de là ! C'est un être maintenant autonome sur le plan physiologique et qui a déjà de nombreuses sensations. Il voit, entend, sent et ressent.

Sa **vision** n'est pas encore très bonne puisqu'il ne perçoit les choses que sur un petit arc de cercle de 20°, à condition qu'elles soient placées à 20 ou 25 cm de ses yeux. Il ne voit pas les couleurs sauf peut-être la couleur rouge. Cette difficulté de la vision du nouveau-né vient du fait qu'il a toujours vécu dans un milieu obscur. Il lui faut un certain temps pour que sa rétine s'adapte à la lumière et devienne totalement fonctionnelle.

Son **ouïe** est meilleure. Il est vrai qu'il entend depuis plusieurs mois et qu'il est déjà habitué à de nombreux sons. Il reconnaît parfaitement la voix humaine puisqu'il l'entendait déjà avant de naître. Il entend même quand il dort et de légers bruits peuvent le réveiller.

Son **odorat** est également développé et c'est grâce à lui qu'il reconnaît le sein maternel. C'est le sens le plus développé pour la reconnaissance de la mère puisqu'il la reconnaît à son odeur à 10 jours alors qu'il ne la reconnaît par la voix qu'à 5 semaines et par les yeux entre 3 et 5 mois.

Le **goût** du bébé s'est développé lors de la grossesse en avalant du liquide amniotique. Il va donc être capable de distinguer et d'apprécier immédiatement un lait à la saveur agréable. Si vous allaitez votre bébé, faites attention à votre alimentation. Si vous mangez de l'ail, des oignons, du chou, des asperges, il risque de bouder. Par contre, si vous mangez du fenouil ou du cumin, votre lait sera légèrement parfumé pour son plus grand plaisir.

Vous allez sans doute être surprise par le fait que vous retrouvez toujours votre bébé la tête collée contre le haut de son berceau. Dans cette position apparemment inconfortable, il dort le sourire aux lèvres. Ce besoin de contact est nécessaire pour lui. Le vide qui soudain l'entoure alors que, dans vous, il était serré entre les parois de l'utérus, lui fait peur. C'est pourquoi être tenu dans vos bras, bien appuyé contre vous, le réconforte et le comble d'aise. Il sourit aux anges ou vous regarde si vous le sollicitez. La communication entre la mère qui parle et sourit à son bébé qui la regarde s'établit ainsi. Elle se renforce au fur et à mesure des sollicitations de la mère qui engendrent des stimulations nerveuses pour le bébé qui y répond selon ses possibilités. Ce sont toutes ces stimulations qui permettent la maturation lente du système nerveux. Le cerveau se câble au fur et à mesure de la réception des informations et la pensée sera d'autant plus riche que les circuits seront plus nombreux. Vous savez déjà qu'il faut 18 à 20 ans pour que le cerveau soit entièrement et définitivement câblé. Cela montre l'importance de l'éducation dans le comportement du futur adulte.

Tous les moyens pour entrer en communication avec votre bébé sont bons : paroles, sourires, mimiques, musique. Non seulement il aime ces stimulations mais il les attend. Ces contacts vont s'intensifier et s'enrichir au fil du temps qui passe car votre bébé sera de plus en plus réceptif et sera capable de répondre plus activement. Ils tissent inévitablement entre vous un lien très fort d'affection. Et à votre amour maternel répondra celui de votre enfant.

Vous, la mère

Le terme dépassé

Peut-être faites-vous partie des 3 % de femmes qui dépassent le terme et, dans ce cas, votre bébé n'est pas encore là !

On considère que le terme est dépassé au début de la

41ᵉ semaine depuis le 1ᵉʳ jour des dernières règles. Si vous êtes dans ce cas, on vous convoquera tous les 2 jours, ou même tous les jours, pour écouter les bruits du cœur de votre bébé. Une amnioscopie sera faite pour regarder la couleur du liquide amniotique. S'il se teinte en verdâtre, c'est que le bébé rejette son méconium et donc qu'il souffre. Il faut alors intervenir en déclenchant l'accouchement. Par le Doppler, on examinera également la vitalité du placenta car, en fin de grossesse, il commence à s'altérer et remplit moins bien ses fonctions de nutrition et d'oxygénation.

Si, après 41 semaines d'aménorrhée, votre bébé tarde toujours à se manifester, on provoquera artificiellement sa naissance. Généralement, le bébé naît en bonne santé et ne demande pas de soins particuliers. Sa peau qui a perdu tout son vernix pèle et ses ongles sont très longs. Il était temps qu'il vienne au monde !

Les suites de couches

Tout de suite après l'accouchement, l'**utérus se contracte** et commence à involuer, c'est-à-dire à diminuer de volume. Il descend d'un centimètre par jour et n'est plus palpable vers le 10ᵉ jour. La contraction de l'utérus permet une ligature naturelle des vaisseaux, évitant ainsi les hémorragies. Néanmoins un **écoulement sanguin** va persister pendant quelques temps. Pendant les 2 ou 3 jours qui suivent l'accouchement, ils sont assez abondants car ils permettent d'entraîner la partie muqueuse de l'utérus, ou caduque, qui entourait l'œuf initialement. Ces saignements, ou *lochies*, diminuent au bout de quelques jours pour s'arrêter complètement vers la fin de la 3ᵉ semaine. Chez certaines femmes cependant, ils peuvent durer jusqu'au retour de couches. Un écoulement plus important peut se produire 12 à 15 jours après l'accouchement. C'est le *petit retour de couches* qui ne durera pas plus de 3 à 4 jours.

Des contractions douloureuses de l'utérus apparaissent chez les femmes ayant déjà eu un ou plusieurs enfants. Elle provoquent un écoulement de sang plus important. Ce sont les *tranchées*. Elles sont plus fortes lorsque la mère allaite et nécessitent un léger analgésique pendant quelques jours.

Si vous avez eu une **épisiotomie**, vous aurez une petite douleur locale pendant quelques jours, surtout lorsque vous urinerez. Plusieurs fois par jour, envoyez de l'air chaud à l'air d'un sèche-cheveux dans la zone de l'épisiotomie afin de supprimer l'humidité locale. La cicatrisation sera plus rapide.

La montée du lait

Dès l'expulsion du placenta, l'hypophyse sécrète une hormone de lactation, la prolactine, qui va agir directement sur les glandes mammaires. Deux jours après l'accouchement, vos seins vont gonfler et durcir. C'est la montée laiteuse.

Si vous allaitez, vos seins vont rester distendus pendant tout le temps que durera l'allaitement. Aussi, devrez-vous les soutenir efficacement par un bon soutien-gorge que vous garderez jour et nuit.

Si vous n'allaitez pas, on vous fera prendre quelques comprimés qui stopperont la montée du lait. Portez un bon soutien-gorge.

Le retour de couches

C'est la réapparition des premières règles et donc le rétablissement d'un cycle menstruel normal. Le retour de couches peut survenir à des dates variables, suivant que vous allaitiez ou pas.
• Si vous allaitez, il se produit environ 4 mois après l'accouchement. Quelquefois plus tôt, mais le plus souvent plus tard, c'est-à-dire tant que dure l'allaitement, sauf s'il se prolonge de nombreux mois.
• Si vous n'allaitez pas, le retour des règles survient plus

rapidement. En général 6 à 8 semaines après l'accouchement, avec des variations individuelles plus ou moins grandes.

La plupart du temps, l'écoulement de sang de ces premières règles est supérieur à la normale.

Conseils

Le retour à la normale : allez-y doucement

Profitez de votre séjour à la maternité pour **vous reposer**. Neuf mois de grossesse, puis les efforts de l'accouchement, vous ont fatiguée et si vous ne bénéficiez pas de ce répit, vous risquez de le regretter dans les semaines qui suivent.

Dès le lendemain de l'accouchement, vous pourrez **vous lever**, mais modérément. Votre périnée s'est trouvé très distendu au moment de l'expulsion. Or, vous le savez, le périnée est cet ensemble de muscles sur lesquels reposent les organes génito-urinaires. L'utérus encore gros et lourd aura tendance à accentuer le relâchement et, insuffisamment maintenu, il peut se retourner vers l'arrière. C'est la *rétroversion de l'utérus*. En conséquence de quoi, levez-vous pour faire votre toilette, marchez un peu mais ne restez pas debout trop longtemps. Et surtout, ne portez pas de charge lourde.

Dès à présent, **rééduquez votre périnée**. Sans faire de mouvements intempestifs mais en contractant les uns après les autres les muscles de la région anale puis génitale. Et puis, ne vous déprimez pas à la vue de votre *ventre* mou et fripé. Il a été incroyablement distendu par la grossesse, laissez-lui le temps de revenir à la normale. Vous attendrez d'avoir récupéré complètement votre périnée, ce qui demande environ 6 semaines, avant d'entreprendre la série de gymnastique rééducative prise en charge par la Sécurité sociale. Si vous en éprouvez le besoin, vous pourrez demander une série supplémentaire sur prescription médicale. Quand vous n'aurez plus aucun saignement et que la vulve sera complètement cicatrisée, surtout si vous avez eu une épisiotomie, vous irez nager à la piscine le plus souvent possible. Ces exercices, joints à une alimentation équilibrée et légère, vous rendront la ligne en quelques temps.

Le baby blues

Rentrée chez vous avec votre bébé, vous retrouvez votre mari et votre maison avec bonheur. Tout est pour le mieux. Ou du moins pourrait être pour le mieux car, chose incompréhensible et inexplicable, vous n'avez pas le moral et voyez tout en noir. Vous avez envie de pleurer sans raison et n'avez plus de goût à rien. Pour un peu, même le bébé, pourtant si désiré, vous indifférerait. C'est le *post-partum blues*, c'est-à-dire la dépression des accouchées.

Due au bouleversement hormonal énorme, cause du déclenchement de l'accouchement, cette déprime d'origine purement physiologique est encore accentuée par la fatigue de 9 mois de grossesse, celle des efforts de l'accouchement, du sang perdu et du sommeil perturbé par l'alimentation et les soins à donner au bébé. Sans compter toutes les questions angoissantes que peut se poser une jeune mère face à son nouveau-né.

Sachez que cet état existe et qu'il n'a rien de honteux. Ce serait bien que votre mari ou votre compagnon réserve ses jours de congé de paternité et pourquoi pas une semaine de congés payés supplémentaire, pour vous seconder à ce moment-là. Si ce n'est pas possible, essayez d'avoir près de vous, le plus souvent possible, votre mère, votre belle-mère ou une amie qui gardera le bébé, ce qui vous permettra de sortir un peu pour vous changer les idées.

Ne laissez surtout pas s'installer en vous un état dépressif, car si vous vous heurtez à l'incompréhension de votre entourage, vous glisserez vite de la simple déprime à la vraie dépression. Aux premiers signes, **voyez votre médecin**. Par une aide médicamenteuse, il vous redonnera tonus et sourire. Et c'est avec bonheur que commencera cette nouvelle vie à trois.

La reprise des relations sexuelles

Pour reprendre des relations sexuelles, vous attendrez que les saignements qui suivent l'accouchement soient arrêtés et surtout que la vulve soit cicatrisée. N'ayez pas de relations sexuelles si elles sont douloureuses, car vous finiriez par avoir inconsciemment un réflexe négatif d'autodéfense. Consultez, dans ce cas, le médecin qui vous a accouchée. Des soins souvent très simples solutionneront ce problème.

Naturellement, vous aurez, ainsi que votre compagnon, une hygiène irréprochable afin d'éviter tout risque d'infection qui pourrait monter dans l'appareil génital.

Dès l'instant où vous reprendrez des relations sexuelles, vous devrez envisager une **contraception** si vous ne voulez pas démarrer une nouvelle grossesse. Le retour de couches arrive en effet avec imprécision 6 à 8 semaines après l'accouchement. Cela veut dire qu'une ovulation a eu lieu 15 jours avant. C'est l'inconnu total. Autrement dit, une 2e grossesse peut survenir 4 à 6 semaines après l'accouchement.

Si vous allaitez, attention méfiance ! Ne croyez pas la tradition qui veut que tant qu'une femme allaite, elle est protégée d'une nouvelle grossesse. Ce n'est vrai qu'en partie. Une femme qui allaite *complètement* est protégée seulement pendant les 3 premiers mois. C'est ainsi que 7 % des femmes qui allaitent se retrouvent enceintes instantanément.

C'est votre gynécologue qui décidera de la contraception la mieux adaptée pour vous. Il sait s'il s'agit de votre premier enfant ou non, si vous avez eu une césarienne ou non, si vos cycles étaient réguliers ou non… Autant d'éléments qui le guident dans le choix d'une contraception appropriée. Celle-ci peut d'ailleurs être temporaire et remplacée au bout de quelque temps par une autre.

Pour votre information

Les obligations postnatales

Votre bébé étant né, vous avez quelques obligations à remplir vis-à-vis de l'administration. Ne les négligez pas, car ce serait pour vous la perte des prestations.

Pour vous : une visite médicale

Elle est obligatoire dans les 6 semaines qui suivent l'accouchement, l'idéal se situant un mois après l'accouchement.

Elle consiste en un examen clinique au cours duquel le médecin vérifie que tous vos organes génitaux ont retrouvé leur place et sont en bon état. Il examinera, en plus, les seins, la paroi abdominale, le périnée. C'est à vous de lui signaler toute anomalie, toute gêne, telle que la présence de varices vulvaires ou d'hémorroïdes.

Si toutefois ce n'est pas encore fait, il vous prescrira une contraception.

Vous enverrez la feuille de Sécurité sociale signée par votre médecin, munie de l'étiquette correspodant à cette visite, à votre centre de Sécurité sociale.

Pour votre enfant : la déclaration de naissance

A la maternité, on vous remettra un **certificat** attestant la naissance de votre enfant. Muni de ce certificat et du livret de famille, le père, ou à défaut une personne déléguée par la maternité, doit déclarer l'enfant à la mairie de l'endroit où a eu lieu l'accouchement. La déclaration doit être faite obligatoirement dans les 3 jours qui suivent la naissance sous peine d'entraîner des complications coûteuses. Elle est portée sur le livret de famille.

Les services de la mairie qui enregistrent la naissance remettent à la personne qui fait la déclaration un **carnet de santé** pour l'enfant et 4 fiches d'état civil nécessaires pour des démarches ultérieures.

La surveillance médicale de l'enfant

L'enfant doit être soumis à des visites médicales obligatoires à des périodes précises, sous peine pour vous de perdre le droit aux prestations familiales. La 1re année, 9 visites sont obligatoires : une au cours de la semaine qui suit la naissance, une avant la fin du 1er mois et une au cours des 2e, 3e, 4e, 5e, 6e, 9e et 12e mois.

La 2e année, 3 visites sont obligatoires : au cours des 16e, 20e et 24e mois.

Ensuite, l'enfant doit être soumis à une visite obligatoire tous les 6 mois pendant les 4 années suivantes.

Lors de certaines de ces visites (8e jour, 9e et 24e mois), le médecin établira un **certificat de santé** que vous enverrez à votre Caisse d'Allocations familiales.

Ces visites obligatoires peuvent être effectuées par un pédiatre de votre choix ou dans une consultation de PMI de votre commune où elles sont alors gratuites. Sachez cependant que le centre de PMI n'est pas un centre de soins et que le jour où votre enfant sera malade, vous devrez consulter un médecin.

RÉCAPITULATIF DU NEUVIÈME MOIS DE VOTRE BÉBÉ

Âge de votre bébé	35e semaine	36e semaine	37e semaine	38e semaine
Sa taille.	30 cm de la tête au coccyx. 45 cm de la tête aux talons.	32 cm de la tête au coccyx. 46,5 cm de la tête aux talons.	33 cm de la tête au coccyx. 48 cm de la tête aux talons.	50 cm de la tête aux talons.
Son poids.	2 kg 400.	2 kg 650.	2 kg 900.	3 kg 300.
Son développement.	Votre bébé commence à se défriper par accumulation de graisse sous la peau. Le lanugo commence à disparaître. Descente du bébé dans le bassin.	Le lanugo a disparu.	Le vernix qui recouvre la peau se détache en partie. Votre bébé bouge peu car il manque d'espace. Il se tient la tête en bas, les bras repliés sur la poitrine. Il vous donne encore de petits coups de tête, de coude ou de pied pour vous montrer qu'il est toujours là.	Dès sa naissance le bébé est une personne autonome. La circulation sanguine va changer : un circuit cœur-poumons va s'établir. Le foie ne fabrique plus de globules rouges. C'est la moelle osseuse qui s'en charge. Les alvéoles pulmonaires se déploient à la naissance.
Observations générales.	Le placenta a un diamètre est de 20 cm et son épaisseur de 3 cm. Il pèse environ 500 g.			

RÉCAPITULATIF DU NEUVIÈME MOIS DE VOTRE GROSSESSE

Âge de la grossesse	35e semaine	36e semaine	37e semaine	38e semaine
Observations générales.	Les articulations du bassin commencent à s'écarter un peu.	La courbure de votre colonne vertébrale s'est accentuée pour compenser l'accroissement du poids sur le devant du corps.	Tenez-vous prête à partir pour la maternité.	L'accouchement est imminent.
Symptômes possibles.	Tiraillements. Douleurs diffuses dues au relâchement des articulations.	Maladresse possible due au changement de votre centre de gravité.		Etat nauséeux. Perte du bouchon muqueux 1 à 3 jours avant l'accouchement. Fébrilité de rangement.
Précautions à prendre.	Reposez-vous.			Ne vous affolez pas aux premières contractions. Pour partir à la maternité, attendez des contractions régulières. Si vous perdez les eaux, partez immédiatement.
Examens.		Septième examen prénatal obligatoire.	Décerclage dans le cas où vous auriez eu un cerclage.	
Démarches.		Envoyer à la S.S. et aux Allocations familiales les feuillets munies de leurs étiquettes. Faire la demande de massages ou de rééducation périnéale pour après l'accouchement.		

CONCLUSION

Après l'aventure magique de la grossesse que vous venez de vivre étape par étape pendant 9 mois, vous ne serez plus jamais la même. Vous avez donné la vie et, de cette vie vous êtes à présent responsable.

Votre enfant est là et votre rôle auprès de lui ne fait que commencer. Un rôle fabuleux, puisqu'il s'agit maintenant de l'élever et de l'éduquer.

Parlez beaucoup à votre enfant. Ne laissez jamais passer l'occasion d'une conversation. Non seulement vous éveillerez son esprit, mais en plus, au fil des ans, se créeront entre vous une confiance et une complicité totales. Devenu adolescent, il continuera à vous confier ses problèmes et sollicitera vos conseils. Votre titre de « mère » aura alors trouvé toute sa signification.

Ne soyez pas anxieuse devant l'avenir : en toute occasion, laissez-vous guider par le bon sens et l'amour. L'amour que vous donnerez à votre enfant et qu'il vous rendra au-delà de ce que vous pouvez imaginer.

ANNEXE

Les renseignements qui suivent sont donnés à titre indicatif et non définitif car les mesures protégeant la femme enceinte puis la mère et l'enfant sont nombreuses et souvent remaniées.

Pour savoir quels sont vos droits, dans votre cas précis, en matière de remboursement de soins ou pour la perception d'indemnités journalières, renseignez-vous auprès de votre centre de Sécurité sociale ou encore sur le Minitel : 3615 Sec. Soc. ou 3615 CAF.

Sur Internet :
www.caf.fr
www.sécurité-sociale.fr
www.service-public.fr

L'assurance-maternité

On désigne par ce terme tout un ensemble d'avantages qui viennent compléter l'assurance-maladie. Il s'agit :
— de remboursements ;
— de prestations familiales ;
— d'indemnités journalières.

Toute assurée sociale ou ayant-droit d'un assuré social y a droit.

Pour bénéficier de l'assurance-maternité

Demander le guide de surveillance de la mère (ex-carnet de maternité).	Pour cela, **envoyez à votre caisse de Sécurité sociale** : • Votre numéro d'immatriculation. • Les bulletins de salaire des 3 mois précédant la date du début présumé de votre grossesse. • Le volet nº 3 du feuillet d'examen prénatal signé par le médecin, lors de la 1re visite.
Envoyer à la Sécurité sociale les feuilles de maladie signées du médecin et munies de leurs étiquettes correspondant aux 8 visites médicales obligatoires.	• 1er examen prénatal avant la fin de la 14e semaine de grossesse. • Une attestation de visite médicale, chaque mois (du 1er jour du 4e mois jusqu'à l'accouchement, soit 6). • Une attestation de visite médicale après l'accouchement.

Les remboursements de l'assurance-maternité pour la mère

Remboursement	100 % du tarif de la Sécurité sociale	Partiel
Consultations médicales	Lié aux 8 visites obligatoires de surveillance de la grossesse : • en centre de PMI (Protection Maternelle et Infantile) • à l'hôpital • chez un médecin privé conventionné « secteur 1 ».	• Chez un médecin conventionné « secteur 2 ».
Médicaments	• Pendant les 5 premiers mois : remboursement variable suivant les vignettes : 100 %, 70 %, 40 %. • Pendant les 4 derniers mois, sauf vignette bleue.	

Echographies	• Celle du 4e mois. Les échographies supplémentaires sont remboursées après entente préalable avec la Sécurité sociale.	• Les 2 premières.
Hospitalisation éventuelle	• Pendant les quatre derniers mois de la grossesse.	• Quelques médicaments.
Préparation à l'accouchement	• 8 séances pratiquées par un médecin ou une sage-femme.	
Transport vers la maternité en taxi ou en ambulance	Sur présentation : — d'une prescription médicale — d'une facture.	
Accouchement. Séjour à la maternité (12 jours) Pour une césarienne, le séjour peut aller jusqu'à 20 jours	• A l'hôpital, vous ne payez rien. • En clinique conventionnée :	• Certains frais médicaux si le médecin appartient au « secteur 2 ». • En clinique agréée. • Accouchement à domicile. La Sécurité sociale rembourse sur la base d'un forfait.
Rééducation post-natale	• 10 séances après accord préalable.	• Au-delà de 10 séances.

Le père a droit à un examen médical au cours du 3e mois, remboursé à 100 %.

Les remboursements de l'assurance-maternité pour le nouveau-né

100 % du tarif conventionné de la Sécurité sociale.	Partiel
• Soins au nouveau-né pendant son séjour à la maternité.	
• Pendant le mois qui suit sa naissance s'il est hospitalisé.	
• Consultations correspondant à une étiquette autocollante. • Consultations gratuites en PMI.	• Consultations ne correspondant pas à une étiquette autocollante.

Les prestations de l'assurance-maternité

PRESTATIONS	CONDITIONS D'ATTRIBUTION	FORMALITÉS À REMPLIR
Allocation pour jeune enfant.	Vos ressources ne dépassent pas un certain seuil. • Versée à partir du 5e mois de grossesse et jusqu'au mois précédant les 3 ans de votre enfant.	• Déclarer votre grossesse avant la fin des 14 premières semaines auprès de la Caisse d'Assurance-maladie et de la Caisse d'Allocations familiales (CAF). • Passer les 7 visites médicales obligatoires pendant la grossesse ; la première avant la fin du 3e mois. • Envoyer à chaque fois les attestations remplies par le médecin. • Envoyer le feuillet correspondant à l'accouchement, signé par le

		médecin, dans les 2 jours qui suivent la naissance. • Joindre la déclaration d'accouchement remise par la maternité. • Faire passer à votre enfant les visites médicales obligatoires et envoyer à la CAF les 3 attestations remplies par le pédiatre : — la 1re, dans les 8 jours après la naissance — la 2e au 9e mois — la 3e au 24e mois.
Allocations familiales.	• A partir du 2e enfant. Les enfants ne doivent pas avoir plus de : — 18 ans, s'ils ne sont pas étudiants — 20 ans pour les étudiants et apprentis. Le montant des allocations dépend des ressources du foyer.	• Adresser une demande à la CAF. • Fournir un extrait d'acte de naissance pour chaque enfant. • Fournir un certificat de scolarité, suivant l'âge des enfants.
Assistante maternelle.	• Garde d'un enfant de moins de 6 ans, quel que soit le montant de vos revenus. • L'allocation est versée chaque trimestre. • De plus, vous êtes exonérée des cotisations sociales sur le salaire donné à l'assistante maternelle.	• Demander votre immatriculation à l'URSSAF. • L'assistante maternelle doit être agréée. • Vous devez la déclarer à l'URSSAF. • Remplir chaque trimestre les déclarations envoyées par l'URSSAF.

Allocation de garde d'enfant à domicile (AGED).	• Garde d'un enfant de moins de 6 ans, à domicile, par une employée de maison. • Vous et votre conjoint ou concubin devez travailler. • L'allocation est versée chaque trimestre. • L'exonération des charges sociales n'est que de 50 %.	Formalités identiques à celles des prestations d'assistante maternelle.
Complément familial.	• Avoir au moins 3 enfants à charge. • Les enfants doivent avoir plus de 3 ans et moins de 17 ans pour ceux qui ont quitté l'école, 20 ans pour les étudiants. Le complément familial est suspendu quand il n'y a plus que 2 enfants à charge.	• Déclarer vos revenus qui ne doivent pas dépasser un certain plafond. • Si vous attendez un nouvel enfant, vous ne pouvez cumuler le complément familial et l'allocation pour jeune enfant.
Allocation parentale d'éducation.	• Versée à celui des parents qui cesse de travailler suite à la naissance ou à l'adoption d'un enfant. • Avoir au moins 2 enfants à charge dont un de moins de 3 ans. • Avoir exercé une activité professionnelle pendant au moins 2 ans, pendant les 5 ans précédant la naissance du 2e enfant.	• Remplir la demande de prestation qui vous sera adressée automatiquement par votre caisse. • L'allocation parentale d'éducation n'est pas cumulable avec le complément familial ou l'allocation pour jeune enfant. Ni avec les indemnités de chômage.
Allocation de parent isolé.	• Etre célibataire et enceinte. • Elever seule un ou	• Déclarer sa grossesse et effectuer les examens médicaux obligatoires.

	plusieurs enfants avec de faibles ressources.	• Déclarer ses revenus chaque trimestre.
Allocation d'éducation spéciale.	• Avoir un enfant de moins de 20 ans atteint d'un handicap permanent. Les conditions d'obtention de l'allocation dépendent du taux d'incapacité de l'enfant.	

LEXIQUE

Les mots munis d'un astérisque sont définis dans le lexique.

ADN : Longue molécule située dans le noyau de toute cellule. Indispensable au maintien de la vie cellulaire et à la transmission des caractères héréditaires. L'ADN est toujours associé à des protéines, formant ainsi une fibre de chromatine*.

Annexes embryonnaires : Organes présents de façon transitoire entre la mère et l'enfant. Il s'agit essentiellement du placenta et de l'amnios*.

Anticorps : Substance engendrée dans l'organisme par l'introduction d'une substance étrangère appelée antigène*. L'anticorps a pour rôle de neutraliser l'antigène.

Antigène : Substance étrangère et toxique à l'organisme. Son introduction dans celui-ci entraîne une réponse défensive de sa part par la fabrication d'anticorps*.

Aménorrhée : Absence de règles.

Amnios : Enveloppe qui entoure la cavité amniotique.

Axone : Prolongement de la cellule nerveuse ayant pour rôle de propager l'influx nerveux.

Baby blues : Petite dépression de la mère survenant après l'accouchement.

Blastocyste : Petite boule de 64 cellules qui présente déjà une différenciation : des cellules externes qui donneront le placenta et un groupe de cellules centrales qui seront à l'origine de l'embryon.

Caduque : Muqueuse utérine dans laquelle le blastocyste* pénètre. Elle sera éliminée à la naissance.

Caryotype : Carte d'identité des chromosomes*. Leur classification par nombre, forme et taille permet de repérer les anomalies d'origine chromosomique.

Cellule : Elément de base de tout être vivant, animal ou végétal. Les cellules sont constituées d'un cytoplasme* et d'un noyau, le tout étant entouré d'une membrane.

Chorion : Enveloppe externe qui entoure l'embryon.

Chromosome : Configuration spéciale des fibres de chromatine* due à leur enroulement intense, au moment de la division cellulaire*. Dans l'espèce humaine, les chromosomes de toutes les cellules sont au nombre de 23 paires, soit 46, sauf dans les cellules sexuelles, où ils ne sont qu'en un seul exemplaire, soit 23. Le nombre de 46 sera reconstitué dans la cellule issue de la fécondation par l'association des chromosomes paternels et maternels. Les chromosomes portent les gènes*.

Colostrum : Premier lait qui apparaît après l'accouchement, parfois même en fin de grossesse.

Corps jaune : Nom donné au follicule* après la libération d'un ovocyte*.

Cytoplasme : Partie de la cellule qui entoure le noyau. C'est le lieu de toutes les synthèses protéiques, lipidiques et glucidiques nécessaires à la vie de la cellule elle-même et donc de l'organisme tout entier.

Dendrites : Ramifications arborescentes de la cellule nerveuse.

Différenciation cellulaire : Ensemble de phénomènes biologiques qui aboutissent à l'apparition des divers types cellulaires qui s'organisent en tissus puis en organes.

Division cellulaire : Moment particulier dans la vie de la cellule qui aboutit à la formation de 2 nouvelles cellules.

Fécondation : Rencontre de l'ovocyte* et du spermatozoïde.

Fibre de chromatine : Résulte de l'association de l'ADN et de protéines. Dans tout noyau cellulaire, il y a autant de fibres de chromatine qu'il y a de chromosomes*.

FIVETE : Fécondation In Vitro Et Transplantation d'Embryon.

Follicule de De Graaf : Corpuscule situé dans l'ovaire* qui protège et nourrit un ovocyte*. Chaque mois, un follicule se rompt pour libérer un ovocyte. C'est la ponte ovulaire*.

FSH : Hormone de Stimulation Folliculaire. Permet la maturation du follicule ovarien.

Gamète : Cellule reproductrice mûre : spermatozoïde (mâle) ou ovocyte* (femelle). Chaque gamète possède 23 chromosomes* alors que toutes les autres cellules de l'espèce humaine sont à 46 chromosomes.

Gène : Petite portion d'ADN* qui contient l'information nécessaire pour coder sous forme de message chimique la synthèse d'un produit qui déterminera un caractère visible ou non.

Génotype : Ensemble des gènes* d'un individu. L'expression d'un grand nombre de gènes aboutit au phénotype* de l'individu.

Gestation : Etat d'une femme enceinte, depuis la conception de son enfant jusqu'à l'accouchement.

GIFT : Gamète Intra Fallopian Transfert. Technique de fécondation in vitro.

Gravide : Se dit d'un utérus qui contient un embryon.

HCG : Hormone Gonadotrophine Chorionique. Hormone sécrétée par la couche cellulaire externe de l'œuf ou chorion*, implanté dans la muqueuse utérine. Elle assure la poursuite de la grossesse en faisant sécréter par le corps jaune, estrogènes et surtout progestérone, pendant les trois premiers mois.

Hydramnios : Excès de liquide amniotique, occasionnant des troubles.

Hypotrophie : Mauvais développement du fœtus.

Immunisation : Protection de l'organisme contre une maladie infectieuse. Se fait en général par la vaccination mais peut avoir lieu également naturellement.

Lanugo : Fin duvet qui recouvre le corps du fœtus in utero.

LH : Hormone Lutéinique. Provoque la rupture du follicule ovarien, ce qui entraîne l'ovulation.

Lochies : Ecoulement sanguin faisant suite à l'accouchement.

Méconium : Substance noirâtre et visqueuse faite de débris cellulaires et de bile, accumulée dans l'intestin du fœtus.

Membranes : Elles forment la poche des eaux qui contient le liquide amniotique. Elles sont constituées d'un sac externe appelé chorion* et d'un sac interne appelé amnios*.

Menstruation : Sang qui s'écoule du vagin tous les 28 jours, signifiant que l'ovocyte* n'a pas été fécondé. Plus communément appelé « les règles ».

Morula : Petite boule de 16 cellules, ressemblant à une mûre, issue des premières divisions du zygote*.

Multipare : Femme qui a accouché plusieurs fois.

Mycose : Infection due à un champignon microscopique. Les mycoses sont souvent génitales mais pas exclusivement.

Neurone : Cellule nerveuse.

Ombilic : Nombril.

Organogenèse : Formation des organes au cours de la vie embryonnaire.

Ovaire : Glande sexuelle féminine qui garde en stock les ovocytes* et sécrète des hormones indispensables à la gestation* : les estrogènes et la progestérone.

Ovocyte : Est couramment et improprement appelé ovule*. Cellule sexuelle féminine, prête à la fécondation.

Ovulation ou ponte ovulaire : Moment du cycle ovarien, situé entre le 14e et le 17e jour après le 1er jour des règles, où l'ovaire* libère un ovocyte*.

Phénotype : Ensemble des caractères morphologiques, c'est-à-dire visibles, d'un individu.

Placenta praevia : Placenta situé en bas, non loin de l'orifice interne du col, pouvant même le recouvrir.

Primipare : Femme qui attend son premier enfant.

Procidence du cordon : Sortie prématurée du cordon ombilical, généralement provoquée par la perte des eaux.

Toxémie gravidique : Ensemble de troubles survenant à la mère, caractérisés par de l'albumine dans les urines et de l'hypertension artérielle. Elle peut entraîner une hypotrophie du fœtus et, dans les cas graves, une fausse couche.

Tranchées : Contractions douloureuses de l'utérus survenant après l'accouchement chez les multipares*.

Trompes de Fallope : Fin conduit, encore appelé oviducte, qui évacue vers l'utérus les ovocytes* pondus par l'ovaire*.

Trophoblaste : Nom donné aux cellules externes du blastocyste* qui entourent le bouton embryonnaire et qui contribueront à former le placenta.

Vernix caseosa : Enduit graisseux qui recouvre la peau du fœtus, in utero. Il a un rôle protecteur vis-à-vis du liquide amniotique dans lequel il macère.

Villosités : Excroissances cellulaires très fines et très ramifiées.

ZIFT : Zygote Intra Fallopian Transfert. Technique de fécondation in vitro.

Zygote : C'est la première cellule du nouvel individu, issue de la rencontre de l'ovocyte* maternel et du spermatozoïde paternel. Il possède un noyau contenant les 46 chromosomes* de l'espèce.

INDEX

BIBLIOGRAPHIE

Baumann N., Développement du cerveau : maturation biochimique et fonctionnelle, in *L'Alimentation et la vie*. Numéro spécial : Alimentation et cerveau. Publication de la Société Scientifique d'Hygiène Alimentaire, n° 73, Avril 1988.

Chéné P.-A., *Sophro-accouchement*. Méthode complète de préparation à la naissance pour la mère et l'enfant, éd. Ellebore, Paris, 1989.

Dumez Y., *Naître ou ne pas naître*, Flammarion, 1987.

Ebel A., Alimentation, développement cérébral et fonction neuronale, in *L'Alimentation et la vie*. Numéro spécial : Alimentation et cerveau. Publication de la Société Scientifique d'Hygiène Alimentaire, n° 73, Avril 1988.

Hamilton, *Human embryology*, Prenatal Development of Form and Function, Ed. Boyd and Mossman's, 1972.

Labro F., *Enceinte et en forme*, Lattès, 1985 et Marabout (MS 739).

Langman J., *Embryologie médicale*, Masson et Cie, 1972.

Lhermitte F., Formation et évolution du cerveau et de la pensée, in *L'Alimentation et la vie*. Numéro spécial : Alimentation et cerveau. Publication de la Société Scientifique d'Hygiène Alimentaire, n° 73, Avril 1988.

Martino B., *Le Bébé est une personne*, Balland, 1985.

Minkowski A., *Pour un nouveau-né sans risque*, Point-Seuil, 1983.

Poirier J., Chevreau J., *Feuillets d'histologie humaine*. Librairie Maloine éd., Paris, 1985.

Poirier J., Cohen I., Baudet J., *Embryologie humaine*, Maloine S.A. éd., Paris, 1981.
Verny T., Kelly J., *La Vie secrète avant la naissance*, Grasset, 1982.

Les dessins scientifiques ont été réalisés d'après les ouvrages d'embryologie cités dans la bibliographie.

TABLE
DES MATIÈRES

IMPRIMÉ EN FRANCE PAR BRODARD ET TAUPIN
9453 - La Flèche (Sarthe), le 27-09-2001.

pour le compte des
Nouvelles Éditions Marabout
D.L. 14972-septembre 2001
ISBN : 2-501-03325-6